D'APRÈS FOUCAULT
GESTES, LUTTES, PROGRAMMES

Philippe Artières
et Mathieu Potte-Bonneville

D'APRÈS FOUCAULT
GESTES, LUTTES, PROGRAMMES

LES PRAIRIES ORDINAIRES
COLLECTION « ESSAIS »

© 2007, Les Prairies ordinaires
206, boulevard Voltaire 75011 Paris
Diffusion : Les Belles Lettres
ISBN : 978-2-35096-026-5
Réalisation : Les Prairies ordinaires
Conception graphique : Maëlle Dault
Impression : Normandie Roto Impression

Avant-propos

Nous n'avons pas connu Michel Foucault. Nés l'un et l'autre en 1968, nous avions seize ans à peine quand il est mort : trop jeunes pour avoir suivi ses cours au Collège de France, pour avoir remarqué ses dernières interventions publiques, pour avoir perçu et mesuré qu'une époque se refermait sur sa disparition. Cette époque, après tout, était celle où nous avions grandi, et nous n'en connaissions pas d'autre ; les années 1970, d'être nées en même temps que nous, nous semblaient comme de juste éternelles au moment précis où (cela ne deviendrait que trop clair plus tard) elles achevaient de finir et se trouvaient violemment repoussées dans l'histoire. Nous sommes passés à côté de la vie de Michel Foucault, à côté de sa mort, son âge et le nôtre se sont manqués comme on se croise. Nous étions occupés ailleurs. Nous sommes de la génération d'après.

Lorsque, étudiants au début des années 1990, nous sommes partis en quête de cette silhouette aperçue du coin de l'œil, c'est dans un grand silence que nous l'avons cherchée. Foucault n'était pas seulement mort de manière brutale, on avait décidé d'enterrer avec lui sa pensée. Il fallait en finir avec ce trublion, avec cette figure inclassable et politiquement suspecte. Il ne devait pas y avoir « d'après Foucault », parce que l'événement-Foucault était réputé nul et non avenu, ne faisant ni scansion, ni histoire. Des années plus tôt, déjà, Jean

Baudrillard avait appelé à l'oublier ; désormais, Luc Ferry et Alain Renaut le traitaient d'imposteur aveugle (n'avait-il pas été jusqu'à croire qu'en Iran, quelque chose s'était passé lors de la chute du shah ?), cependant qu'ailleurs on y voyait une menace pour la discipline historique. L'époque était à la République, à l'analyse logique, aux charmes consensuels de la communication ; la pensée critique, redevenue sagement kantienne, n'enseignait plus qu'à justifier l'existant en se gardant d'aller trop loin. À l'influence de Foucault, la nouvelle configuration intellectuelle française opposait une défense circulaire : n'en parlant pas, ne lisant pas ses textes ni n'engageant les étudiants à travailler sur eux, elle accréditait du même coup l'idée qu'il n'y avait rien à en dire, rien là qui vaille d'être travaillé et lu – donc, qu'il était raisonnable de s'en détourner, et ainsi de suite à l'infini. On n'établissait pas la fausseté de l'approche archéologique ou généalogique ; on se contentait de faire passer en-dehors de celle-ci le tracé des méthodes, des auteurs et des œuvres qui (selon une expression de *L'Ordre du discours*) sont « dans le vrai ». L'Université pesait de tout son mutisme dans la balance de l'oubli. Il fallait tirer par la manche tel professeur, *circa* 1990, pour qu'il réponde du bout des lèvres : « au fond, de Foucault, il ne restera pas grand-chose. »

Mais il y avait ses livres. Nous avons lu ses livres ; nous les avons lus dans le désordre, *La Volonté de savoir* avant l'*Histoire de la folie*, *L'Ordre du discours* avant *Les Mots et les Choses*, celui-ci parce qu'il traitait du langage en des termes bien différents de la philosophie analytique depuis peu dominante, y introduisant l'événement, la politique et l'histoire, celui-là parce qu'il instituait un simple règlement scolaire en source historique, parce

qu'il prenait soudain au sérieux le discours des per-
dants. Nous avons découvert sa voix sur des enregistrements alors déposés à la bibliothèque du Saulchoir,
entourés de dominicains en robe blanche. Sa diction
était si nette et articulée, pour un discours si mouvant
dans le fond, que sa voix ressemblait à ces coupes géo-
logiques où les couches supérieures recouvrent d'une
surface dure, mince et friable la dérive de grandes nap-
pes brûlantes, et se plissent sous leur poussée. Il y avait
là une leçon : on pouvait être rigoureux sans savoir
d'avance ce qu'on allait conclure. Poursuivant sur cette
lancée, nous avons aperçu son visage rieur sur des photographies, pris connaissance de ses interventions,
retenu de son actualité ce qu'en livraient les archives, de
son parcours ce que disaient les biographes. Et puis,
nous sommes allés suivre les enseignements de certains de ses lecteurs privilégiés. Loin des tribunes et des
chaires en vue, ils travaillaient avec cette œuvre en mor-
ceaux, ils en usaient en solitaires sur des objets inédits.
Alors que Foucault était mis au ban, ces quelques-uns
nous encouragèrent.

C'est aussi qu'évacué du débat intellectuel, Foucault
ne cessait pour autant de hanter l'actualité ; au détour de
chaque chemin, on butait littéralement sur les questions
par lui posées, au point que, par une sorte d'évidente
nécessité, nous nous trouvions régulièrement à puiser
dans cette pensée plus ou moins ostracisée nos outils
principaux de pensée. En fait, si le travail de passeur
qu'opéraient Michelle Perrot dans le champ historique,
ou Pierre Macherey dans le champ philosophique, nous
semblait essentiel et appelé à être prolongé, c'est que
cette pensée se télescopait, au-dehors, avec les transformations à l'œuvre dans la période que nous traversions.

Toute la décennie des années 1990 fut marquée de cette présence. Le mouvement de lutte contre l'épidémie de sida fut l'un des lieux où la figure de Foucault était discrètement centrale. Elle semblait, en fait, y occuper deux foyers assez nettement distincts, en ellipse : d'un côté, la mort du penseur s'inscrivait dans la série des événements qui qualifiaient l'époque ; elle contribuait à faire de la lutte contre le VIH, quelle que soit par ailleurs la proximité que l'on pouvait entretenir avec la maladie et ceux qu'elle frappait, la cause et la question les plus contemporaines – à la fois urgence et horizon tels qu'on ne pouvait s'en détourner sans renoncer à se saisir de son temps et de soi-même. D'un autre côté, la lutte contre l'épidémie rencontrait au cœur de la relation médicale des enjeux de pouvoir/savoir poussant leurs ramifications très loin dans la société, et obligeait à se ranger moins du côté des opprimés ou des exploités que des « anormaux » : toutes questions pour lesquelles Foucault fournissait des outils directement mobilisables. Plus que des repères historiques, *La Volonté de savoir* ou *Naissance de la clinique* proposaient des façons de problématiser ce qui était en train de se passer, pour produire un diagnostic et agir. Curieusement donc, l'œuvre de Foucault aidait à combattre sur les plans social et politique la maladie dont il était mort, sans pourtant (et heureusement) que cette superposition ne cristallise jamais en une seule et unique figure, sans que tout cela se mette à faire symbole, comme si la mort du philosophe pouvait conférer un surcroît d'authenticité à son œuvre, ou comme si son œuvre pouvait héroïser cette mort. Demeurait, tenant ces deux plans à distance l'un de l'autre, la claire conscience d'une coïncidence. Ce déboîtement fut un aide-mémoire : si, pour ceux qui entouraient Foucault, sa disparition fut un moteur important de leur engagement, pour nous qui n'étions pas ses proches, l'absence de lien direct entre sa vie ou sa mort « privées » et la pertinence de ses travaux venait rappeler, si nécessaire, que le VIH n'était pas une affaire de destin et de sens, mais de hasard et de combat.

Le champ pénitentiaire fut un autre de ses lieux ; la prison avait cessé d'être un objet politique en cette fin des années 1980 ; elle était sortie, l'air de rien, du champ de l'actualité au terme du ministère Badinter, après des actes aussi forts que la suppression du costume pénitentiaire et surtout l'abolition de la peine de mort. La gauche comme les intellectuels oublièrent la prison alors qu'elle était renforcée plus que jamais dans ses fonctions – désormais des hommes pourraient être condamnés à des peines de perpétuité sans possibilité de sortie. On avait loué *Surveiller et punir*, on pouvait désormais l'oublier. Foucault avait été un excellent guide dans les réformes, pour limiter le disciplinaire, essayer d'en restreindre les excès, rendre plus humains les lieux d'enfermements. La force du livre des peines, lu comme un livre humaniste, avait été neutralisée. Or, au début des années 1990, la prison revint brusquement sur le devant de la scène et un autre Foucault avec elle. L'épidémie de sida ne s'était pas arrêtée devant les hauts murs, elle avait explosé en détention. Certains cherchèrent à imposer un dépistage obligatoire, voulurent isoler les détenus contaminés… On découvrait que l'on savait peu de choses sur ce qui se passait en détention : qui y allait ? Comment on y vivait ? Quelles sexualités on y avait ? quels stupéfiants y circulaient ? Foucault fut l'un des précieux recours pour les associations et les militants qui voulaient agir. C'est un Foucault

13

minoré qui intervint ; celui du Groupe information sur les Prisons, qu'avait animé le philosophe en 1971-1972. Ce Foucault-là, celui de l'enquête-Intolérable dans vingt prisons[1], ou des combats contre le casier judiciaire, était cantonné à une iconographie foucaldienne aussi héroïque qu'imprécise. Le travail du GIP vint nourrir la réflexion et les moyens de sortir du piège humaniste, afin de repolitiser la prison à travers ce problème de santé publique. Il ne s'agissait pas de plaquer anachroniquement ce savoir-faire sur des situations différentes mais de faire travailler ses analyses : ainsi, partir de l'expérience des détenus et produire un savoir collectif. Faire de la prison non un point périphérique mais un lieu stratégique. Aussi est-ce vers ce corpus foucaldien, magistralement révélé par la publication des *Dits et Écrits*, que beaucoup se tournèrent, découvrant un autre rapport théorie/pratique. Sans doute, la radicalité des positions de Foucault et des militants du GIP ne fut-elle pas pour déplaire. Les années Mitterrand ne finissaient pas de nous anesthésier, les accents libertaires de certaines de ses interventions firent mouche. Foucault réveilla l'autre gauche.

Autre front où la lecture semblait se prolonger d'elle-même : celui des politiques d'immigration et des oppositions qui s'y sont affrontées. On disait dans les années 1970, et pour en appeler à l'initiative des masses, que « les structures ne descendent pas toutes seules dans la rue » ; en 1993 ou 1996, pourtant, avec les lois Pasqua ou l'occupation de Saint-Bernard, le lecteur de *Surveiller et punir* ou de « La vie des hommes infâmes » avait l'impression étrange qu'il lui suffisait de lever la tête pour voir les signes imprimés qu'il venait de quitter s'inscrire

---

1. *Enquête dans vingt prisons*, Paris, Champ libre, coll. « Intolérable », n° 1, 28 mai 1971

ici dans le code juridique, se presser là aux portes des églises. La multiplication des lois sur l'immigration, la nationalité et le séjour des étrangers marquait en effet bien autre chose qu'un « durcissement » : une véritable colonisation des catégories juridiques par la rationalité disciplinaire, dans des textes conçus non pour poser un cadre général qu'infléchirait, plus tard et par en dessous, tel ou tel règlement, mais pour aménager une série de parades particulières et conférer, à cette fin, une marge d'intervention et d'appréciation accrue aux acteurs ordinaires du contre-droit administratif (guichetiers, policiers ou maires chargés d'apprécier la « blancheur » des mariages). Face à une telle politique, le combat des sans-papiers pour faire connaître leur situation et leur simple existence faisait violemment signe à ces hommes infâmes dont Foucault avait pointé l'existence pour le XVIIIᵉ siècle ; avec eux, ceux de Saint-Bernard cherchaient à faire entendre qu'ils n'étaient pas seulement victimes d'une politique d'exclusion, mais bel et bien tenus en deçà de l'histoire. « Archéologie d'un silence » : cette formule de l'*Histoire de la folie* se réactivait à mesure que se révélaient les formes généralisées de l'infâmie moderne ; elle s'amplifiait dans la revendication d'un droit à une histoire, à un récit, exigences dont il n'est plus possible aujourd'hui d'ignorer l'importance.

Le recours à Foucault hors de France nous enseigna aussi l'actualité de sa pensée. François Cusset[2] a bien montré les allers et retours de l'œuvre entre la France et les États-Unis ; pour nous, pourtant, Foucault revint moins d'Amérique du Nord que de l'Est ou du Sud, où la conjoncture politique donnait une pertinence nouvelle à des analyses pourtant produites dans un tout autre

---

2. *French Theory*, Paris, La Découverte, 2003

contexte. Dans son effort pour se déprendre des divisions qu'introduisait dans la pensée, depuis l'après-guerre, l'affrontement des blocs, la démarche de Foucault avait été marquée par un double soupçon : soupçon envers l'hégémonie du marxisme sur la pensée critique ; mais soupçon symétrique quant à l'évidence du partage entre sociétés « ouvertes » et « totalitaires », tant les dispositifs de pouvoir mobilisés ici et là apparaissent parfois transversaux. La chute du Mur de Berlin donna à cette double défiance une urgence et un sens neufs : en Europe de l'Est comme en Amérique latine, on s'est mis à convoquer la pensée de Foucault pour sortir du marxisme sans renoncer à mener une analyse du pouvoir ; on y a cherché les moyens de poursuivre une pensée critique, dans le contexte de la mondialisation et face aux menaces néolibérales, sans s'inféoder pour autant à un système, et à travers des outils particulièrement adéquats aux contextes post-totalitaires. On mesure mal de Paris, ou on tient en trop piètre estime, l'extraordinaire succès de Foucault dans certains pays. À Port-au-Prince, à Bogota en Colombie, à Iasi en Roumanie ou à Kerouan, nous avons été témoins de sa lecture par des syndicalistes, des juristes, des travailleurs sociaux, qui en nourrissaient leurs pratiques politiques et professionnelles : joie sans mélange que de voir, à travers ces usages non académiques et non orthodoxes, la métaphore de la « boîte à outils » devenir réalité, et jeter, à rebours, une lumière nouvelle sur le sens des textes eux-mêmes. Se recommander de ces usages peut sembler paradoxal pour justifier nos lectures, lesquelles s'inscrivent plus classiquement dans le champ de l'histoire et de la philosophie. C'est pourtant l'une des plus intéressantes raisons de relire Foucault, y compris en historien et en philosophe : cela revient à se demander ce que les outils enseignent de la boîte.

Un dernier chemin, peut-être, nous a reconduits régulièrement à Foucault depuis une dizaine d'années : celui des nouvelles formes, encore indécises, prises par la fonction de l'intellectuel dans le champ social. Foucault avait identifié et encouragé le développement au cours des années 1970 d'une figure nouvelle de l'intellectuel, tel qu'il existait depuis Zola. À partir de l'exemple du physicien Oppenheimer ou de certains médecins (en particulier des psychiatres), il avait mis en évidence l'existence de ce qu'il désignait comme un « intellectuel spécifique », intervenant depuis son champ de compétences propre et soumettant à la critique le jeu de pouvoirs auquel son savoir participait, dans lequel il fonctionnait régulièrement, plutôt que de s'autoriser d'une vérité transcendant par nature le jeu des intérêts particuliers, d'une sagesse de droit pacificatrice. Non que Foucault ait prétendu incarner tout uniment cette nouvelle forme d'intellectualité, comme trop de lectures hâtives le laissent croire : bien plus instable et ambiguë, sa position se situait sur un spectre allant de l'intervention en première personne à l'inscription dans des collectifs d'experts et de militants, jouant tantôt de la célébrité et tantôt de l'anonymat, utilisant les ressources d'une médiatisation naissante pour se faire porte-parole de ceux que l'on refusait d'entendre. En ne cherchant jamais à théoriser ce jeu de déséquilibres, en refusant en particulier de gager la dimension personnelle de ses interventions sur l'autorité de la science (comme le tenterait plus tard, de façon assez précaire, Pierre Bourdieu), Foucault ne s'est pas simplement montré adepte du double jeu : il a indiqué nettement qu'il ne serait plus jamais simple « d'intervenir », qu'il y faudrait chaque fois faire preuve d'inventivité et de sens de la conjoncture, parce que le répertoire était désormais clos des solutions qui jusque-là permettaient d'articuler par avance la prise de parole singulière et les mouvements collectifs, ou la lecture théorique du monde et les engagements ponctuels. Dans l'espace de ce problème, se sont engouffrés durant la dernière décennie tous ceux qui prétendent faire œuvre d'élucidation sans renoncer à prendre part aux événements. Sous la lente agonie des figures de l'intellectuel « à l'ancienne » (dont les anciens nouveaux philosophes fournissent aujourd'hui la pénible illustration), on a assisté à la multiplication de formes militantes de contre-expertise en matière de santé, de droit, d'immigration, d'environnement, de logement ou de régimes d'indemnisation. Du réexamen critique des chiffres avancés par le gouvernement mené par le groupe de statisticiens Pénombre, à la définition de contre-propositions par les collectifs d'intermittents du spectacle, la question n'est plus de savoir si le Vrai peut interrompre la violence des conflits, mais de quelles vérités affrontées ces derniers s'alimentent, comment elles sont produites et comment y porter la critique. Ce, sans que les tensions qui suscitaient, chez Foucault, le recours à des formes plus classiques d'intervention aient pour autant disparu : la question de savoir comment articuler expertise locale et interpellation de l'opinion publique, ou comment lier l'invocation positive des faits et la revendication de valeurs, demeurent urgentes. Il suffit de songer à la manière dont des collectifs d'historiens sont intervenus dans quelques débats récents (à propos des lois mémorielles, ou de la création d'un ministère de l'Immigration et de l'Identité nationale) pour vérifier que l'oscillation entre l'autorité de la science et l'expertise spécifique, entre le rôle du grand témoin et celui de l'acteur impliqué, entre l'universel et le spécifique donc, demeure un ressort, un problème et une ressource majeurs dans l'invention de nouvelles formes d'intervention politique.

Des prisonniers aux migrants, de la maladie à la politique, de la géopolitique au renouvellement des vieilles questions « que faire ? » et « d'où parlez-vous ? » : venues de ce dehors multiple, quelques raisons portaient ces dix ou quinze dernières années à se mettre à l'école d'une œuvre dont l'Université prétendait avoir perdu le souvenir. Pour autant, si avec d'autres aujourd'hui plus nombreux, nous nous sommes investis dans l'exploration de cette pensée jusqu'à tâcher à notre tour de jouer les passeurs, c'est aussi que sa fréquentation produisait immédiatement sur notre travail, sur la pratique de la philosophie pour l'un, de l'histoire pour l'autre, un extraordinaire effet d'ouverture – elle déverrouillait des espaces, révélait des objets à penser, portait à inventer de nouveaux cadres de recherches.

Sur le plan philosophique, au-delà même des concepts introduits ou des thèses avancées, lire Foucault fut et est encore salubre pour au moins deux raisons, qui tiennent à sa manière de faire, de penser et d'écrire. D'abord, l'exercice de la réflexion ne se sépare pas chez lui d'une série de fréquentations et de frayages : avec la littérature, l'histoire ou les sciences sociales, avec les textes latins ou l'actualité, avec la littérature grise du XVIIIᵉ siècle ou les « reportages d'idées ». Cette contiguïté, sans doute suspecte à une période où la discipline est volontiers tentée de se replier dans les frontières de la *philosophia perennis*, est d'autant plus salubre qu'elle n'obéit ni à une ambition de récapitulation encyclopédique (tant ces corpus semblent convoqués dans un savant désordre), ni à la simple volonté d'assurer à la philosophie le concours de disciplines plus positives : cette superposition, en palimpsestes, de rationalités multiples ne promet pas que la réflexion s'exercera sur un champ d'objectivité enfin scientifiquement connu et techniquement maîtrisé (à l'image de l'horizon que promettent aujourd'hui les sciences cognitives ou la philosophie de l'esprit) ; elle complique, au contraire, la plénitude supposée des choses, elle les fait apparaître taillés dans une étoffe discursive et historique, sans pour autant atténuer leur proximité urgente. En bref, à qui apprend à penser avec lui, Foucault interdit à la fois de pratiquer une réflexion refermée sur elle-même et de mimer la saisie scientifique de la nature ; il enjoint à s'inquiéter d'un monde qu'entretisse une rationalité impure, et à bricoler les moyens d'une telle vigilance selon le moment, la stratégie et l'occasion.

L'autre vertu de Foucault pour qui tâche aujourd'hui de pratiquer la philosophie touche à la place très particulière qu'occupe, dans ses analyses, la préoccupation politique. Les années 1980 finissantes ont vu la restauration d'une « philosophie politique » de plein droit, affirmant à la fois la légitimité des concepts canoniques de cette discipline (bien commun ou justice, liberté ou droits, république, démocratie) et la possibilité d'en mener une analyse autonome, de constituer le politique comme sphère enfin de nouveau séparée, vis-à-vis de cette masse confuse qu'on nomme « le social » à laquelle la décennie précédente aurait paraît-il consacré une attention exclusive et brouillonne. En ce sens, il faut l'avouer, Foucault est le penseur le moins politique qui soit et l'on serait bien en peine d'identifier sa « philosophie politique », tant ses gestes apparaissent en l'affaire hétérodoxes : d'un côté, il ne cesse de détacher les mots du politique de leurs fondements universels pour en souligner l'émergence historique singulière (ainsi, les derniers cours parus en attestent, le « libéralisme » est-il rapporté, plutôt qu'à la Liberté, à certaines transformations précises dans l'art de gouverner). De l'autre côté, manque chez lui cette coupure, cette séparation qui donne au politique le statut d'un domaine, l'établit dans des frontières sûres, assure sur lui une calme souveraineté à la raison. Ce n'est pas, comme on l'a dit, que chez Foucault « tout soit politique » – pour cela, il faudrait encore qu'il y ait un « tout », ce que l'œuvre ne cesse de démentir et de déjouer, dressée contre la totalisation par sa composition fragmentaire comme par son insistance sur « le hasard, le discontinu et la matérialité ». C'est plutôt que le politique est chaque fois là où on ne l'attend pas, traverse les frontières, affecte les sphères les plus neutres d'un indice de conflit et de partialité, et ne saurait réciproquement se prétendre quitte de certains problèmes, arguant qu'ils échapperaient de droit à sa juridiction. La vigilance philosophique ainsi exigée ne se laisse guère compartimenter.

En histoire, la discipline ne pouvait oublier Foucault : ne l'avait-il pas révolutionnée, selon son collègue du Collège de France Paul Veyne ? Il y avait eu la rencontre de *L'Impossible Prison*, ce dialogue difficile entre Foucault en philosophe et un groupe d'historiens regroupant certains tenants de la micro-histoire et nombre de chercheurs engagés dans son séminaire. Certes, l'incompréhension avait en partie rendu l'échange incomplet mais, et on s'en rendit compte après sa mort, Foucault avait marqué durablement la discipline ; certes, l'histoire des discours qu'il prônait n'avait pas fait école, et l'histoire des représentations était dominante, mais des indices indiquaient que certains de ses concepts étaient actifs chez ceux qui ouvraient de nouveaux champs d'investigation ; ainsi dans des domaines aussi variés que l'histoire de la culture écrite, celle des femmes, des pratiques de l'intime, ou encore des événements de faible intensité, on travaillait avec Foucault. C'était Michel de Certeau qui avait, juste après la disparition de l'auteur de l'*Histoire de la folie*, invité à son libre usage. Il fallait user de Foucault comme lui traversait les espaces livresques. Sans doute est-ce cette formidable brèche que Foucault avait ouverte, cet espace de liberté dans une discipline historique repliée sur elle-même, défendant sa spécificité, notamment face à la montée d'une anthropologie historique qu'elle jugeait par trop envahissante, qui nous attira. Les concepts de problématisation, de dispositifs, de micro-physique des pouvoirs nourrirent cette autre manière de faire de l'histoire ; certains historiographes comme Roger Chartier reprirent les questions de périodisations jusqu'alors figées. On se mit à discuter la pensée de Foucault non dans la perspective de savoir s'il avait tort ou raison mais pour comprendre en quoi sa pensée pouvait être utile à l'analyse de la question de l'histoire du livre, des corps, du genre… À la croisée de plusieurs de ces champs de recherches, Michelle Perrot fut de celles qui jouèrent ce rôle de « discutante » ; sans concession, l'historienne, à partir d'une lecture suivie de certains de ses livres, permit à toute la *génération d'après* d'entrer dans une œuvre infréquentable. Il s'agissait aussi de défendre une certaine idée de l'histoire, héritière des Annales, qui ne saurait se suffire d'elle-même. Le rapport foucaldien aux sources qui rompait avec la hiérarchie de la documentation en vigueur, son usage élargi du terme d'archives qui faisait la part belle aux imprimés, tout cela a contribué à changer le visage de l'histoire moderne et contemporaine. Avec Foucault, et à sa suite Arlette Farge, entrèrent dans le récit historique des acteurs anonymes, petites gens, « passants » de l'histoire. Toute une population méconnue, avec ses traces, apparut sous la plume des historiens : avec *Le Désordre des familles*, l'infra-ordinaire, une minuscule scène, un geste, une parole devenaient dignes d'être histoire ; ce souci de l'infime qu'Arlette Farge eut alors rencontra l'intérêt contemporain de certains chercheurs pour les écritures ordinaires. Ce que Foucault permettait c'était, grâce à ses analyses des modes de gouvernement, de ne pas rabattre ces pratiques sur du singulier mais au contraire de chercher dans quelle mesure elles participaient d'entreprises de savoir-pouvoir, par exemple. Avec eux, une histoire politique redevenait possible.

De l'ensemble du paysage social et intellectuel qui précède, on sera peut-être surpris de ne trouver dans les chapitres qui suivent qu'un écho indirect, différé. Composés selon l'occasion, en France ou à l'étranger et en l'espace d'une dizaine d'années, cette série de textes d'histoire et de philosophie est peut-être d'abord « d'après Foucault » en ce que nous nous y sommes efforcés, chaque fois, d'éclairer le présent tout en nous refusant à le refléter ou à le prendre pour objet direct de notre investigation. Sans doute avons-nous été marqués, l'un comme l'autre, par cette posture oblique qui conduisait l'auteur de *Surveiller et punir*, soucieux d'intervenir dans une actualité brûlante, à ouvrir son propos ainsi : « Damiens avait été condamné, le 2 mars 1757... » De même sera-t-il question ici de certains points d'interprétation délicats dans les œuvres ou les cours de Foucault, de certains épisodes précis de sa biographie et du contexte historique auquel il prit part ; mais on aimerait qu'à travers eux s'entende comme en murmure le contexte parfois fort peu académique qui nous y fit songer et travailler. Nous le laissons en blanc, afin que ces textes suggèrent aussi sur le présent de nouvelles vues au lecteur. Pourquoi les publier ensemble ? D'abord parce qu'au carrefour de nos recherches respectives, les étapes de celles-ci semblaient depuis quelque temps se faire signe avec insistance ; entre certains de ces petits écrits s'exerçait dans notre dos une attraction discrète, intéressante comme peut l'être une proximité sur fond de rencontre imprévue, prolongée comme ce qui finit par indiquer une communauté de parcours. Jouant à les mettre en série, nous avons été frappés de la manière dont ces textes nous « faisaient penser » les uns aux autres – il n'y a pas d'expression plus juste, si « faire penser » offre en français le mérite à la fois de souligner une ressemblance, d'introduire une digression sur le mode de l'enchaînement libre et de marquer, parfois, la naissance d'une idée. D'autre part, ce serait ici le moment de dire qu'il est tout naturel d'associer dans ces pages la démarche de l'historien et celle du philosophe, qu'il y a là vis-à-vis d'un auteur « à cheval » sur deux disciplines des points de vue complémentaires. En un sens, pourtant, c'est presque le contraire. Chez Foucault, le rapport entre philosophie et histoire n'est pas de synthèse, il ne s'agit pas de célébrer les noces de l'archive et du concept au profit d'une perspective où le sens et l'événement se trouveraient enfin réconciliés. La relation est au contraire de déstabilisation réciproque : du point de vue archéologique, l'analyse conceptuelle vise avant tout à défaire les évidences ininterrogées de l'histoire positive – continuité et grandes dates, existence « infracassable » de faits dont il suffirait d'établir l'ordre, jeu des oppositions et des influences... À rebours, la généalogie cherche à corroder les universaux dont la philosophie se prévaut (le Sujet ou le Pouvoir, les Mots et les Choses...), à écailler leur majuscule en usant de l'histoire, en bref à « événementialiser ». De même, l'alternance dans ce livre d'approches conceptuelles et historiques ne vise pas à offrir de Foucault un portrait plus complet mais tout autant à laisser jouer d'un chapitre l'autre de légères contestations réciproques, de sorte que chacune de ces esquisses, fuyant vers un horizon un peu différent, désespère le lecteur d'appréhender enfin l'ensemble, le ramène vers cette pensée incomplète, c'est-à-dire vivante. Le léger égarement fait partie du tableau.

Philippe Artières et Mathieu Potte-Bonneville,
juillet 2007

Gestes

« Montrer que les choses ne sont pas aussi évidentes qu'on croit, faire en sorte que ce qu'on accepte comme allant de soi n'aille plus de soi : faire la critique, c'est rendre difficiles les gestes trop faciles. »

Diagnostiquer

Histoire de la vérité : où l'on examinera les pratiques d'un historien du présent.

« Je suis un diagnosticien du présent », aimait à dire Michel Foucault pour caractériser son entreprise et inscrire celle-ci dans l'ombre de Nietzsche, le premier, selon lui, à désigner l'activité de diagnostic comme celle particulière de la philosophie. Par la mise au jour des dénivellations de la culture occidentale, Foucault voulait rendre à notre présent, « à notre sol silencieux et naïvement immobile (...) ses ruptures, son instabilité, ses failles » ; et le voir s'inquiéter « à nouveau sous nos pas » comme il l'écrivait au terme de sa préface aux *Mots et les Choses*[1].

Pour Foucault, en effet, le rôle de la philosophie n'est pas de découvrir des vérités cachées, mais de rendre visible ce qui précisément est visible, « c'est-à-dire de faire apparaître ce qui est si proche, ce qui est si immédiat, ce qui est si intimement lié à nous-mêmes qu'à cause de cela nous ne le percevons pas. (...) Faire voir ce que nous voyons[2] ». Ce sont les relations de pouvoir qu'il s'agit donc d'interroger. Dans un style optique qu'analysa Michel de Certeau[3], Foucault identifie les mouvements, les forces que nous ne connaissons pas et qui pourtant traversent notre présent. De l'*Histoire de la folie à l'âge classique* (1961) à *La Volonté de savoir* (1976), ses « fictions historiques » ont la même visée :

29

diagnostiquer ces forces qui constituent et agitent notre actualité. Il essaie ainsi de provoquer « une interférence entre notre réalité et ce que nous savons de notre passé[4] ». Ce qui fait espérer au philosophe que la vérité de ses livres est dans l'avenir.

Le rôle qu'il s'assigne comme intellectuel n'est pas différent ; il n'a pas pour fonction d'énoncer des vérités prophétiques pour l'avenir, mais de faire saisir à ses contemporains ce qui est en train de se passer. Foucault rêve ainsi en 1977 d'un « intellectuel destructeur des évidences et des universalités, celui qui repère et indique dans les inerties et contraintes du présent les points de faiblesse, les ouvertures, les lignes de force, celui qui, sans cesse, se déplace, ne sait plus au juste où il sera ni ce qu'il pensera demain, car il est trop attentif au présent[5] ».

À partir du début des années 1970, Michel Foucault, qui n'a pris part ni aux luttes contre la guerre d'Algérie, ni aux mouvements de Mai 68, entre dans la bataille et intervient à plusieurs reprises directement dans l'actualité politique et sociale, française et étrangère – lutte autour des prisons, soutien aux dissidents, aux prisonniers espagnols, à Klaus Croissant[6]… Ces interventions sont toujours envisagées comme parallèles, voire concurrentes de son travail philosophique. Il y aurait ainsi plusieurs Foucault et l'engagement du philosophe constituerait une activité indépendante de l'œuvre.

Aller contre cette idée reçue qui vise à désamorcer Foucault, tel est notre objectif en étudiant comment précisément s'articulent l'un et l'autre, c'est-à-dire comment les interventions de Michel Foucault sur la scène politique et sociale contemporaine ont toujours comme visée le diagnostic. Il s'agit de montrer comment ses « gestes », et notamment son voyage en Iran, non seulement participent de l'œuvre, mais sont aussi pour lui des lieux d'expérience physique du travail pratique du diagnostic, de ce journalisme radical[7] qu'il appelle de ses vœux. Plus encore, les archives de cette série d'expériences esquissent un portrait du diagnosticien selon Foucault.

Guetter l'émergence de forces qui se soulèvent

C'est cette fonction de diagnosticien attentif à l'éruption d'une force inédite qu'il ne s'agit nullement de contrôler qui devient première au cours des années 1970. Ce rôle de l'intellectuel qu'invente Foucault rompt donc radicalement avec les conceptions contemporaines, et principalement avec celle incarnée par Sartre. Sans doute le courage de Foucault n'est-il ici plus seulement physique, mais tient dans la posture adoptée, non pas au-dessus, mais dans un « en dessous », là où les soulèvements, aussi minimes soient-ils, sont sensibles, notamment dans un ensemble de luttes « locales » qui émergent alors.

À l'invitation du rédacteur en chef du quotidien italien *Il Corriere della Sera*, Michel Foucault se rend en Iran à deux reprises, en septembre et novembre 1978[8] ; là-bas, par l'intermédiaire d'abord de deux journalistes de *Libération*, il rencontre certaines personnalités de l'opposition au régime et assiste à plusieurs manifestations. De retour à Paris, il rédige une longue série de « reportages » qui paraissent dans le quotidien italien les 28 septembre, 1er, 8 et 22 octobre, 5, 7, 19 et 26 novembre 1978 et le 13 février 1979[9]. Foucault rend compte de ce qu'il a vu et entendu en ces jours où le peuple iranien se souleva contre le Shah[10]. Le philosophe, qui s'est beaucoup documenté dans les semaines précédant son voyage, se livre à de longues descriptions de ce qu'il observe dans les villes qu'il visite et rapporte le contenu de ses échanges avec les personnalités qu'il a rencontrées. Foucault ne prend pas position : il regarde et son récit est une série de *coups d'œil* sur l'actualité iranienne. Or, ce qu'il perçoit alors, c'est l'émergence d'une force, celle que constitue à ce moment-là la religion chiite : « Elle fait, de milliers de mécontentements, de haines, de misères, de désespoirs, *une force*. Et elle en fait une force, parce qu'elle est une forme d'expression, un mode de relations sociales, une organisation élémentaire souple, et largement acceptée, une manière d'être ensemble, une façon de parler et d'écouter, quelque chose qui permet de se faire entendre des autres et de vouloir avec eux, en même temps qu'eux[11] ».

À la suite de ces publications et de la traduction de l'une d'entre elles dans le *Nouvel Observateur*, Foucault est l'objet d'une vive polémique en France ; le philosophe décide de répondre à ces critiques dans une longue tribune intitulée « Inutile de se soulever ? » qui paraît dans le quotidien *Le Monde* du 11 mai 1979. Mais rien n'y fera et, jusqu'à sa mort en 1984, ses écrits sur la révolution iranienne, témoignages selon ses détracteurs de l'aveuglement des intellectuels, lui seront vivement reprochés et son travail d'articulation restera incompris ; Foucault demeurera blessé par ces critiques et l'incompréhension dont sa démarche fut l'objet.

On comprend la blessure de Foucault. Il est accusé d'égarement alors que ses écrits iraniens ne font que poursuivre un dangereux et singulier chemin qui dessine depuis une vingtaine d'années un nouveau rapport de l'intellectuel à l'actualité. Foucault ne s'est pas égaré en Iran, il s'est tenu à la morale « anti-stratégique » qui est la sienne : « Il faut tout à la fois guetter, un peu en dessous de l'histoire, ce qui la rompt et l'agite, et veiller un peu en arrière de la politique sur ce qui doit inconditionnellement la limiter[12]. » En Iran, Foucault s'est fait le témoin de l'émergence d'une force inédite. Cette morale n'est pas nouvelle ; elle l'a guidé tout au long de ses travaux et de ses engagements : elle est présente dès la préface de l'*Histoire de la folie* quand le philosophe souligne que « la plénitude de l'histoire n'est possible que dans l'espace, vide et peuplé en même temps, de tous ces mots sans langage qui font entendre à qui prête l'oreille un bruit sourd[13] ». À chaque reprise, Foucault poursuit « un ouvrage malaisé » : une attention sans limite à ce qu'il désigne comme « l'en dessous de l'histoire », ces mouvements de subjectivation individuels ou collectifs.

Un geste de chirurgien

Comment opère Foucault ? Par quel geste désigne-t-il dans le présent ce souffle de l'histoire ? C'est dans *Naissance de la clinique*, et notamment dans les pages qui constituent le cœur de l'ouvrage, l'étude du regard qu'inaugure l'anatomo-pathologie, que Foucault décrit avec la plus grande précision le geste du diagnosticien. Il écrit ainsi : « Le coup d'œil, lui, ne survole pas un champ : il frappe en un point, qui a le privilège d'être le point central ou décisif (...) ; le coup d'œil va droit : il choisit, et la ligne qu'il trace d'un trait opère, en un instant, le partage de l'essentiel ; il va donc au-delà de ce qu'il voit ; les formes immédiates du sensible ne le trompent pas ; car il sait les traverser ; il est par essence démystificateur. S'il frappe en sa rectitude violente, c'est pour briser, c'est pour soulever, c'est pour décoller l'apparence. Il ne s'embarrasse pas de tous les abus du langage. Le coup d'œil est muet comme un doigt pointé, et qui dénonce[14]. »

Et Foucault d'être plus explicite encore lors de l'entretien inédit qu'il donne à Claude Bonnefoy[15] peu après la sortie des *Mots et les Choses*, où pour la seule fois sans doute, le philosophe se livre à un exercice autobiographique ; Michel Foucault confie ainsi que son style relève probablement d'une vieille hérédité du bistouri : « Peut-être, je trace sur la blancheur du papier ces mêmes signes agressifs que mon père traçait jadis sur le corps des autres lorsqu'il opérait. J'ai transformé le bistouri en porte-plume. » Le philosophe poursuit en comparant son activité à celle de l'anatomiste faisant une autopsie. Avec son écriture, il parcourrait le corps des autres, l'inciserait, lèverait les téguments et les peaux, essayerait de découvrir les organes, et, dit-il, « mettant à jour les organes, de faire apparaître enfin ce foyer de lésion, ce foyer de mal, ce quelque chose qui a caractérisé leur vie, leur pensée et qui, dans sa négativité, a organisé finalement tout ce qu'ils ont été ».

Tout se passe en effet comme si, à travers la description du regard de l'anatomie pathologique, celui de Bichat, se dévoilait l'autoportrait de l'intellectuel Foucault qui, engagé dans une série de luttes quelques années plus tard, produit des diagnostics par une série de coups d'œil de médecin sur l'événement qui se déroule sous ses yeux.

Cette pratique de chirurgien, Foucault ne cesse de l'affiner dans ses livres. Ses archives de travail sont de ce point de vue exemplaires. Foucault passe de longues heures à la Bibliothèque nationale ; assis à sa table, il opère chaque ouvrage, l'incise pour en prendre ici quelques lignes, là plusieurs pages. Ses notes de lectures en témoignent explicitement : notant en haut le titre de l'ouvrage et le nom de son auteur, il en copie un fragment ; des fragments extraits, au sens physique du terme, des bibliothèques, Foucault en prélève de très nombreux[16]. Il en est de même s'agissant de l'archive. *Le désordre des familles*, né du double regard du philosophe et de l'historienne Arlette Farge en donne à voir quelques-uns. Les auteurs ont éventré les liasses, en ont sorti les organes. Dans l'ouvrage de 1982, on retrouve certains fragments déjà mis au jour par Foucault dans « La Vie des hommes infâmes ». S'il s'agit des mêmes archives, l'incision des auteurs n'est pas la même. Dans le texte publié dans les *Cahiers du chemin*, Foucault coupe au plus près, il en retire l'éclat qui a attiré son regard. Il laisse de côté des bras entiers de phrases. Ainsi par exemple, s'agissant de la lettre d'un certain Duchesne, un fragment est supprimé par Foucault en 1977 et reproduit en 1982 (ci-après en italique).

« Accablé sous le poids de la plus excessive douleur, Duchesne, commis, ose avec une humble et respectueuse confiance se jeter aux pieds de Votre Majesté pour implorer sa justice contre la plus méchante de toutes les femmes... *Si le moindre des sujets de votre Majesté n'a jamais eu recours en vain à votre Suprême Autorité, si Votre Majesté n'a jamais dédaigné d'écouter favorablement les plaintes qui ont été portées aux pieds de Son trône par tous Ses sujets injustement opprimés, et si elle n'en a jamais renvoyé aucun avec la douleur de se voir rejeter de sa juste demande,* quelle espérance ne doit pas concevoir l'infortuné qui, réduit à la dernière extrémité, a recours aujourd'hui à Votre Majesté, après avoir épuisé toutes les voies de douceur, de remontrances et de ménagements, pour ramener à son devoir une femme dépouillée de tout sentiment de Religion, d'honneur, de probité et même d'humanité ? Tel est, Sire, l'état du malheureux qui ose faire retentir sa plaintive voix aux oreilles de Votre Majesté[17]. »

Il y a dans les « fictions historiques » de Foucault un art de la citation qu'il faudrait un jour étudier et qui sans doute éclairerait de manière inédite son rapport aux historiens. Foucault ne cite pas, il détache, découpe des énoncés. Cette pratique est bien différente de celle qu'il entretient avec les œuvres littéraires ou picturales. Foucault ne prétend pas apporter une lecture nouvelle du *Neveu de Rameau* ou de *Don Quichotte* dans l'*Histoire de la Folie*. Il y pointe son regard qui en arrache les détails nécessaires à sa démonstration. S'agissant des archives, son regard n'est pas prédéterminé par son analyse, l'arrachement de l'archive est un véritable moment de pensée.

Foucault procède de même avec l'actualité, à la manière de l'anatomie-pathologie avec les cadavres ; il tranche les tissus politiques et s'avance, « le regard s'enfonce dans l'espace qu'il s'est donné pour tâche de parcourir. (...) L'œil (...) doit voir le mal s'étaler et s'étager devant lui à mesure qu'il pénètre lui-même dans le corps, qu'il s'avance parmi ses volumes, qu'il en contourne ou qu'il en soulève les masses, qu'il descend dans ses profondeurs ; elle [la maladie] est un ensemble de formes et de déformations, de figures, d'accidents, d'éléments déplacés, détruits ou modifiés qui s'enchaînent les uns aux autres selon une géographie qu'on peut suivre pas à pas[18]. » À chaque fois, Foucault dresse une nouvelle carte de la bataille. Il repère les organes, suit les cassures, les brisures.

Le reportage de Foucault en Iran est probablement le cas le plus remarquable de cette pratique de diagnosticien. Il procède par un ensemble de coups d'œil dont il rend compte et à partir desquels il analyse le sens des événements dont il est le témoin. Ses articles sont jalonnés de ces instantanés descriptifs, comme celui sur le tremblement de terre de 1978 qui ouvre la série d'articles : « Dans la chaleur torride, sous les palmiers seuls debout, les derniers survivants de Tabass s'acharnent sous les décombres. Les morts tendent encore les bras pour retenir des murs qui n'existent plus. Des hommes, le visage tourné vers le sol, maudissent le shah[19]. » Par ces tableaux, Foucault dessine progressivement la carte de la situation, une carte topographique, où chaque faille est pointée et analysée. Le diagnostic chez Foucault est construit à partir de quelques points que le regard a désignés et à partir desquels est dépliée la carte de l'actualité.

Cette cartographie, cette anatomie, devrions-nous dire, est non seulement le produit d'un geste mais aussi d'un rapport spécifique du diagnosticien à lui-même.

Une pratique de soi

Cette posture nietzschéenne qu'actualise Foucault implique en effet non seulement une manière de voir le présent mais aussi un rapport singulier du diagnosticien à son propre corps et un travail de déprise.

Quelques commentateurs ont à de nombreuses reprises insisté sur l'histoire des corps que dessinent les analyses foucaldiennes[20] ; plus rares ont été ceux qui ont souligné l'importance du corps foucaldien, non plus celui de l'autre, du prisonnier, du fou, de l'enfant, mais le sien. Ce corps dont le cinéaste René Allio écrit dans ses carnets de travail pour *Moi, Pierre Rivière* : « Son étonnante présence physique, tout frémissant d'une potentialité d'intervention qui se discipline. De tout son être, il tend à ressembler, culminant dans son crâne rasé, à un sexe en érection ; et de toute son intelligence pénétrante. »

Le corps de Foucault est pourtant présent dans les livres qu'il signa ; un temps silencieux, il surgit soudain ; ces surgissements ne sont jamais accidentels ; Foucault le met en scène à des moments clés de son travail : ainsi *Les Mots et les Choses* s'ouvre sur le rire qui le traverse à la lecture de Borges, *Moi, Pierre Rivière...* se développe à partir de l'effroi corporel qu'il éprouve à la lecture du manuscrit du parricide, *Surveiller et punir* à partir de l'expérience physique de la détention qu'il a connue avec le GIP... « La Vie des hommes infâmes » est déclenché par la rencontre « physique » des archives : « Je suis embarrassé de dire ce qu'au juste j'ai éprouvé lorsque j'ai lu ces fragments et bien d'autres (...) sans doute l'une de ces impressions dont on dit qu'elles sont "physiques"[21]. »

Sa pratique de l'écriture aussi est habitée par ce corps ; qu'on se souvienne des clichés photographiques figurant Foucault derrière sa machine à écrire, drapé dans un kimono japonais, que l'on songe ici aussi à cette planche d'écriture que, selon Daniel Defert, il posait sur ses genoux pliés en tailleur et sur laquelle il écrivait, ou encore à son rapport au manuscrit, toujours repris, mais jamais ou presque raturé, comme si l'exercice d'écriture, de réécriture passait par un travail physique de scribe. De même, dans son enseignement au Collège de France, son corps joue un rôle central : le visage qui s'anime, la voix qui s'en dégage, le rire qui l'éprouve, la colère qui le tend, les mains qui l'agitent, ponctuant le discours d'une danse silencieuse. Il y a chez le philosophe tout une gestuelle qui participe de l'art d'enseigner et dont il faudrait un jour faire l'analyse.

Le travail du diagnostic pour Foucault passe d'abord par un rapport physique à l'actualité. Ce corps tendu – dont Claude Mauriac écrit dans son journal que, recouvert d'un chandail blanc, il ressemblait à celui d'un escrimeur[22] – n'est pas en retrait dans l'exercice du diagnostic, il en est l'un des instruments. Un instrument pour mesurer le caractère intolérable du présent, un instrument de lutte pour faire face, un instrument d'investigation, un instrument de la pensée. Cette pratique du corps dans le travail du diagnostic prend successivement des formes différentes mais qui toutes participent là aussi d'une véritable pratique de soi.

- *Face-à-face.* Lors des divers engagements de Foucault, il n'est pas rare qu'il se confronte physiquement aux forces de l'ordre, qu'il s'agisse des gardes mobiles français, des policiers espagnols ou des policiers allemands. La production du diagnostic passe bien souvent en effet par un rapport direct avec le pouvoir ; que l'on songe aux interpellations dont il est l'objet : citons par exemple celle qui intervient le 1er mai 1971 ; Foucault distribue des tracts du GIP avec plusieurs militants, dont Claude Mauriac ; il est arrêté et frappé violemment au visage. Citons également, quelques mois plus tard, la conférence de presse de janvier 1972 à la Chancellerie, place Vendôme, relatée par Claude Mauriac dans son journal.

- *Danse*. Foucault n'est pas homme de manifestations mais en revanche, il participe à de nombreuses actions et « happenings » politiques ; c'est ainsi qu'au moment de l'affaire Croissant, il est le seul intellectuel à accompagner les avocats de Croissant à la prison de la Santé, ce même établissement devant lequel, cinq années auparavant, il a avec des membres du GIP tiré un feu d'artifice le soir de la Saint-Sylvestre.

- *Voyage*. À plusieurs reprises dans le cadre de la production de diagnostics, Foucault se déplace en se rendant sur le terrain des événements ; le philosophe a vécu, on l'oublie très souvent, majoritairement à l'étranger (la décision d'écrire intervient en Suède) et il n'a cessé de rappeler l'importance de ces déplacements dans son travail, voyages qu'il multiplie à partir des années 1970 (Brésil, Japon, Canada, États-Unis...) et qui, de ce point de vue, le différencient d'un Gilles Deleuze. Cette mobilité n'est pas le fruit de sa notoriété, elle est nécessaire à son travail. C'est ainsi qu'en 1976, il part avec Montand, Signoret et quelques autres en Espagne ; qu'il se rend en Iran en 1978 ou qu'il va en Pologne au début des années 1980. Foucault, par ces voyages, comme celui improvisé dans le Nordeste brésilien lors de sa visite à l'université de Rio de Janeiro, retrouve cette situation de face-à-face qui lui est chère. En Iran, il sillonne les rues et les avenues, se déplace d'une ville à l'autre. Le diagnosticien arpente l'espace, l'éprouve physiquement. Comme dans ses livres, où Foucault est semblable à un voyageur parcourant les aires culturelles et les périodes historiques, dans sa pratique intellectuelle, il circule, « zèbre » les pays. Le corps du diagnosticien est pour Foucault non seulement un corps « de gauche » mais un corps voyageur.

Un exercice de déprise

Pour être mené à bien, le travail de diagnostic que pratique Foucault, qu'il s'agisse de celui autour des prisons, de l'affaire Croissant, de la Pologne ou de l'Iran, exige par ailleurs une mise à distance de soi. Pour dire l'actualité, il faut, selon Foucault, se dégager de tous les éléments qui risquent de brouiller le regard ; ainsi explique-t-il à des jeunes maoïstes qu'il convient certes de se placer d'emblée du « bon » côté, celui des « dominés », mais de s'en déprendre immédiatement : « Il faut passer de l'autre côté – du bon côté –, mais pour essayer de se déprendre de ces mécanismes qui font apparaître deux côtés, pour dissoudre la fausse unité, la nature illusoire de cet autre côté dont on a pris le parti. C'est là que commence le vrai travail, celui de l'historien du présent[23]. » C'est pourquoi Foucault se défait de l'idée de révolution au profit de la notion d'émergence ou d'éruption de forces[24].

Mais, pour Foucault, cette déprise engage plus avant ; le diagnosticien doit également mettre à mal son statut d'auteur et les fonctions qui lui sont assignées. Tous les efforts du philosophe à partir du début des années 1970 pour faire voler en éclats son propre statut d'auteur participent de ce même travail ; pensons ici à la table ronde sur les luttes autour des prisons où Foucault adopte non sans ironie le pseudonyme de Appert, du nom d'un philanthrope du XIXe siècle, ou encore à l'entretien qu'il donne anonymement au *Monde* au début des années 1980[25]. La valeur du diagnostic ne repose pas sur un visage, sur une identité d'auteur, mais sur le diagnostic lui-même. La qualité du regard doit absorber le visage tout entier, le faire disparaître. Aussi Foucault se déprend-t-il de la fonction d'intellectuel universel que certains voudraient le voir jouer et en encourage-t-il d'autres qui, chacun en son domaine, sont en mesure de produire des diagnostics à l'image du physicien Oppenheimer. C'est bien parce qu'« il faut assister à la naissance des idées et à l'explosion de leur force : et cela non dans les livres qui les énoncent, mais dans les événements dans lesquels elles manifestent leur force, dans les luttes que l'on mène pour les idées, contre ou pour elles[26] », que le diagnosticien ne peut parler d'un lieu. Il doit être en permanence en mouvement et cette mobilité intellectuelle n'est pas conciliable avec la fonction d'auteur telle qu'elle est définie en cette seconde moitié du XXe siècle.

Il est une dernière forme de déprise qui découle des deux précédentes : celle de l'abandon des formes traditionnelles de diffusion de la pensée savante au profit d'autres lieux de publication. Ainsi, Foucault, à partir des années 1970, privilégie les journaux comme lieux de publication ; il y donne des entretiens et de nombreux textes – qu'il s'agisse du *Monde*, de *Politique-Hebdo*, du *Nouvel Observateur*, ou du *Matin*.

Une expérience d'écriture

Cette pratique exige, pour finir, d'inventer pour chaque nouveau diagnostic une écriture. Dans ses « fictions historiques » qui font vaciller le sol sur lequel nous marchons, Foucault, déjà, écrit dans un style toujours différent, que Jeannette Colombel a analysé[27]. Avec les diagnostics du présent, ce trait se radicalise. Foucault expérimente des formes d'écriture totalement inédites pour lui, une écriture de journaliste radical, sans métaphore, directe : une écriture-arme. Cette écriture prend des formes multiples, comme s'il acceptait que le diagnostic lui dicte son propre discours, comme si l'intellectuel Foucault acceptait de ne plus être l'écrivain Foucault. Que l'on songe ici aux différentes enquêtes collectives auxquelles il participa (celles des *Intolérables* mais également celles de l'affaire Jaubert, de l'affaire Mirval…) ou aux reportages d'idées qu'il proposa mais qui devaient être conduits par d'autres. Sans doute cette capacité à « coller » au plus près de l'actualité, y compris par l'écriture, fut-elle un des éléments qui contribuèrent à l'incompréhension de la position foucaldienne. Elle suggérait en effet une mort de l'intellectuel tel qu'il avait été pensé depuis presque un siècle. Foucault proposait de le remplacer par la figure d'un véritable technicien de l'actualité, lequel ne posait pas un discours sur des événements mais traversait physiquement chacun d'eux ; c'était de cette expérience seule qu'un véritable diagnostic pouvait émerger.

Philippe Artières

Notes

1. *Les Mots et les Choses*, rééd., Paris, Gallimard, coll. « Tel », 1990. p. 14.

2. *Dits et Écrits*, t. II, Paris, Gallimard, coll. « Bibliothèque des sciences humaines », 1994, pp. 540-541.

3. Michel de Certeau, « Le rire de Michel Foucault », in *Histoire et psychanalyse entre science et fiction*, Paris, Gallimard, 1987.

4. *Dits et Écrits*, t. II, *op. cit.*, pp. 859-860.

5. *ibid.*, pp. 268-269.

6. Cf. chronologie de Daniel Defert, in Michel Foucault, *Dits et Écrits*, t. I, *op. cit.*

7. *Dits et Écrits*, t. III, *op. cit.*, p. 1 302.

8. Sur le détail du voyage de Michel Foucault en Iran, voir la chronologie et les notices établies par Daniel Defert dans les *Dits et Écrits*, et les deux principales biographies du philosophe (D. Eribon, D. Macey).

9. Successivement « L'armée quand la terre tremble » (*in Dits et Écrits*, n° 241), « Le shah a cent ans de retard » (*Dits et Écrits*, n° 243) ; « Téhéran : la foi contre le shah » (*Dits et Écrits*, n° 244) ; « Le retour du prophète » (en partie reproduit dans « À quoi rêvent les Iraniens ? » (*Dits et Écrits*, n° 245) « Une révolte à mains nues » (*Dits et Écrits*, n° 248) ; « Défi à l'opposition » (*Dits et Écrits*, n° 249) ; « La révolution iranienne se propage sur les rubans de cassette » (*Dits et Écrits*, n° 252) ; « Le chef mythique de la révolte de l'Iran » (*Dits et Écrits*, n° 253) et « Une poudrière appelée Islam » (*Dits et Écrits*, n° 261).

10. Lire sur cette même période le livre du journaliste-écrivain Kapuscinski, *Le Shah ou la démesure du pouvoir*, Paris, Flammarion, 1992.

11. « Téhéran : la foi contre le shah », *Dits et Écrits*, t. II, *op. cit.*, p. 688.

12. « Inutile de se soulever ? », *Dits et Écrits*, t. III, *op. cit.*, p. 794.

13. Cf. Michel Foucault, préface de l'*Histoire de la folie*, reproduite in *Dits et Écrits*, t. I, *op. cit.*, p. 163.

14. *Naissance de la clinique*, rééd., Paris, PUF, coll. « Quadrige », 1993, p. 123.

15. Le tapuscrit de cet entretien est consultable au sein des Archives Foucault déposées par le Centre Michel Foucault à l'IMEC.

16. Les dossiers de travail de Michel Foucault ne sont pas à ce jour disponibles à la recherche ; certaines de ces pièces ont néanmoins été présentées lors de l'exposition sur Michel Foucault et la médecine à l'abbaye d'Ardenne, à Caen lors du colloque sur ce thème (cf. *Michel Foucault et la médecine*, Paris, Kimé, 2001).

17. « La Vie des hommes infâmes », *Dits et Écrits*, t. II, *op. cit.*, p. 244 ; *Le Désordre des famille. Lettres de cachet des archives de la Bastille,* présenté par Arlette Farge et Michel Foucault, Paris, Gallimard/Julliard, coll. « Archives », 1982, pp. 76-81.

18. *Naissance de la clinique*, *op. cit.*, p. 138.

19. *Dits et Écrits*, t. II, *op. cit.*, p. 664.

20. Voir notamment les travaux d'Arlette Farge et ses analyses des textes de Foucault, dans *Des Lieux pour l'histoire*, Paris, Le Seuil, 1997.

21. *Dits et Écrits*, t. II, *op. cit.*, p. 238. Il faudrait également ajouter à cette liste, *Le Désordre des familles* avec Arlette Farge (1982), cette historienne a très tôt souligné la fonction de l'expérience de l'effroi chez Michel Foucault.

22. Claude Mauriac, *Le Temps immobile, t. 9, Mauriac et fils,* Paris, Grasset, 1986.

23. *Dits et Écrits*, t. II, *op. cit.*, p. 265.

24. Même si le terme de révolution ne disparaît pas totalement de son vocabulaire.

25. « Le philosophe masqué », *Le Monde*, 6 avril 1980 (*Dits et Écrits*, n° 285) : Si j'ai choisi l'anonymat (...) c'est [parce que c'est] une manière de m'adresser plus directement à l'éventuel lecteur, le seul personnage ici qui m'intéresse : "Puisque tu ne sais pas qui je suis, tu n'auras pas la tentation de chercher les raisons pour lesquelles je dis ce que tu lis ; laisse-toi aller à te dire tout simplement : c'est vrai, c'est faux. Ça me plaît, ça ne me plaît pas ?" Un point, c'est tout. »

26. *Dits et Écrits*, t. II, *op. cit.*, p. 707.

27. Jeannette Colombel, « Contrepoints poétiques », *Michel Foucault : du monde entier, Critique*, n°471-472, août-septembre 1986.

Enseigner

Question de génération : où l'on se demandera comment être les héritiers de ceux qui ne se voulurent point des maîtres.

La courte note que Gilles Deleuze consacra, en 1964, à Jean-Paul Sartre, s'ouvre sur un hommage : témoignant de l'importance qu'eut l'auteur de *L'Être et le Néant* pour la génération d'étudiants qui avaient 20 ans à la fin de la Deuxième Guerre mondiale, Deleuze écrit ceci : « Tristesse des générations sans "maîtres". Nos maîtres ne sont pas seulement des professeurs publics, bien que nous ayons grand besoin de professeurs. Au moment où nous arrivons à l'âge d'homme, nos maîtres sont ceux qui nous frappent d'une radicale nouveauté, ceux qui savent inventer une technique artistique ou littéraire et trouver les façons de penser correspondant à notre modernité, c'est à dire à nos difficultés comme à nos enthousiasmes diffus[1]. »

Tristesse des générations sans maîtres : cette formule est assez étrange, pour trois raisons d'inégale profondeur. La première (et la plus facile à dissiper) tient à la distance qu'entretient la pensée de Deleuze avec celle de Sartre, à son orientation clairement anti-phénoménologique ; à cela, on répondra qu'il est de la responsabilité des maîtres d'amener leurs disciples à les quitter, à les contester et à frayer leurs propres voies. Le deuxième motif de s'étonner, un peu plus inquiétant, réside dans l'hétérogéneité de cette affirmation avec la philosophie même de Deleuze, dont le moins que l'on puisse dire est qu'elle laisse peu de place à un éloge de la maîtrise : ni sous la forme, apaisée, d'une tradition dont la transmission serait aménagée de génération en génération, ni sous la forme conflictuelle d'une lutte où l'opposition du maître et du serviteur témoignerait de leur nouage fondamental et préluderait à leur reconnaissance réciproque. À la continuité des traditions, Deleuze préfère le motif nietzschéen de la flèche lancée au hasard, ramassée à la hâte et relancée par un autre archer dont rien ne laissait prévoir la venue ; à la solidarité dialectique des contraires, se déployant en lutte pour la reconnaissance, sa philosophie s'oppose terme à terme (préférant la différence à la contrariété, la fuite à la lutte et le devenir-imperceptible à la reconnaissance). Ce refus d'accorder le moindre crédit à la figure du maître se retrouve dans les engagements les plus marquants (et, pourrait-on dire, les plus « générationnels ») de Deleuze : d'un côté, son hostilité à la psychanalyse et à l'Œdipe, c'est-à-dire au processus conflictuel par lequel le fils est amené à succéder au père ; de l'autre, son adhésion jamais reniée au mouvement de 68, comme rupture dont l'ambition n'était nullement de conquérir une quelconque maîtrise, politique ou intellectuelle. En bref, le désir de maîtrise fut sans doute ce que Deleuze s'appliqua le plus constamment à déjouer, dans sa vie comme dans sa philosophie, tâche dont il faisait le propre de sa génération intellectuelle. Mais surgit, du même coup, la troisième raison de trouver étrange la sentence qu'il formule à propos de Sartre : de quoi, et de qui, Deleuze parle-t-il au juste ? De quelle tristesse se fait-il l'écho, et quelle génération plaint-il ? Pas la sienne,

en tout cas, puisqu'elle eut Sartre comme figure tutélaire et chercha, avant tout, à ne pas lui succéder dans
ce rôle. On pense évidemment, malgré l'anachronisme,
à la génération née dans ces « années d'hiver » qui suivirent, en Europe, le reflux de la grande vague contestataire des années 1970, génération dont on sait que
l'auteur de *Mille Plateaux* la plaignait souvent. Mais
alors, on est presque tenté de retourner la remarque en
accusation, et la tristesse en reproche : ces maîtres dont
Deleuze semble redouter, en 1964, qu'ils manquent à la
génération qui le suit, ne sont-ils pas ceux dont il s'est
appliqué ensuite à organiser l'absence, et auxquels il
a constamment refusé de s'identifier ? Du coup, si la
tristesse qu'il évoque est la nôtre, n'en est-il pas dans
quelque mesure comptable ?

Trois gestes énigmatiques parcourent donc cette
phrase : reconnaître pour maître un philosophe dont
la pensée était tout autre ; affirmer la nécessité d'une relation contre laquelle, pourtant, toute la philosophie
deleuzienne paraît dressée ; plaindre ses successeurs
de ne pouvoir compter sur aucun magistère là même
où, justement, on a tout fait pour se dérober à ce rôle.
Ces trois énigmes, on les retrouverait aisément, et dans
cet ordre, dans la construction et l'adresse qui donne
son cadre à *L'Ordre du discours*, la leçon inaugurale
de Foucault au Collège de France. La figure tutélaire
à laquelle se réfère ce texte n'est pas celle de Sartre,
mais celle de Jean Hyppolite, fameux traducteur et commentateur français de Hegel, décédé deux ans avant
l'élection de Foucault (qui avait été son élève) dans la
prestigieuse institution. À ce maître, la leçon rend un
hommage paradoxal : Foucault le nomme en effet, dans
les dernières pages, comme celui dans la voix duquel il

aurait aimé se glisser subrepticement, pour n'avoir pas à prendre la parole : « C'est parce que je lui ai emprunté sans doute le sens et la possibilité de ce que je fais, c'est parce que bien souvent il m'a éclairé quand j'essayais à l'aveugle, que j'ai voulu mettre mon travail sous son signe et que j'ai tenu à terminer, en l'évoquant, la présentation de mes projets (...). Et je comprends mieux pourquoi j'éprouvais tant de difficulté à commencer tout à l'heure. Je sais bien maintenant quelle est la voix dont j'aurais voulu qu'elle me précède, qu'elle me porte, qu'elle m'invite à parler et qu'elle se loge dans mon propre discours. Je sais ce qu'il y avait de si redoutable à prendre la parole, puisque je la prenais en ce lieu d'où je l'ai écouté, et où il n'est plus, lui, pour m'entendre[2]. »

Triple étrangeté, là aussi : premièrement, parce que le propos développé par Foucault est explicitement anti-hégélien (de même que la philosophie deleuzienne était, par bien des côtés, anti-sartrienne) ; deuxièmement, parce que cette révérence, traditionnelle dans ses formes, adressée au grand prédécesseur disparu, contredit directement le propos même de *L'Ordre du discours*, où il s'agit de dévoiler les mécanismes anonymes de production de la discursivité, en réduisant toute référence aux auteurs et aux sujets pensants à de simples effets de surface ; parce qu'enfin, dans le même mouvement où Foucault salue Hyppolite comme la condition même de sa propre parole, il annonce en un sens qu'il ne désire en rien lui succéder, se voulant tout le contraire d'un maître : « De commencement, il n'y en aurait donc pas ; et au lieu d'être celui dont vient le discours, je serais plutôt, au hasard de son déroulement, une mince lacune, le point de sa disparition possible[3]. »

Foucault rêve, dans les premières pages de son texte, de voir son intervention devenir un point d'évanouissement du discours plutôt que le point d'émergence d'une nouvelle autorité. Il y a là davantage qu'un écho de la modestie obligée du nouveau professeur à l'égard de ses aînés (modestie qui prépare ordinairement le moment où l'on prendra leur place) ; ou plutôt, Foucault exagère à ce point cette protestation traditionnelle d'humilité qu'il en subvertit entièrement le sens : d'un même trait, il affirme la nécessité de la place du maître et s'y soustrait, ou la refuse pour lui-même, produisant du même coup une « leçon » curieusement a-magistrale.

Ces énigmes, symétriques chez Foucault et Deleuze, me paraissent dessiner les contours d'un problème et engagent profondément le rapport que nous pouvons entretenir avec leur pensée. Poser rigoureusement ce problème suppose toutefois d'en évacuer, au préalable, tout ressentiment : il ne s'agit pas, comme l'ont fait en leur temps les contempteurs de la « pensée 68 », d'adopter la posture de l'orphelin pour accuser cette génération d'auteurs anti-autoritaires d'avoir manqué à leurs devoirs pédagogiques et intellectuels, opération qui permet de liquider à peu de frais leur héritage. Reste que ces mauvais procès ne devraient pas nous empêcher de poser, d'une autre façon, ces questions de génération et d'héritage, questions dont on sait (depuis le *Ménon* de Platon ou à peu près) qu'elles ne s'ajoutent pas de l'extérieur à la démarche philosophique, mais en déterminent de part en part le sens. La difficulté, on le voit, a deux versants ; disons, pour filer la métaphore de l'héritage, qu'on peut la poser du point de vue des légateurs comme de celui des légataires. D'un côté, de quel enseignement peut-on créditer des penseurs dont la posture consista d'abord à contourner toute position de maîtrise ? De l'autre côté – du nôtre : comment être adéquats à cette curieuse et inconfortable posture, comment nous faire les élèves de ceux qui ne voulurent point être nos maîtres ?

L'utilité d'un archaïsme

Premier aspect : que nous apprend Foucault quand à la nécessité et aux difficultés de cette position de maîtrise, c'est-à-dire (pour tâcher de la définir un peu) de cette obligation d'en passer, pour qui veut apprendre à penser et à vivre, par la parole et les actions d'un autre en qui l'exigence de vérité s'incarne, de telle sorte que l'accès au vrai suppose un rapport dissymétrique à l'autre, une inégalité première donnant sa dynamique à la quête du savoir ?

On peut d'abord lire cette œuvre comme une critique rigoureuse de toute idée de magistère : nul, mieux que Michel Foucault, ne nous montre combien la possibilité du discours vrai est indépendante, en droit comme en fait, de la figure du maître. D'une part, parce que le discours ne trouve ni son origine, ni sa valeur, dans la référence à des individualités éminentes ou exemplaires : au contraire, ce sont ces individualités qui voient leur éminence définie par la fonction qu'elles occupent au sein de telle ou telle formation discursive. La conférence « Qu'est-ce qu'un auteur ? » est exemplaire de ce mouvement : non seulement Foucault y démystifie la référence à l'auteur, au profit d'une analyse de la discursivité anonyme ; mais il redéfinit ceux que l'on serait tentés de considérer comme les maîtres modernes par excellence, Freud ou Marx, comme de simples « instaurateurs de discursivité[4] ». Cette opération revient, non à créditer les auteurs de la *Traumdeutung* ou du *Manifeste* d'une capacité exceptionnelle d'innovation, mais à les réduire à une sorte de construction rétrospective, propre à certains discours (marxisme ou psychanalyse) dans lesquels légitimer ce que l'on dit suppose de se référer constamment à une origine première : Freud n'est un maître que par l'obligation faite, à quiconque veut proférer un énoncé recevable en psychanalyse, de prétendre en puiser la substance dans les *Trois essais* ou la *Traumdeutung*. « À la différence de la fondation d'une science, l'instauration discursive (…) demeure nécessairement en retrait ou en surplomb. La conséquence, c'est qu'on définit la validité théorique d'une proposition par rapport à l'œuvre de ces instaurateurs (…). L'œuvre de ces instaurateurs ne se situe pas par rapport à la science et à l'espace qu'elle dessine ; mais c'est la science ou la discursivité qui se rapporte à leur œuvre comme à des coordonnées premières[5]. »

L'archéologie constitue, à cet égard, une réduction formelle et méthodologique de tout rapport au maître, au profit de l'anonymat des discours, anonymat vis-à-vis duquel les figures exemplaires jouent plutôt le rôle d'un principe de raréfaction. D'autre part, dans son histoire de la vérité, Foucault établit l'éclipse historique de ces figures : il montre que depuis la Grèce antique, la généralisation de la « volonté de vérité » entraîne tendanciellement l'effacement des maîtres. Une page fameuse de *L'Ordre du discours* rappelle ainsi que la volonté de vérité a changé de nature « entre Hésiode et Platon » : « Chez les poètes grecs du VIe siècle encore, le discours

vrai – au sens fort et valorisé du mot – le discours vrai
pour lequel on avait respect et terreur, celui auquel il fallait bien se soumettre parce qu'il régnait, c'était le discours prononcé par qui de droit et selon le rituel requis ;
c'était le discours qui disait la justice et attribuait à chacun sa part ; c'était le discours qui, prophétisant l'avenir,
non seulement annonçait ce qui allait se passer, mais
contribuait à sa réalisation, emportait avec soi l'adhésion
des hommes et se tramait ainsi avec le destin. Or, voilà
qu'un siècle plus tard la vérité la plus haute ne résidait
plus déjà dans ce qu'était le discours ou dans ce qu'il faisait, elle résidait dans ce qu'il disait (…) Entre Hésiode
et Platon, un certain partage s'est établi, séparant le discours vrai et le discours faux[6]… »

Le discours vrai, dans cet intervalle, cesse d'être celui
qui rend la justice, fait advenir le destin ou recrée l'ordre
du monde ; il devient le discours conforme à sa référence,
de sorte que la valeur intrinsèque de l'énoncé (sa structure logique, sa conformité avec l'expérience) estompe la
considération de l'énonciateur. Alors qu'il était essentiel de savoir que telle prophétie avait été énoncée par
Tirésias, et par personne d'autre, peu importe, au contraire, que le théorème de la duplication du carré soit
énoncé par Pythagore ou par l'esclave de Ménon : dans
cette indifférence, le théorème puise justement sa plus
sûre garantie. Dans toute cette analyse, Foucault reprend
très exactement (sans toutefois les citer) l'argumentation
et les conclusions de l'historien Marcel Détienne dans son
ouvrage *Les Maîtres de vérité dans la Grèce archaïque*[7] :
c'est en effet Détienne qui montre que l'*aletheia*, en son
sens premier, est la prérogative exclusive du poète, du
devin ou du roi de justice, toutes figures qu'éclipsera la
définition classique de la vérité comme correspondance

avec l'objet. En faisant de ce basculement le pivot de son histoire de la vérité, Foucault invite à un constat clair et radical : il n'y a de vérité, au sens strict du terme, que dans l'éclipse des maîtres.

Les choses ne sont cependant pas si simples ; en témoigne la récurrence, à première vue paradoxale, des noms d'auteurs et des figures exemplaires sous la plume de Foucault lui-même. On connaît la liste qui scande l'*Histoire de la folie*, revenant constamment ponctuer les analyses historiques : Nietzsche, Artaud, Van Gogh, Nerval... Ces auteurs, que Foucault ne cesse de citer sans presque rien en dire, ne constituent pas des objets parmi d'autres dans son archéologie de la raison moderne, mais bel et bien des guides, ou des centres de perspective, depuis lesquels cette archéologie trouve à s'écrire. Assez régulièrement, dans les textes des années 1960, certaines figures se voient créditer d'avoir tracé l'espace où le régime contemporain des discours trouve à s'inscrire, anticipant du même coup sur les analyses de Foucault lui-même. C'est le cas, de façon exemplaire, de Raymond Roussel ; dans les dernières pages de l'ouvrage que Foucault lui consacre, Roussel est élevé au rang de visionnaire et de fondateur : « Roussel apparaît tel qu'il s'est défini lui-même : l'inventeur d'un langage qui ne dit que soi, d'un langage absolument simple en son être redoublé (...) L'angoisse du signifiant, c'est cela qui fait de la souffrance de Roussel la solitaire mise au jour de ce qu'il y a de plus proche dans notre langage à nous. Qui fait de la maladie de cet homme notre problème. Et qui nous permet de parler de lui à partir de son propre langage[8]. »

Comment comprendre ce retour de telles références, là où Foucault semblait avoir désenchanté les Auteurs et renvoyé les maîtres du côté d'un régime archaïque du discours ? D'une part, il ne faut pas oublier que Foucault définit son archéologie à la fois contre le psychologisme, qui réserve au sujet l'initiative du sens, et contre l'analyse logico-linguistique des énoncés, qui prétend examiner ceux-ci indépendamment de leur apparition historique. De ce point de vue, s'il importe pour Foucault de démystifier la référence au sujet parlant comme maître absolu de son dire, il importe tout autant de combattre l'illusion inverse, d'un discours rationnel entièrement impersonnel et soumis à ses seules règles logiques. De ce fait, les noms propres, d'abord destitués dans le but de montrer l'appartenance des énoncés à des régimes historiques et collectifs, reviennent dans l'analyse lorsqu'il s'agit d'insister sur le fait que de tels régimes s'attachent encore à des singularités, et ne sont donc en rien comparables à des formes logiques qui surplomberaient le devenir. D'autre part, et surtout, le projet d'une « histoire de la vérité » suppose de ménager un écart, une distance vis-à-vis de cette vérité même dont on veut retracer l'histoire, dont on cherche à faire voir l'étroitesse historique. L'archaïsme même de la référence aux maîtres, sa coexistence malcommode avec le régime ordinaire de la volonté de vérité, peuvent alors se révéler utiles : le discours du maître, constamment réactivé et constamment repoussé aux marges dans la conception occidentale de la vérité, fait partie de cette « tératologie du savoir[9] » sur laquelle l'archéologue doit s'appuyer pour resituer les limites du discours vrai. Le dispositif adopté par Foucault dans son *Histoire de la folie* joue sur ce ressort précis : pour relativiser le regard analytique porté par la psychiatrie sur la folie, Foucault accroche ses propres analyses à un tout autre type de parole et d'enseignement, en se guidant sur l'expérience de ceux qui eurent à s'affronter à ces difficultés, et qui ont tenté de bâtir une œuvre en risquant constamment de se voir ramenés au statut de malades. Ce que l'on a reproché à Foucault (« héroïser » les poètes maudits du XIXe siècle, opposer à la rigueur scientifique la parole ésotérique de Nietzsche, accorder aux souffrances d'Artaud une portée exemplaire en oubliant peut-être que tous les fous ne sont pas poètes), tout cela n'est pas un décorum extérieur au cadre de l'histoire qu'il raconte, mais une série de choix indispensables à un tel récit. En bref, il n'est possible d'écrire une histoire de la folie qu'en se mettant à l'école de quelques maîtres : non parce que ceux-ci détiendraient la vérité de la folie, mais parce qu'ils maintiennent ouverte la distance de la folie à la vérité.

Le dilemme de la maîtrise

Que l'archéologie ait besoin de telles figures, qu'elle exige pour s'écrire la perspective de quelques maîtres sans vérité, n'implique pas forcément que l'archéologue puisse et doive jouer, à son tour, le rôle d'un maître. Ce rôle, il semble qu'il ait été pour Foucault aussi difficile de l'accepter que de le refuser. En un sens, la situation qui était la sienne au Collège de France pourrait servir d'allégorie à cette difficulté : on sait en effet que Foucault désespérait de la manière dont son image et sa renommée suscitaient une telle affluence à ses cours qu'il se voyait empêché d'échanger des idées avec ses auditeurs, et presque de transmettre quoi que ce soit, condamné au rôle « d'acrobate » face à un public silencieux. « Il faudrait pouvoir discuter de ce que j'ai proposé. Quelquefois, lorsque le cours n'a pas été bon, il faudrait peu de choses, une question, pour tout remettre en place. Mais cette question ne vient jamais. En France, l'effet de groupe rend toute discussion réelle impossible. Et comme il n'y a pas de canal de retour, le cours se théâtralise. J'ai un rapport d'acteur ou d'acrobate avec les gens qui sont là. Et lorsque j'ai fini de parler, une sensation de solitude totale[10]... »

Ainsi Foucault percevait-il, avec une singulière acuité, ce qu'on pourrait appeler l'ironie propre au « cours magistral », où l'institutionnalisation de la maîtrise rend bien difficile de dispenser un enseignement effectif. Cela donnait, dit-on, à Foucault l'envie permanente de fuir ; rejet dont ses textes portent l'écho et approfondissent discrètement les raisons.

Pourquoi faudrait-il refuser, selon Foucault, de devenir un maître ? Une réponse vient à l'esprit, trop facilement peut-être : un tel refus serait fondé dans le rapport de pouvoir inhérent à toute pédagogie. La pédagogie, en effet, enveloppe toujours une domination s'exerçant au nom d'une vérité dont l'un dispose et l'autre non ; une telle relation aurait été incompatible avec la défiance de Foucault envers les dispositifs de savoir-pouvoir. L'ambiguïté de la figure du maître, la manière dont elle condense la place du *magister* et celle du *dominus*, expliquerait alors que Foucault se soit refusé à endosser un tel rôle. Cette interprétation a le charme de l'évidence – mais le défaut d'être contredite par les déclarations expresses de Foucault. D'abord, on notera que l'exemple scolaire (auquel il était tentant de recourir à l'époque, dans ces années de contestation étudiante où Foucault élabore sa généalogie) est curieusement au deuxième plan, lorsqu'il s'agit de passer en revue les institutions disciplinaires et normalisatrices : bien sûr, on trouve dans *Surveiller et punir* quelques exemples fameux de prise corporelle sur les écoliers ; mais l'enseignement vient plus généralement en appui, comme l'un des domaines d'extension sociale de la norme plutôt que comme son foyer. Mieux encore : c'est à l'exemple de la relation pédagogique que Foucault recourt, en 1984, pour illustrer le fait que la relation de pouvoir, si elle est inséparable d'une certaine domination, ne doit pas pour autant être toujours éliminée ou combattue : « Je pense qu'à partir de ce thème général, il faut être extrêmement prudent et empirique. Rien ne prouve, par exemple, que dans la relation pédagogique – je veux dire dans la relation d'enseignement, ce passage qui va de celui qui sait plus à celui qui sait moins – ce soit l'autogestion qui donne les meilleurs résultats ; rien ne prouve au contraire que ça ne bloque pas les choses[11]. »

Cette remarque permet de poser rigoureusement le problème : si les rapports de pouvoir sont effectivement coextensifs aux relations sociales, alors il ne suffit pas de remarquer que la relation de maîtrise est traversée par le pouvoir pour statuer sur sa valeur. Il faut encore déterminer quelles en sont les dimensions et les effets précis, pour l'ensemble des protagonistes. On ne saurait, chez Foucault, récuser le pouvoir « en général ».

La question revient donc : comment expliquer, dans ce cas, les réticences de Foucault vis-à-vis de l'exercice d'un magistère intellectuel ? Deux remarques, au fil de l'œuvre, me paraissent, pour peu qu'on les confronte, pointer ensemble vers le cœur de la difficulté.

La première remarque clôt l'introduction de *L'Archéologie du savoir*, où elle apparaît comme une sorte de profession de foi :

« - Vous n'êtes pas sûr de ce que vous dites ? Vous allez de nouveau changer, vous déplacer par rapport aux questions qu'on vous pose, dire que les objections ne pointent pas réellement vers le lieu où vous vous prononcez ?

- (…) Ne me demandez pas qui je suis et ne me dites pas de rester le même : c'est une morale d'état-civil. Elle régit nos papiers. Qu'elle nous laisse libres quand il s'agit d'écrire[12]. »

En présentant ce passage sous forme dialoguée, Foucault a visiblement l'intention d'y figurer le dispositif de pouvoir, dans lequel il s'estime pris en tant qu'écrivain et chercheur. Ce dispositif est marqué par une injonction : on exige de Foucault qu'il soit un auteur sérieux, c'est-à-dire qu'il se conforme à un plan et à un programme constants susceptibles de normer son discours. Cette injonction est évidemment paradoxale ; elle indique que pour être reconnu comme un sujet de plein droit, on doit d'abord accepter de se dessaisir de ses droits à hésiter et à changer de cap. On pourrait dire : être « maître de soi », en matière de travail intellectuel, c'est essentiellement ne plus être seul maître de l'orientation de ses recherches, et accepter de se cantonner à un secteur du travail intellectuel prescrit à l'avance, en accord avec le découpage académique des disciplines, etc. À cette exigence, Foucault répond par la fuite, en indiquant que la condition même de son travail et de son écriture, c'est de récuser toute règle extérieure et constante susceptible d'en assigner une fois pour toutes le sens. On peut d'ailleurs noter qu'il a mis plusieurs fois en application ce précepte, en changeant systématiquement de direction de recherche sitôt qu'il avait commis l'imprudence de publier un texte ressemblant de près ou de loin à un programme : les plans annoncés dans *L'Archéologie du savoir* ou *La Volonté de savoir* resteront sans lendemain. En bref, l'identité à soi requise de la parole du penseur est considérée par Foucault comme contradictoire avec la démarche même de la recherche : accepter la première, c'est renoncer à la seconde. De cette conviction, les derniers ouvrages publiés portent encore la trace, puisque l'auteur de *L'Usage des plaisirs* y oppose clairement l'exposition de ce que l'on sait déjà, à la curiosité permettant de se déprendre de soi-même. « Que vaudrait l'acharnement du savoir s'il ne devait assurer que l'acquisition des connaissances et non pas, d'une certaine façon et autant que faire se peut, l'égarement de celui qui connaît[13] ? »

Tournons-nous cependant vers une deuxième remarque formulée par Foucault. Celle-ci concerne, non plus celui qui énonce un discours de vérité, mais celui qui le reçoit : non plus le maître, si l'on veut, mais son ou ses élèves. La remarque intervient dans le cours de 1982, et concerne la pratique de ce que les Grecs nommaient la *parrhesia*, qualité du discours indispensable à la constitution positive d'un rapport d'enseignement. Opposant la *parrhesia* du maître philosophe à la flatterie propre à la rhétorique, Foucault explique que, dans le premier cas, la parole adressée à l'autre va lui permettre de constituer un rapport à lui-même qui soit autonome, plein et satisfaisant. Il rappelle alors quelle est, pour les Grecs, la condition d'une telle indépendance : « C'est dans la mesure où l'autre a donné, transmis à celui auquel il s'adressait un discours vrai que celui-ci peut alors, intériorisant ce discours vrai, le subjectivant, se passer de ce rapport à l'autre. La vérité, qui passe de l'un à l'autre dans la parrhesia, scelle, assure, garantit l'autonomie de l'autre, de celui qui a reçu la parole par rapport à celui qui l'a prononcée[14]. »

La définition ici proposée du rapport d'enseignement est puisée dans l'examen des textes antiques, mais elle me semble tout à fait généralisable : enseigner, c'est faire en sorte de permettre à l'autre de s'émanciper du rapport d'enseignement lui-même, cette autonomie vis-à-vis du discours du maître mettant un terme au rapport pédagogique, dont elle marque en même temps la réussite. Il est toutefois frappant de voir que, pour Foucault et de manière très classique, la condition d'une telle réussite réside dans la vérité du discours tenu, par le maître, à son élève : seule une telle vérité garantit que le discours peut être détaché du maître qui le prononce, approprié et repris en première personne, permettant finalement la constitution d'un rapport à soi dans lequel le maître n'a plus de rôle. Pour être médiateur entre soi et soi-même, le maître doit consentir à proposer un discours dont la norme est potentiellement partagée.

Rapprochons maintenant la remarque de *l'Archéologie du savoir* et celle de *l'Herméneutique du sujet* : on verra se dessiner assez précisément la difficulté logée, selon Foucault, au cœur de toute maîtrise. Dans le premier cas, la position de maîtrise apparaît impossible ou ruineuse : exiger du penseur qu'il fixe une fois pour toutes les orientations de sa pensée implique qu'il se dessaisisse d'une partie de sa liberté. Dans le deuxième cas, et du point de vue de l'élève, il est indispensable que le maître propose un discours dont il ne soit pas, justement, « seul maître », et dispense un enseignement dont l'indépendance vis-à-vis de sa seule subjectivité autorise l'appropriation par celui qui le reçoit. On voit alors assez bien le problème : en termes de pouvoir, il semble que la relation de

maîtrise implique soit que le maître se contente de transmettre une vérité extérieure à lui, soit que l'élève con-
sente à se soumettre à une parole dont son maître décide
seul du sens. Tantôt, la transmission coûte au maître son
indépendance ; tantôt, la création dont ce dernier fait
preuve entraîne la sujétion de l'élève. Ce dilemme n'a pas
lieu d'être si on pense, comme le fait la tradition rationaliste, que la plus haute liberté du maître consiste à rejoindre une vérité déjà déposée dans les choses, vérité qu'il
pourra ensuite faire partager à ses élèves sans devoir
pour autant renoncer à lui-même : dans ce cas, l'existence
d'une norme de vérité indépendante réconcilie la liberté
du maître et celle de l'élève, et fait sans difficulté advenir
l'une par l'autre. Mais si l'on se propose, comme le fait
Foucault, de suspendre la référence à une telle norme du
vrai, de manière à pouvoir décrire les aléas et les transformations de la volonté de vérité, alors le dilemme devient
tout à fait inévitable : il semble que la liberté que s'arroge
le maître, en décidant seul des labyrinthes dans lesquels
il va se perdre, se paie de l'impossible autonomie des
élèves, suspendus à des paroles et à des décisions dont
ils ne peuvent anticiper le sens, et dont ils doivent se
contenter de recueillir les effets. Telle est peut-être l'amère
leçon de Nietzsche, lorsqu'il flanque son Zarathoustra d'un
singe et d'un bouffon : celui qui met en cause la norme de
vérité serait condamné, du fait même de sa liberté
supérieure, à n'avoir en guise d'élèves que des imitateurs
serviles, transformant l'enseignement qu'ils reçoivent en
« rengaine[15] », ct à jamais incapables de trouver leur propre indépendance ? Triste destin, alors, des générations
sans maîtres : devenir à jamais des deleuziens singeant le
vocabulaire du grand homme, ou des foucaldiens multi-
pliant les archéologies de carnaval.

Les vertus de l'exercice

On voit maintenant à quelle difficulté, réelle et sérieuse, s'alimente la critique ressassante adressée à des auteurs comme Foucault et Deleuze : faute de croire en la raison, ils auraient été de mauvais maîtres, et se seraient condamnés à n'avoir que des disciples médiocres répétant mécaniquement leurs thèses ou leurs tics de langage, plutôt que de progresser dans leur propre voie. On voit aussi combien il est urgent d'échapper à cette conclusion désespérante (conclusion qui conduit trop souvent, non à conquérir l'autonomie, mais à faire allégeance à de plus sages modèles, à rendre la servilité plus discrète – à se faire singe kantien, ou bouffon wittgensteinien...). Pour ce faire, posons la question de manière positive : à quelles règles un maître qui souhaiterait interroger les normes de vérité elles-mêmes, pourrait-il tout de même plier son propre discours afin de rendre celui-ci disponible pour d'autres, qui y alimenteraient leur propre questionnement ? Ou encore : si l'on cherche, comme Foucault, à rendre compte des transformations historiques de la volonté de vérité, comment peut-on à la fois opérer sur soi les transformations nécessaires à cette fin, et permettre à ses lecteurs et auditeurs de réaliser à leur tour de telles transformations ? J'emprunte ici le mot de « transformation » au cours de 1982 : Foucault y définit en effet la spiritualité comme « la recherche, la pratique, l'expérience par lesquelles le sujet opère sur lui-même les transformations nécessaires pour avoir accès à la vérité[16] ». C'est dans un tel horizon, « spirituel » plutôt que « philosophique », que Foucault inscrit d'ailleurs sa propre recherche dans l'introduction de *L'Usage des plaisirs*, puisqu'il présente son livre comme un « essai », c'est à dire une « épreuve modificatrice de soi-même dans le jeu de la vérité[17] ». Cette insistance sur le travail de « transformation » et de « modification » est significative : penser un enseignement qui réconcilierait la liberté du maître et celle de l'élève, supposerait en effet de déterminer des *règles de transformation*, à la fois principes de créativité chez le premier, et vecteurs d'autonomie chez le second. C'est en extrayant de l'œuvre du maître les procédés selon lesquels celui-ci a entrepris de changer sa propre manière de voir, que l'élève pourrait à son tour élaborer son rapport à soi-même d'une manière féconde et autonome. En d'autres termes, le dilemme de la maîtrise pourrait trouver une solution du côté de *l'exercice* : non l'exercice scolaire par lequel l'élève vérifie une règle et retrouve un résultat déjà connu du maître ; mais l'exercice que l'élève peut se proposer dans la mesure où le maître s'y est soumis ou risqué lui-même, sans pouvoir préjuger du résultat. C'est aussi ce que suggérait Deleuze en associant, à propos de Sartre, la « radicale nouveauté » du maître, avec l'invention d'une « technique » artistique ou littéraire susceptible d'être réactivée par ses élèves. La « leçon » de Foucault tiendrait alors aux modes d'expérimentation que celui-ci a développés et pratiqués systématiquement au cours de son œuvre ; œuvre qui vaudrait alors moins par son achèvement que par le témoignage qu'elle porte d'une telle activité.

La recherche d'une telle solution paraît avoir fait partie des préoccupations explicites de Foucault, dans ses dernières années. On sait bien sûr, depuis la parution des *Dits et Écrits* combien Foucault s'intéressait à la dimension ascétique de la philosophie ancienne. On a moins remarqué qu'à travers cette exploration des exercices spirituels, Foucault cherchait à clarifier la valeur d'enseignement de sa propre démarche, la manière dont celle-ci pouvait, d'un même pas, le changer et transformer ses auditeurs ou ses lecteurs. Ainsi, Foucault présente explicitement le travail de rédaction de *L'Usage des plaisirs* et du *Souci de soi* comme « un exercice de soi, dans la pensée », « un exercice philosophique » dont l'enjeu était de savoir « dans quelle mesure le travail de penser sa propre histoire peut affranchir la pensée de ce qu'elle pense silencieusement et lui permettre de penser *autrement*[18] ». Il emprunte donc, on le voit, aux auteurs antiques qu'il commente la qualification de sa propre démarche, laquelle vaut, non seulement par ses résultats objectifs, mais par les transformations subjectives qu'elle a autorisées en chemin. D'autre part, il repousse avec force l'idée selon laquelle « ces jeux avec soi-même n'ont qu'à rester en coulisse (...) et font, au mieux, partie de ces travaux de préparation qui s'effacent eux-mêmes lorsqu'ils ont pris leurs effets[19] » : non seulement la « déprise de soi » est un objectif à part entière du travail philosophique, mais il faut rendre publique cette dimension de « subjectivation », plutôt que de se contenter d'un froid exposé de résultats. C'est pourquoi Foucault introduit, pour caractériser au plus juste ces livres, une notion décisive : celle de « protocole ». « [les études qui suivent] sont – si on veut bien les envisager du point de vue de leur « pragmatique » – le protocole d'un exercice qui a été long, tâtonnant, et qui a eu besoin souvent de se reprendre et de se corriger[20]. »

L'idée de protocole déplace ici l'attention du lecteur du « dit » vers le « dire », du contenu des analyses vers l'activité dont elles ont constitué le support ; mais elle souligne aussi ce qui, d'un tel exercice, peut être explicité,

formalisé, rendu disponible et réeffectuable par d'autres
– en bref, ce qui peut être transmis. Autrement dit, c'est
un double jeu de miroirs qui se met en place dans les
derniers textes : Foucault réfléchit sa propre activité
philosophique à travers les exercices des anciens ; mais
ce faisant, il tend aussi un miroir à ceux qui le lisent et
les invite à entrer à leur tour dans le jeu. Il assume ainsi
le rôle du maître, non pas en s'appuyant sur ce qu'il
sait, mais en conviant par l'exemple ceux qui le lisent à
s'exposer à ce qui excède leur savoir.

Prenons ce jeu de miroirs au sérieux : quels éléments de « protocole » Foucault repère-t-il dans les
exercices spirituels antiques, pour les faire jouer dans
sa propre démarche et en proposer l'enseignement à
ses lecteurs ?

1. *Repérer l'intervalle.* L'ensemble des textes que
Foucault consacre à la sagesse hellénistique et romaine se situe sous le signe de ce qu'on pourrait appeler
« l'intermédiaire ». D'abord, parce que le registre général des phénomènes que Foucault nomme « éthiques »
constitue un plan intermédiaire : entre les principes
gouvernant la définition de l'action droite, et le détail des
comportements effectivement adoptés par les individus,
l'éthique désigne l'ensemble des « manières de faire » en
tant que celles-ci peuvent donner lieu à une élaboration
spécifique, au cours de laquel l'individu se transforme lui-
même en sujet d'une conduite morale[21]. Ensuite parce
que, dans le contexte plus précis de la période hellénistique, étudiée dans *Le Souci de soi*, les repères sociaux
d'une telle transformation ont profondément changé, avec
le passage de la citoyenneté propre aux Cités-États, à
l'édification d'un pouvoir impérial vis-à-vis duquel chaque

individu n'est jamais qu'un intermédiaire : « Sauf à être le prince lui-même, on exerce le pouvoir à l'intérieur d'un réseau où on occupe une position charnière. On est toujours d'une certaine façon gouvernant et gouverné. (…) Qui exerce le pouvoir a à se placer dans un champ de relations complexes où il occupe un point de transition : son statut a pu le placer là ; ce n'est pas ce statut cependant qui fixe les règles à suivre et les limites à observer[22]. »

À cette double relativisation, il faut ajouter l'insistance de Foucault sur la redéfinition du statut des philosophes eux-mêmes ; en particulier, sur l'émergence et la généralisation de la « forme romaine » de l'activité philosophique que constitue la fonction de conseiller privé ou de directeur de conscience. Cette forme se caractérise par deux traits : d'une part, la manière dont l'enseignement philosophique va s'appliquer aux choix pratiques et politiques de ceux qui le reçoivent, de telle sorte que la philosophie « se dé-professionnalise à mesure même qu'elle devient plus importante ». D'autre part, la relation très singulière, faite de liberté et d'infériorité statutaire, qu'entretient le philosophe avec celui qu'il conseille (« c'est lui qui guide et initie celui qui est à la fois son patron, son employeur, et son ami, mais son ami supérieur[23] »). En bref, le philosophe romain, tel que Foucault en esquisse la figure au long de ce cours, occupe une position qui est tout l'inverse d'une position de maîtrise : il ne jouit ni d'une supériorité indiscutable sur celui à qui il enseigne, ni d'un savoir ésotérique qui lui permettrait de faire de cet enseignement un lieu réservé – la philosophie s'entretisse dans l'activité quotidienne.

Ces différentes remarques éclairent-elles, en retour, l'enseignement de Foucault ? Notons d'abord qu'elles conduisent toutes à situer l'activité philosophique à une sorte de hauteur moyenne : entre code moral et conduites, entre supérieurs et inférieurs, entre spéculation pure et activité quotidienne, entre le service d'un employeur et la liberté d'une relation amicale. Dans chacun de ces cas, Foucault accorde une importance cruciale à cette dimension qu'il nomme (en empruntant le terme à Sénèque) l'*intervallum*, espace dont il fait le lieu même de la pensée, de la parole et de la liberté possible de l'individu[24]. Or, il semble bien interpréter sa propre situation à la lumière de cet exemple : « se déprendre de soi », comme il prétend le faire en 1984, ce n'est pas se poser en créateur absolu d'une pensée entièrement neuve, mais ce n'est pas non plus se poser en simple chaînon d'une tradition qu'il s'agirait de transmettre ; le philosophe est bien un intermédiaire, mais il situe son activité au point où, justement, cette médiation ouvre un espace d'hésitation, d'incertitude radicale qui appelle son intervention et son inventivité, et sollicite sa liberté. Lisant les stoïciens, Foucault comprend qu'il ne cesse lui-même de travailler « dans l'intervalle » des formes du savoir et du pouvoir, à l'endroit où celles-ci ouvrent des zones d'ombre à l'intérieur desquelles il est possible de les remettre en cause – ce qu'il exprimait déjà, quoique d'une autre manière, quelques années plus tôt en revendiquant, contre « l'intellectuel universel », la position de « l'intellectuel spécifique », étroitement inséré dans une activité donnée mais y trouvant matière à exercer son esprit critique. C'est cette leçon que Foucault tire des stoïciens, et qu'il expérimente dans son propre travail. Mais on peut alors noter qu'il n'y a plus à choisir, entre expérimenter pour soi-même cette leçon et la transmettre à son tour : au contraire, c'est en pratiquant cette pensée des limites que Foucault parvient à enseigner à ses lecteurs à rechercher eux-mêmes les intervalles de leur propre situation et à y installer leur propre activité. En bref, le premier exercice que Foucault pratique et nous invite à pratiquer est celui de l'*intervention*, au sens étymologique où intervenir consiste à se situer « entre » les éléments constitutifs d'un contexte social plutôt que de prétendre surplomber la situation, comme le voudrait une image un peu convenue de la philosophie.

2. *Savoir, rappeler, prévoir*. On peut ensuite s'intéresser au détail des exercices que Foucault repère chez les penseurs hellénistiques, comme autant de procédures de transformation de soi. Dans le cours de 1982, il opère une distinction cardinale entre deux dimensions de la spiritualité antique : d'un côté la *mathesis*, ou connaissance du monde, de l'autre l'*askesis* ou transformation de soi. On se méprendrait, pourtant, à lire cette distinction à la façon moderne, comme l'opposition entre « subjectivité » et « objectivité » : il n'est pas moins question du sujet dans la *mathesis* que dans l'*askesis*, la connaissance du monde étant elle-même évaluée à l'aune de ses capacités libératrices vis-à-vis du sujet. Foucault peut alors longuement détailler, d'une part, ce qu'il nomme chez Sénèque « la théorie générale et abstraite de l'étude de la nature comme opérateur de la libération de soi[25] », d'autre part ces exercices plus particuliers que constituent la remémoration des actions effectuées au cours de la journée, ou la préméditation des maux – exercice consistant à toujours prévoir le pire, de manière à éprouver l'indépendance de sa vertu vis-à-vis des aléas de la fortune, de l'espoir et du désespoir.

À lire les commentaires que Foucault consacre, sur chacun de ces points, à Sénèque, Marc-Aurèle ou Musonius Rufus, on ne peut qu'être frappé de la réinterprétation que ces lectures, en filigrane, suggèrent de l'archéologie foucaldienne. Soit la description des effets de la connaissance de la nature chez Sénèque : celle-ci a pour double effet, premièrement de récuser toute référence (platonicienne) à un autre monde dont celui-ci ne serait que le reflet ou l'illusion ; deuxièmement de réévaluer radicalement la position du sujet en lui permettant à la fois d'éprouver son inscription réelle dans la nature, et sa petitesse à l'égard de celle-ci. Il s'agit, dit Foucault, de « mesurer très exactement l'existence parfaitement réelle que nous sommes, mais qui n'est qu'une existence ponctuelle. Ponctuelle dans l'espace, ponctuelle dans le temps. Être pour nous-mêmes, à nos propres yeux, ce que nous sommes, à savoir un point, nous ponctualiser dans le système général de l'univers : c'est cette libération-là qu'effectue réellement le regard que nous pouvons porter sur le système entier des choses de la nature[26] ». Or, ce double objectif consistant à récuser toutes les idéalités au nom des seules positivités, mais à relativiser dans le même mouvement les prétentions du sujet humain, n'est-il pas très exactement celui de l'archéologie que Foucault définissait dès les années 1960 ? Pleine réalité des formations discursives, mais étroitesse de notre perspective historique : relues à la lumière des anciens, ces thèses de *L'Archéologie du savoir* prennent un relief nouveau, moins épistémologique qu'éthique, car trouvant leur signification dans la transformation de notre manière ordinaire de voir.

De même, lorsqu'on lit la description que Foucault donne de la *praemeditatio malorum* : « l'avenir est en quelque sorte un appel à l'imagination. (…) Eh bien, il faut à la fois le penser sous ses pires formes, mais en même temps ne pas l'imaginer sous ses pires formes, ou plutôt, faire un travail pour que la pensée de l'avenir soit en quelque sorte déchue de l'imagination dans laquelle il se présente d'ordinaire, et ramenée à sa réalité qui n'est rien, au moins en tant que malheur[27]. »

Il s'agit donc, pour les stoïciens, de se représenter l'avenir de manière à ce que les images les plus redoutables soient ramenées à leur sèche réalité, dont le caractère effrayant disparaîtra alors, ainsi que l'emprise qu'il exerce sur la raison du sujet. Ayant cela en tête, on lit d'un autre œil les phrases fameuses qui clôturent *Les Mots et les Choses* : « Si ces dispositions venaient à disparaître comme elles sont apparues, si par quelque événement dont nous pouvons tout au plus pressentir la possibilité, mais dont nous ne connaissons pour l'instant ni la forme ni la promesse, elles basculaient, comme le fit au tournant du XVIIIe siècle le sol de la pensée classique – alors on peut bien parier que l'homme s'effacerait, comme à la limite de la mer un visage de sable[28]. »

Lues rétrospectivement depuis les analyses de 1982, ces phrases de 1966 résonnent d'une tout autre manière : leur manière sèche de ramener un événement terrible (« la mort de l'homme ») à un simple réaménagement dans la disposition du discours, ressemble moins à une déclaration de guerre, ou à une affirmation structuraliste dogmatique, qu'à une version moderne de la *praemeditatio malorum* ; version où il s'agirait moins de combattre l'imagination au profit de la raison, que de défaire la raison elle-même de ses investissements imaginaires en lui montrant que son destin n'est nullement lié à la figure particulière, historique et transitoire, de l'homme. Généralisons : les derniers ouvrages de Foucault nous invitent à relire autrement la manière dont celui-ci pratique le savoir, l'histoire ou l'anticipation : si des « enseignements » sont à tirer de l'archéologie, ils se situent moins du côté des contenus de celle-ci, que de ses gestes constitutifs, et du rapport qu'ils établissent avec le savoir, l'histoire et l'avenir.

3. *Produire une leçon.* Faut-il dire, alors, que Foucault se contenterait de ressusciter, dans le cadre particulier de l'université moderne, les formes et les pratiques de l'enseignement antique, en mimant la posture des maîtres stoïciens dans un monde voué à la science ? Une telle conclusion serait assez décevante : à ce compte, mieux vaudrait lire directement les stoïciens et se passer de la médiation foucaldienne… Or justement : s'il est instructif de lire Foucault à la lumière des textes qu'il commente, il est tout aussi passionnant de repérer les transformations qu'il leur imprime, et la façon dont leur différence ressort d'autant plus violemment que leur proximité apparaît frappante. L'exemple de Sénèque est le plus évident : sans doute peut-on rapprocher la démarche de l'archéologue avec la théorie de la connaissance exposée dans les *Questions naturelles* ; mais on se rappellera aussitôt que la Nature selon Sénèque est une totalité cohérente régie par la nécessité, là où Foucault prétend introduire à la racine de la pensée « le hasard, le discontinu et la matérialité[29] ». Sans doute, de même, Sénèque s'intéresse-t-il à l'écart ouvert entre le point de vue de la raison et les exigences de la société ; mais cet écart est pour lui comblé par une théorie rigoureuse des « offices » (exigeant du sage qu'il se plie aux usages so-

ciaux), cependant qu'il est, pour Foucault, le lieu de l'inquiétude et de la remise en cause critique. Sans doute, encore, le souci de soi passe-t-il chez Sénèque par la remémoration du passé, de même que chez Foucault la pensée ne se dissocie pas de l'histoire ; mais cette remémoration vise chez le premier à conjurer la discontinuité (pour Sénèque, « [ceux qui oublient] sont voués à la discontinuité et à l'écoulement, ils sont voués au dépouillement et au vide[30] »), alors qu'il s'agit pour Foucault de la faire éclater, puisqu'elle constitue à la fois « l'instrument et l'objet de la recherche[31] » de l'archéologue. Sans doute enfin peut-on rapprocher la *praemeditatio malorum* stoïcienne et les sèches prophéties énoncées dans *Les Mots et les Choses* : mais on ne peut oublier que cet exercice vise pour Sénèque à éviter au sage d'être pris au dépourvu, ce qui le rendrait « perméable à l'événement[32] » ; chez Foucault, il s'agit au contraire de renforcer cette perméabilité, d'ouvrir le champ des certitudes au surgissement de l'imprévu.

En bref, tout se passe comme si Foucault conjuguait un certain nombre des opérations fondamentales du stoïcisme, avec une orientation anti-rationaliste qui lui fait préférer l'ouverture à la totalité, le hasard à la nécessité, la discontinuité à la permanence et l'accueil du nouveau à la certitude intemporelle. Certains commentateurs ont contesté la cohérence doctrinale d'un tel « montage[33] ». Cette torsion est pourtant au cœur de notre problème. Nous nous demandions par le biais de quel exercice Foucault parvenait, dans sa fréquentation des textes anciens, à se transformer lui-même, et si cet exercice était suffisamment réglé pour autoriser, chez ses lecteurs, une reprise et une appropriation. Or, l'exercice apparaît maintenant assez précisément : on pourrait le décrire comme une sorte de double transformation propre au travail de lecture. D'un côté, Foucault s'interprète à la lumière des modèles antiques, quitte à se découvrir (comme il le dit au début de *L'Usage des plaisirs*) « à la verticale de soi-même[34] », en produisant de son propre travail un portrait à la fois ressemblant et renouvelé. Mais cette interprétation n'est pas une imitation servile, dans la mesure où elle transforme radicalement ces modèles eux-mêmes, en produisant à partir d'eux une version « moderne » de la spiritualité et de la libération très différente de celle qu'on peut trouver chez Sénèque ou Marc-Aurèle. De telle sorte qu'on ne peut dire ni que Foucault projette, sur les stoïciens, ce qu'il pensait ou expérimentait déjà, ni qu'il se projette au contraire dans le modèle qu'ils lui tendent : comme dirait Deleuze, un devenir est toujours un double-devenir, et le cours de 1982 est le lieu d'un curieux « devenir-Foucault » de Sénèque, et « devenir-Sénèque » de Foucault, le sage antique et l'archéologue moderne échangeant leurs déterminations jusqu'à devenir, l'un comme l'autre, méconnaissables.

On voit alors quelles leçons est capable de dispenser un maître qui ne se revendique pourtant pas ainsi, et qui ne peut se prévaloir d'aucune vérité transcendante. Le mot « leçon », en français, a deux sens principaux : il peut désigner le contenu d'un enseignement magistral (le mot a alors volontiers une connotation dogmatique) ; mais il peut aussi désigner l'interprétation qu'un commentateur propose d'un texte ancien, lorsque celui-ci est lacunaire ou difficilement lisible, lorsqu'il faut en combler les blancs en conciliant la fidélité au manuscrit original et l'inventivité dans la recréation du sens. La leçon, ainsi entendue, ne s'impose pas à celui qui la reçoit comme une vérité qui viendrait combler son ignorance ; parce qu'elle s'oppose à d'autres lectures, à d'autres leçons, elle sollicite par définition son initiative et son activité critique. Il me semble que, si Foucault « donne des leçons », c'est en ce second sens : en se risquant à une réinterprétation radicale des sources qu'il convoque, de manière à ne tomber ni dans l'appropriation, ni dans le mimétisme, mais à se transformer soi-même à mesure qu'il transforme ce qu'il lit. Il n'y a pas, à ce titre, de « leçon de Foucault », car nous ne pouvons heureusement pas dire quelle est la signification définitive et unique de cette œuvre ; seule demeure l'exigence (que Nietzsche nommait « probité ») de produire des interprétations à la hauteur de la fidélité et de l'inventivité que les textes méritent. De ce point de vue, la diversité des lectures contemporaines de Foucault est le bel héritage de son enseignement paradoxal.

Mathieu Potte-Bonneville

Notes

1. Gilles Deleuze, « Il a été mon maître », réédité in *L'Île déserte et autres textes. Textes et entretiens 1953-1974*, Paris, Minuit, 2002.

2. *L'Ordre du discours*, Paris, Gallimard, coll. « NRF », 1971, pp. 81-82.

3. *ibid.*, pp. 7-8.

4. « Qu'est-ce qu'un auteur ? », *Dits et Écrits*, t. I, *op. cit.*, pp. 804-809.

5. *ibid.*, p. 807.

6. *L'Ordre du discours*, *op. cit.*, p. 17.

7. Marcel Détienne, *Les Maîtres de vérité dans la Grèce archaïque*, Paris, Agora, 1967.

8. *Raymond Roussel*, *op. cit.*, p. 210.

9. *L'Ordre du discours*, *op. cit.*, pp. 35-37.

10. *L'Herméneutique du sujet*, cours au Collège de France 1981-1982, Paris, Gallimard-Seuil, coll. « Hautes études », 2001, p. VIII.

11. « Politique et éthique : une interview », *Dits et Écrits*, t. IV, *op. cit.*, p. 589.

12. *L'Archéologie du savoir*, Paris, Gallimard, coll. « Bibliothèque des sciences humaines », 1982, p. 28.

13. *Histoire de la sexualité, t. II. L'Usage des plaisirs*, Paris, Gallimard, coll. « Bibliothèque des histoires », 1984, p. 14.

14. *L'Herméneutique du sujet*, *op. cit.*, pp. 362-363.

15. Cf. le passage souvent cité par Deleuze, où Zarathoustra reproche à ses animaux l'usage qu'ils ont fait de l'annonce de l'éternel retour : « Ô plaisantins que vous êtes, et orgues de barbarie ! (…) Et vous, déjà, en fîtes-vous une rengaine ? » (*Ainsi parlait Zarathoustra*, tr. fcse Gallimard, 1971, III, « Le convalescent »).

16. *L'Herméneutique du sujet*, *op. cit.*, p. 16.

17. *Histoire de la sexualité, t. II. L'Usage des plaisirs*, *op. cit.*, p. 15

18. *ibid.*, p. 15.

19. *ibid.*, p. 14.

20. *ibid.*, p.15.

21. *ibid.*, pp. 32-39.

22. *Histoire de la sexualité, t. III. Le Souci de soi*, Paris, Gallimard, coll. « Bibliothèque des histoires », 1984. pp. 108-109.

23. *L'Herméneutique du sujet*, cours au Collège de France 1981-1982, Paris, Gallimard-Seuil, coll. « Hautes études », 2001. p. 138

24. « Le rapport à soi ne détache pas l'individu de toute forme d'activité dans l'ordre de la cité, de la famille ou de l'activité ; il ouvre plutôt, comme disait Sénèque, un *intervallum* entre ces activités qu'il exerce et ce qui le constitue comme sujet de ces activités ». Cité par Frédéric Gros, « Situation du cours », *L'Herméneutique du sujet, op. cit.*, p. 520.

25. *ibid.*, p. 262.

26. *ibid.*, p. 266.

27. *ibid.*, p. 453.

28. *Les Mots et les Choses, op. cit.*, p. 398.

29. *L'Ordre du discours, op. cit.*, p. 61.

30. *L'Herméneutique du sujet, op. cit.*, p. 448.

31. *L'Archéologie du savoir, op. cit.*, p. 17.

32. *L'Herméneutique du sujet, op. cit.*, p. 450.

33. Cf. par ex. Pierre Hadot, « Réflexions sur la notion de culture de soi », in *Michel Foucault philosophe. Rencontre internationale Paris 9, 10, 11 janvier 1988*, Paris, Le Seuil, coll. « Des travaux », 1989. pp. 261-271.

34. *Histoire de la sexualité, t. II. L'Usage des plaisirs, op. cit.*, p. 18.

Parler

Histoire des intellectuels : où l'on questionnera les pratiques de prise de parole.

À l'occasion de l'hommage rendu en France à la figure de Michel Foucault pour les vingt ans de sa disparition, et notamment par le Festival d'automne[1], plusieurs spectacles lui furent consacrés, plaçant en leur centre, comme une évidence, son exercice de la parole. Il s'agissait – chez Jean Jourdheuil au théâtre de la Bastille, Éric Ruff à Radio France, les jeunes comédiennes du Jeune Théâtre National (JTN) à Fresnes, ou encore Jacques David[2] à la Cartoucherie de Vincennes – de faire entendre la voix du philosophe sans l'incarner. Autrement dit, l'intention commune de ces quatre spectacles par ailleurs très différents était de représenter les pratiques de prise de parole du philosophe, du Collège de France à la Goutte d'Or, de son appartement du XVe arrondissement aux amphithéâtres des universités américaines[3], sans pour autant les mettre en scène.

Témoin de ces tentatives qui souvent firent réagir violemment ceux qui avaient été les auditeurs de Michel Foucault (ils me confièrent ne pas retrouver celui qu'ils avaient connu), et prenant connaissance, comme beaucoup, des cours du Collège de France récemment publiés[4], je songeais combien cette pratique de la prise de parole du philosophe – pratique dont Claude Mauriac dans son journal fut le formidable chroniqueur[5] – avait été singulière et profondément maîtrisée. Foucault avait dessiné en creux une géographie de ses gestes de langage, une géographie bien différente de celle d'un Sartre par exemple[6]. À l'inverse d'un philosophe debout sur un tonneau au milieu des ouvriers et leur indiquant la marche à suivre, Foucault avait fait un usage de la parole qui, s'il recoupait parfois certaines pratiques propres aux intellectuels français des années 1960, participait de son travail spécifique de philosophe. Parler, pour Foucault, c'était s'inscrire ou non dans un ordre des discours, mais c'était également problématiser, dans le geste même, cette pratique. En somme, et l'on comprend dès lors pourquoi les dramaturges et les comédiens s'y intéressèrent, pour lui, parler était l'occasion de réinventer sans cesse un nouveau théâtre, un théâtre profondément politique.

Cette géographie, que nous voulons ici esquisser, et que nous appellerions volontiers « audiographie », est composée d'actes de parole très divers dont on peut donner une brève typologie[7] : 1. Les enseignements (séminaires, cours, communications, conférences) 2. Les discussions scientifiques ou politiques (tables rondes, dialogues, entretiens, conversations) 3. Les déclarations (interventions en meetings, manifestations, réunions…) 4. Enfin, les prises de parole obligées (de la grande leçon de l'agrégation à l'audition devant des commissions, aux convocations et interrogatoires).

Cette audiographie a aussi ses lieux ; certains sont institutionnels – l'amphithéâtre universitaire ou le studio de radio –, d'autres plus incongrus – la cuisine de Gilles Deleuze à Paris ou celle de Maurice Clavel à Vézelay, les rues de Nancy… Mais surtout, elle a laissé des traces

plus ou moins profondes dans les archives. Ici, un enregistrement sauvage sur une bande magnétique (ses
conférences à l'étranger ou ses cours au Collège de
France) ou un texte établi par Foucault (de nombreux
entretiens rassemblés dans les *Dits et Écrits*), ailleurs,
une transcription de propos tenus, là encore des notes
prises par un témoin, souvent un étudiant (comme par
exemple lorsque Foucault était répétiteur à l'École nor-
male supérieure de la rue d'Ulm), ou enfin une seule
photographie de Foucault en train de parler mais à
jamais muet (le célèbre cliché du philosophe dans une
rue de la Goutte d'Or en 1971, le mégaphone à la main,
entouré de Claude Mauriac, Jean Genet et André Gluck-
sman). Parfois, il n'est pas de traces : la parole est
retournée au silence, comme à Bucarest au cours des
années 1960 ou à la Sorbonne en 1969[8]. Il s'agit donc, à
partir de ces archives très hétérogènes, souvent lapidai-
res, d'esquisser cette carte qui n'est pas circonstancielle
ou biographique, mais étroitement liée au projet foucaldien. Précisons ici qu'il ne s'agit pas de faire l'impasse
sur la dimension biographique, sur le parcours de l'intellectuel Foucault. Il va en effet de soi que nombre de
ces événements de langage sont liés à ce parcours de
vie et au contexte historique dans lequel il s'inscrit.
Ainsi doit-on évidemment rappeler que les années 1968
furent le moment d'une intense prise de parole des étudiants, des ouvriers, mais également des intellectuels[9].

Nous concentrerons notre propos sur deux pratiques
exemplaires de cette posture foucaldienne : l'entretien et
la conférence de presse. Nous aurions bien sûr pu montrer comment, dans certains de ses livres, Foucault
rompt le discours univoque en introduisant du dialogue
(comme par exemple à la fin de *L'Archéologie du savoir*),

ou analyser la manière dont il menait ses cours au Collège de France, usant d'une gestuelle, pratiquant non sans plaisir la lecture à haute voix de ses sources, et enfin nous aurions pu travailler sur les monologues radiophoniques du philosophe pour France Culture dans les années 1960[10]. Si nous avons retenu l'entretien et la conférence de presse, c'est parce qu'il s'agit de deux pratiques dont les règles sont arrêtées – Foucault n'invente pas ces prises de parole, il les subvertit. Voyons de quelles manières et en quelles circonstances.

L'entretien

On sait qu'après son retour en France à la fin des années 1960, après un long exil en Suède, en Pologne, en Allemagne et enfin en Tunisie, à propos duquel il confia que cette expatriation avait été la cause de sa prise d'écriture (« retrouver sa langue »), Foucault est énormément sollicité pour donner des entretiens, aussi bien en France qu'à l'étranger[11]. Il accepte le plus souvent et s'explique, dans des journaux et des revues, sur sa démarche, ses positions, son travail. Or, parmi ces nombreux entretiens, il en est quatre qui se distinguent des autres en ce qu'ils constituent de véritables expériences de parole visant à une déprise de la position de pouvoir qu'occupe le philosophe.

Alors que Michel Foucault achève la rédaction de *L'Archéologie du savoir*, le critique Claude Bonnefoy propose au philosophe de publier un livre d'entretiens pour les éditions Belfond. Foucault est alors dans un désir d'explicitation de sa démarche et accepte. Mais dès les

premières séances d'entretiens, Bonnefoy oriente celles-
ci dans une perspective à laquelle Foucault est très réti-
cent : il s'agit d'évoquer le derrière de la tapisserie,
d'aborder le rapport que l'auteur de *L'Histoire de la folie*
entretient avec l'écriture. Ainsi, au cours de la dizaine
de rencontres qui eurent lieu, Foucault pratique une
parole inédite, une parole autobiographique. Ce propos
intime de l'auteur sur lui-même génère un changement
dans les échanges oraux entre les deux hommes, une
modification de ce qui au départ devait être un entretien
traditionnel. Foucault adopte, pour réfléchir à la manière
dont il travaille, pour dire ses difficultés d'écrivant, un
registre inédit, une langue nouvelle. Au terme de cette
expérience, Foucault se dit transformé et heureux d'être
parvenu avec Claude Bonnefoy à inventer un type de discours qui ne soit ni une conversation ni une « espèce de
monologue lyrique ». Mais pour le philosophe, l'intérêt
de cette expérience réside davantage dans la tension
que chacune des rencontres produisait sur lui, que dans
la publication ; l'entretien comme pratique plus que
comme texte. Le livre d'entretiens avec Claude Bonnefoy ne parut finalement pas, sa transcription fut conservée dans les archives ; car il s'agissait bien pour Foucault d'un impossible entretien.

Gilles Deleuze, à qui la revue *L'Arc* souhaitait consacrer un numéro au début des années 1970, proposa
alors à Michel Foucault une discussion. Ce qui deviendra un dialogue entre les deux amis philosophes eut
lieu dans la cuisine de l'auteur de *Logique du sens*, à
Paris. Elle constitue le seul dialogue de Michel Foucault avec un philosophe contemporain (si l'on excepte
le débat avec Noam Chomsky, qui eut lieu sur un pla-
teau de la télévision néerlandaise, mais qui échoua et

constitue en fait deux entretiens parallèles). L'intérêt de
ce dialogue est qu'il consiste, comme la discussion qui
eut lieu avec les Nouveaux Philosophes dans la cuisine
de Maurice Clavel à Vézelay, en un véritable exercice
de penser. Deleuze et Foucault pensent à haute voix,
non d'après un texte ou un tableau, mais à propos de
l'expérience que l'un et l'autre viennent de connaître au
sein du Groupe Information Prison (GIP) et des autres
mobilisations. Alors que chacun aurait pu essayer d'articuler son travail à son intervention dans l'espace
public, ils définissent ensemble, à partir de leur expérience, un lien nouveau entre théorie et pratique. Si
cette discussion est intéressante dans la perspective qui
est ici la nôtre, c'est qu'elle n'est pas la simple confrontation de points de vue. Elle produit un diagnostic sur
ce qui est en train de se passer. En d'autres termes,
l'entretien se mue en un dialogue capable de produire
de nouveaux concepts.

Plusieurs années après ce dialogue avec Deleuze,
Foucault expérimente une autre forme d'entretiens[12] qui
s'apparentent au dialogue platonicien et qui sont absolument inconnus près de trente ans après leur tenue. Le
livre de ces entretiens a pourtant paru chez Grasset en
1978 : il s'agit de l'ouvrage de Thierry Vœtzel, *Vingt ans
et après*, préfacé par le même Claude Mauriac. Le nom
de Foucault est absent. Pourtant, il est celui qui ques-
tionne Thierry Voetzel, ce garçon né en août 1955. Par
des questions très directes, Foucault dialogue avec ce
jeune homosexuel sur son engagement au sein du Front
homosexuel d'action révolutionnaire (FHAR). Ici, donc,
le dispositif de l'entretien est retourné, Foucault décidant
de le mener lui-même. Il est formidablement enthou-
siasmé par cette expérience qui a fait sortir une parole

« d'une très grande liberté » sur les expériences d'un jeune homme de vingt ans en 1975.

Sans doute cette expérience de l'anonymat est-elle à mettre en relation avec le choix de Foucault en février 1980 lorsque, acceptant la sollicitation de Christian Delacampagne pour un entretien au journal *Le Monde*, il pose comme condition l'absence de mention de son nom. Daniel Defert indique que l'identité du philosophe, masqué dans cet entretien paru dans le numéro du 6 avril 1980, demeura inconnu jusqu'à sa mort. Par ce geste, qui neutralisait les effets de sa notoriété, il souhaitait s'extraire de la médiatisation, la refuser pour laisser place au débat d'idées. Il s'insurge en effet contre le recouvrement par le nom de l'auteur de sa pensée, et des impossibilités que crée cette situation. Foucault, comme il le dit à plusieurs reprises, écrit pour n'avoir plus de visage ; or, il constate en cette fin des années 1970 que cette visée devient impossible, tant à ses cours au Collège de France que lors de ses interventions, sa figure étant désormais celle d'un maître à penser. Ce qu'il a si souvent combattu, voilà qu'il en est à présent la proie. L'anonymat et l'adoption de pseudonymes sont une des manières dont le philosophe répond à ce vedettariat. Ainsi, lors de la table ronde organisée par la revue *Esprit* sur les luttes autour des prisons[13], Foucault prend le pseudonyme de Appert, du nom d'un philanthrope des prisons du XIXe siècle, auteur d'un remarquable tour de France du pénitentiaire en 1836. Son désir de quitter la France participe du même constat. Tout se passe donc comme si Foucault cherchait par cet entretien masqué à retrouver quelque chose d'une parole intacte.

La conférence de presse

La seconde pratique sur laquelle je m'arrêterai est étroitement liée à un moment du parcours foucaldien. Elle intervient au cours des années 1971-1972, alors que Foucault est engagé dans le GIP ; elle est ainsi inscrite dans ce souci de faire de l'information une lutte, dans un contexte politique français très répressif[14]. Le philosophe ne ménage pas sa peine, allant devant les prisons pour dialoguer avec les familles, jouant avec les comédiens du Théâtre du Soleil des sketches au bas de cités de banlieue... Dans cette intervention, Foucault fait l'expérience d'exercices de la parole inédits pour lui. Il s'agit d'éprouver la philosophie à ces exercices de parole[15].

La conférence de presse ne relève pas de ces pratiques expérimentales. Sa tenue est extrêmement codifiée ; elle constitue un dispositif le plus souvent utilisé par le pouvoir pour orchestrer le relais de sa parole. Les journalistes y sont convoqués, on les informe d'un événement, d'une position. Elle se déroule le plus souvent en deux temps : la déclaration du conférencier, suivi d'un dialogue avec l'auditoire. Le dispositif matériel est extrêmement figé et n'est pas sans rappeler celui de l'enseignement. Le conférencier se tient derrière un bureau, souvent surélevé, tandis que les auditeurs sont assis sur des chaises en face de lui. Le pouvoir de parler est ici redoublé par une domination physique.

C'est précisément ce dispositif qu'investit Michel Foucault au cours des années 1971-1972, soit au moment même où il obtient sa chaire au Collège de France. Le philosophe subvertit de trois manières au moins cette mise en scène du pouvoir de la parole.

L'annonce de la création du GIP intervient, on le sait, le 8 février 1971 par une prise de parole de Michel Foucault accompagné de Jean-Marie Domenach et de Pierre Vidal-Naquet (Perrot, 1986). Est lu le manifeste du groupe qui sera ensuite largement reproduit dans la presse française. Cette annonce prend pour cadre une conférence de presse organisée à la chapelle Saint-Bernard, dans la gare Montparnasse, par les avocats des militants maoïstes emprisonnés. Ce 8 février, au terme de longues semaines de lutte pour l'obtention d'un statut de prisonniers politiques, les avocats déclarent la cessation de la grève de la faim des militants qu'ils défendent.

Cette conférence de presse est celle de l'annonce de la victoire des militants maoïstes sur le ministre de la Justice, René Pleven[16]. Elle est donc l'occasion d'une prise de parole victorieuse, qui plus est dans un lieu qui n'est pas neutre, une chapelle, lieu d'un autre pouvoir de parole, celui du religieux. Or, que fait Foucault ? Il s'agrège à cette conférence de presse, non pour la détourner ou la récupérer, mais pour la prolonger. Il en fait non un lieu d'exposition, non un espace de déclaration, mais un moment d'attention. Il indique qu'une enquête a été lancée dans les prisons pour savoir ce qui s'y passe, qui y va... Foucault déplace, en somme, l'attention des auditeurs et plus généralement des militants vers la prison et les prisonniers de droit commun. Aux paroles victorieuses, il accole un questionnaire, à l'exclamatif de l'interrogatif. La conférence de presse est ainsi inversée, le conférencier pose les questions à la place de l'auditoire. Celui qui parle n'énonce aucune vérité, il interroge ce qui apparaît comme des évidences.

La conférence de presse qui a lieu quelques mois plus tard, le 21 juin 1971 est d'une tout autre nature.

Cette fois, Foucault ne s'invite pas à la table, il est un de ceux qui l'ont convoquée, dans un amphithéâtre universitaire. Cette conférence s'inscrit dans ce que l'on appela alors l'affaire Jaubert, du nom d'un journaliste du *Nouvel Observateur* passé à tabac par la police en marge d'une manifestation parisienne d'Antillais, au printemps 1971[17]. Alain Jaubert avait en effet été tabassé par des policiers alors qu'il apportait secours à une personne blessée ; à l'issue de sa garde-à-vue, une commission d'enquête se constitua pour obtenir des informations sur ce qui s'était passé ce jour-là, le ministère de l'Intérieur déclarant que Jaubert avait agressé et insulté les policiers. Des journalistes issus de journaux aussi différents que *Le Figaro, Le Monde, Le Nouvel Observateur*, des avocats et plusieurs intellectuels formèrent cette commission. Il s'agit sans doute de la première mobilisation de journalistes comme journalistes, pour la défense de la liberté d'expression. Une contre-enquête est donc menée qui met en évidence que la préfecture de police a menti et qu'elle cherche à couvrir une bavure policière[18].

Lors de la conférence de presse du 21 juin, qui succède à une première, tenue quelques semaines auparavant chez Lacan et annonçant la création de la commission, quatre membres interviennent : Claude Mauriac, Denis Langlois, l'avocat de la Ligue des droits de l'homme (LDH), Gilles Deleuze et Michel Foucault. Une brochure est publiée à cette occasion et constitue, en dehors de quelques photographies, les seules archives de cet événement. Les conférenciers ne se contentent pas de simplement dénoncer la désinformation, ils analysent aussi la manière dont le pouvoir de la parole est exercé à travers un communiqué officiel du ministère de l'Intérieur. Avec ironie, et par une explication de texte rigoureuse, les quatre hommes démontent les mécanismes de cette prise de parole arbitraire et lui opposent la parole collective des témoins.

Presque six mois après l'affaire Jaubert, une série de révoltes intervient dans les prisons à la suite de la suppression des colis de Noël par le garde des sceaux, René Pleven ; à la centrale Ney de Toul début décembre 1971, puis dans une vingtaine d'établissements pénitentiaires français, des détenus se mutinent et occupent quelques heures les toits des prisons en criant des slogans dénonçant leurs conditions de détention. Le GIP, sans le provoquer, suit ce mouvement dont émerge une parole collective avec ses revendications. Pour Foucault, l'essentiel est atteint ; la prison est devenue un espace de lutte locale ; les prisonniers discutent de leurs situations, se mobilisent, rédigent des demandes, font sortir des témoignages. Ils ont pris le pouvoir de parler.

Aussi la conférence de presse que le GIP organise de manière sauvage dans le hall du ministère de la Justice, place Vendôme, le 17 février 1972 en fin d'après-midi, est-elle le théâtre d'une situation inédite ; Foucault prend la parole mais fait la lecture d'un texte qui émane des prisonniers de la centrale de Melun. Autrement dit, dans l'espace même de l'énonciation de la loi – le ministère de la Justice –, le philosophe fait entendre la voix de ceux qui en étaient jusqu'à présent privés. Il ne parle pas en leur nom, ni pour eux, mais se constitue en transmetteur ; il lit la parole des sans-voix. Sans doute la présence à ses côtés d'un autre philosophe, Jean-Paul Sartre, qui a tant parlé pour les damnés de la terre, est-elle symbolique de ce renversement du dispositif, non pas seulement de la conférence de presse, mais de la prise de parole de l'intellectuel en France depuis l'affaire Dreyfus.

Il faut admettre combien cette entreprise d'audiographie est fragile, et on objectera que si Foucault subvertit certains dispositifs de parole, il en est bien d'autres, plus nombreux encore, auxquels il se soumet – à commencer par exemple par tous les entretiens déjà évoqués. Mais il semble que l'intérêt d'une audiographie de Foucault est de repérer les cibles successives qu'il vise dans ses expériences de parole. Ainsi peut-on légitimement estimer que c'est bien contre une certaine forme de prise de parole philosophique que Foucault s'élève. Celle, notamment, qui consiste à parler à la place des autres, celle, aussi, qui consiste à ne pas risquer sa parole dans des expériences de langage.

Aussi, si Foucault fut toujours méfiant à l'égard de la parole et de son pouvoir, peut-on sans doute dire qu'il y voyait un lieu possible de résistance, un lieu possible de la philosophie.

Philippe Artières

Notes

1. Cette programmation conçue par le Festival d'automne de Paris et le Centre Michel Foucault comprenait une série d'événements artistiques dont une installation de l'artiste suisse Thomas Hirschorn au Palais de Tokyo, un concert de Jean Barraqué, un cycle cinématographique à la Cinémathèque française. Cf. www.festival-automne.com/public/2004/ index.htm

2. Jean Jourdheuil produisit un montage de propos tenus par le philosophe qui sont dits par un comédien, Marc Barbé, dans un dispositif scénique conçu par le plasticien Mark Lamer et un espace sonore autour d'un instrument, le Glassharmonica au théâtre de la Bastille, octobre 2004.

Quatre jeunes comédiennes ont constitué un montage des interventions de Michel Foucault pendant l'année 1971, au moment de la création du GIP, prison de Fresnes, théâtre d'Ivry, JTN, automne 2004-printemps 2005.

Dix comédiens lisent et interprètent *Les Anormaux*, cours donné par Michel Foucault au Collège de France, en 1974-1975, pièce intitulée *Enfance, piège-à-adulte (questions à Michel Foucault)*, conçue par le metteur en scène Jacques David et le philosophe Bertrand Ogilvie, au théâtre de la Tempête, dans le cadre des Rencontres à la Cartoucherie, qui ont eu lieu du 11 au 20 juin 2004.

Le comédien Eric Ruff dit l'entretien inédit entre Michel Foucault et Claude Bonnefoy, 30 septembre, 1er octobre 2004, Maison de la radio, diffusé sur France Culture le mardi 5 octobre 2004.

3. Cf. Didier Eribon, *Michel Foucault (1926-1984)*, Paris, Flammarion, 1991, David Macey, *The Lives of Michel Foucault*, 1993, trad. fr. Gallimard, 1994, Daniel Defert, "Chronologie" in *Dits et Écrits, op. cit.*, 1995.

4. Cf. par exemple, *Sécurité, territoire, population*, cours au Collège de France 19//-1978, Paris, Gallimard-Seuil, coll. « Hautes études », 2004.

5. Claude Mauriac, *Le Temps immobile, t. 3, Et comme l'espérance est violente*, Paris, Grasset, 1976.

6. Jeannette Colombel, « Contrepoints poétiques », *art. cit.*, et son livre *Michel Foucault : la clarté de la mort*, Paris, Odile Jacob, 1994.

7. Typologie dont est absente la *polémique*, Foucault refusant totalement ce type d'échanges, et également tous les propos privés qui ne sont pas ici notre objet.

8. Elie Kagan, *Michel Foucault, une journée particulière. Photographies*, Lyon, Aedelsa, 2004.

9. Michel de Certeau, *Histoire et psychanalyse, entre science et fiction*, Paris, Gallimard, « Folio », 1987.

10. On pourra écouter par exemple *Utopie et hétérotopies*, édition préparée par Daniel Defert, 1 CD, INA, 2004.

11. Philippe Artières, « Des espèces d'échafaudages » *La Revue des revues*, 2001, n° 30.

12. Claude Mauriac, *Mauriac et fils,* Paris, Grasset, 1986.

13. « Luttes autour des prisons », *Esprit* n° 11, *Toujours les prisons*, novembre 1979, pp. 102-111, in *Dits et Écrits*, texte n° 273.

14. Philippe Artières, Laurent Quéro et Michelle Zancarini, *Le Groupe d'Information sur les prisons. Archives d'une lutte, 1970-1972*, Paris, IMEC, 2003.

15. François Boullant, *Michel Foucault et les prisons*, Paris, PUF, 2003.

16. Jean-Claude Vimont, *La Prison politique en France. XVIIIᵉ-XXᵉ siècles*, Paris, Anthropos-Economica, 1993.

17. Hervé Hamon et Patrick Rotman, *Génération*, Paris, Le Seuil, 1988.

18. Casamayor, 1973.

Écrire

Question de pratique théorique : où l'on se demandera en quel sens, au juste, Surveiller et punir *est écrit « pour » les prisonniers.*

Dans le bel article qu'il a fait paraître en France, pour saluer la mémoire de Jacques Derrida, Jürgen Habermas commence par un étrange parallèle :

« Derrida n'aura guère eu d'égal que Foucault pour forger l'esprit de toute une génération, et cette génération il l'aura tenue en haleine jusqu'à aujourd'hui. Mais à la différence de Foucault, et bien qu'il ait été également un penseur politique, l'apport de Derrida à ceux qui l'ont suivi aura été de les aider à canaliser leurs impulsions dans les rails d'un exercice, qui n'implique pas d'abord un contenu doctrinal, ni même la création d'un vocabulaire producteur d'un nouveau regard sur le monde. Certes, il y a tout cela aussi, mais l'exercice proposé par Derrida est d'abord une fin pour lui-même : s'immerger dans la lecture micrologique des textes et y mettre à jour les traces qui ont résisté au temps. Comme la dialectique négative d'Adorno, la déconstruction de Derrida est aussi et avant tout une pratique[1]. »

Je ne discuterai pas de la pertinence de ce jugement pour caractériser le travail de Derrida, ni de la valeur de cette comparaison ; je m'arrêterai seulement sur ce qu'elle semble suggérer, négativement, de la démarche de Foucault : savoir, l'absence chez ce dernier d'un

« exercice » et d'une « pratique » qui, menés d'abord pour eux-mêmes avant d'être subordonnés à une finalité politique, auraient permis aux lecteurs à la fois de mettre à distance le « vocabulaire » et la doctrine du maître, et de donner carrière à leurs « impulsions » propres. Une telle critique revient à renverser l'accusation, formulée par Foucault à l'encontre de Derrida lors de leur violent échange à propos de l'interprétation de la première *Méditation métaphysique* de Descartes : là où Foucault dénonçait chez son contradicteur une « petite pédagogie » ne voulant rien connaître d'autre que les textes, et sourde à la violence sociale qui insiste sous l'ordre cartésien des raisons, Habermas fait valoir la valeur proprement pédagogique du commentaire, valeur à laquelle Foucault serait resté inattentif dans sa manière de lire toujours les textes de biais. Ce que Derrida aurait compris, et qui manquerait à Foucault, c'est la façon dont l'exercice du commentaire peut assurer une double médiation : médiation vers le politique, au sens d'un détour, d'un exercice de patience s'opposant à l'expression immédiate d'une « impulsion » irraisonnée ; médiation vers les autres, dans la production d'une démarche communicable, s'opposant à la production solitaire d'une œuvre sans héritage. L'étrange tient évidemment à ce que cette accusation – assez globale et grave, on le voit – est formulée dans les termes mêmes de Foucault : manqueraient chez lui l'« exercice », la « pratique ». Il faudrait alors dire que Foucault, penseur de l'exercice, aurait négligé d'élaborer cette dimension dans ses propres travaux.

Ce propos de Habermas est à la fois juste et faux. Cette sorte de plaidoyer en faveur d'une « lente lecture » (comme dirait Nietzsche dans *Aurore*) a quelque chose d'assez juste, lorsqu'il appelle à ne pas confondre trop vite l'acuité d'une pensée avec l'urgence ou le lyrisme des objets dont elle se saisit ; mais cette critique porte, pour le coup, à faux, en ce sens qu'existent bel et bien chez Foucault les quatre éléments qu'il se plaint de n'y pas trouver. Soient, dans l'ordre : 1. Une relation précise entre les éléments doctrinaux ou lexicaux (le « vocabulaire »), et la poursuite d'un exercice déterminé, réglé. 2. Une attention minutieuse à la lecture des textes et à la mise en jeu de la pensée dans l'écriture considérée, non comme simple forme extérieure, mais comme dimension autonome du travail philosophique. 3. Un lien serré entre la dimension descriptive propre à l'archéologie, et ses effets politiques attendus (de telle sorte que l'engagement politique de Foucault n'est pas rapporté de l'extérieur sur un propos historique qui ne lui devrait rien). 4. Une méthode, donc, susceptible d'être non pas « appliquée » mécaniquement à n'importe quel problème (aucun philosophe ne formule de méthode de ce genre), mais reconduite par-delà l'œuvre de Foucault, et par d'autres que lui. L'enjeu, on le pressent, n'est pas tant de défendre la rigueur de la démarche foucaldienne que d'insister sur l'articulation intime entre sa dimension conceptuelle, sa manière de mordre sur les ébranlements sociaux en cours, et les prolongements qu'elle autorise – d'établir en quel sens ces trois aspects se nouent, non dans l'unité d'un système, mais dans la continuité de ce qu'on aurait peut-être appelé, en d'autres temps, une pratique théorique.

Prenons le problème au plus difficile. Soit l'introduction, dans *Surveiller et punir*, de la notion de « discipline » ; ce concept semble, en première analyse, tomber sous les quatre aspects de la critique de Habermas.

1. La notion de « discipline » est sans doute le mot le plus populaire du lexique de Foucault, celui qui semble le plus aisément détachable du contexte historico-philosophique de son introduction, pour donner lieu à une série d'usages hétérogènes, usages auxquels Foucault d'ailleurs invite, quitte à se lamenter ensuite des contresens auxquels la notion aura pu donner lieu. Au fil des interprétations, en effet, la discipline finira parfois par passer pour un quasi-synonyme de « l'oppression » ou de « la répression » lorsque son enjeu est, au contraire, d'établir la positivité des mécanismes de pouvoir.

2. Cette confusion, ce flou doctrinal sont peut-être à relier à la manière dont, dans *Surveiller et punir,* Foucault revendique un décrochage vis-à-vis de l'horizon antérieur de ses analyses : non la textualité, certes, mais la discursivité, comme niveau d'appréhension autonome de l'archive. En bref, en contournant l'instance du discours pour prétendre plonger dans la profondeur des corps, Foucault aurait abandonné ce qui lui servait jusque-là de « discipline », justement, *i.e.* de viatique méthodologique, accouchant du coup d'un concept confus promis aux réappropriations les plus contradictoires.

3. C'est aussi, dira-t-on, que dans *Surveiller et punir,* l'analyse des techniques d'enfermement se voit séparée de tout arrière-plan normatif explicite – à la manière dont, par exemple, *L'Histoire de la folie* pouvait mesurer le devenir de l'aliénation à l'aune de cette instance obscure, rôdant aux confins de l'histoire, et que Foucault nommait alors « déraison ». Cette notion, pour obscure qu'elle fût, avait le mérite de ménager dans l'analyse la place d'un étalon, la trace d'une justification possible du ton critique adopté par Foucault à l'endroit de l'asile du XIXᵉ siècle. Dans *Surveiller et punir,* le ton demeure,

mais la place aurait disparu au profit d'une ambition strictement descriptive, cédant abruptement la place, aux dernières pages, à la mention du « grondement de la bataille ». Démembrement apparent, donc, du théorique et du politique, le premier dépeignant, le deuxième contestant, sans jamais que l'un et l'autre trouvent à se croiser ou à se justifier réciproquement.

4. La conséquence de ce double décrochage (vis-à-vis d'une analyse instrumentée du discours ; vis-à-vis d'un arrière-plan normatif explicitement assumé) ne se serait pas fait attendre : l'effet de *Surveiller et punir* aurait consisté, pour ses lecteurs, non à « canaliser leurs impulsions » (pour citer Habermas) mais bien à les entraver une fois pour toutes : c'est ainsi qu'en 1978, les interlocuteurs de Foucault lors d'une table ronde pouvaient lui objecter « on pourrait vous poser une question pratique sur la transmission de vos analyses. Si par exemple, on travaille avec des éducateurs pénitentiaires, on constate que l'arrivée de votre livre a eu sur eux un effet absolument stérilisant, ou plutôt anesthésiant, au sens où, pour eux, votre logique avait une implacabilité dont ils n'arrivent pas à sortir ».

Que répondre à cette lecture ? En l'affaire, il faut faire nôtre le principe habermassien : appliquer à Foucault cette lecture « micrologique », cette attention aux textes comprise comme exercice autonome, et non simplement comme manière de « décaper » la pensée de ses oripeaux stylistiques. À mesure, d'ailleurs, que reparaissent les cours et que les ouvrages publiés du vivant de Foucault se voient environnés d'une masse de textes de plus en plus considérable, on est amené à se demander pourquoi, écrivant autant, Foucault publiait si peu ; à quel principe de rareté obéissent ces quelques livres posés sur une immense nappe de textes ; selon quelles règles de composition minutieuse le très petit nombre d'éléments ainsi retenus est mis en relation. Pour s'en tenir à *Surveiller et punir*, il me semble qu'on doit analyser la notion de discipline non comme une pensée simplement mise en livre, aux fins de publication, mais comme positivement constituée à l'intérieur d'un dispositif textuel complexe, et qui seul peut nous apprendre ce que cette notion veut dire. Indiquons le parcours : on ira, dans les pages qui suivent, de la lecture obvie du texte à sa structure profonde, de sa linéarité superficielle à son parcours en ligne brisée ; on verra ensuite comment les sinuosités du texte renvoient, en réalité, à l'expérience politique que Foucault tâche de restituer – l'expérience des prisonniers, qui forme le foyer secret de l'ouvrage et en polarise les effets politiques. On comprendra alors comment l'histoire de la discipline ne décrit pas, du dehors et froidement, un ordre social, sans s'écrire d'abord depuis la place de ceux qui ont à le subir.

Une trajectoire et ses complications

Survolé d'un peu haut, *Surveiller et punir* semble suivre une trajectoire relativement linéaire, ordonnée à deux questions, l'une historique, l'autre philosophique. Question historique : comment expliquer le passage brusque, au tournant du XIXe siècle, d'une manière de punir à une autre, tout à fait incommensurable ? Question philosophique : que nous apprend ce passage quant à ce qui régit la société contemporaine, et en quel sens peut-on dire que la prison fait corps avec un ensemble de pratiques sociales ? Sur le fond de ce double questionnement, Foucault procède selon un ordre semble-t-il linéaire : dans la section « Supplice », il mène l'examen du type de punition que la prison va remplacer, démontrant son caractère « rationnel » (le supplice n'est pas une pratique chaotique, le lieu d'une violence déréglée), et sa solidarité avec une certaine définition de la souveraineté politique. Dans la section « Punition », il examine la crise qui marque le régime des supplices à la fin du XVIIIᵉ siècle, et la pluralité de solutions envisagées pour lui succéder – pluralité que la prison va réduire brutalement, en s'imposant comme la forme exclusive et monotone de punition. La section « Discipline » décrit ensuite la formation, durant l'âge classique, d'un ensemble de méthodes et de techniques visant à ordonner les corps, à organiser leur activité et leur observation ; méthode d'abord localisée, puis trouvant à se coordonner dans un schéma unique (le panoptique). Dans la section « Prison », enfin, Foucault peut nouer la gerbe, c'est-à-dire montrer comment la prison met en œuvre ce schéma synthétique, et pourquoi le droit, de son côté, adopte cette forme de pénalité, laquelle permet de constituer et de gérer la population délinquante. Dans cette trajectoire, la notion de « discipline » vient opérer une synthèse entre les dimensions historique et philosophique du questionnement initial : le repérage, d'un côté, d'un phénomène historique dûment documenté (au travers d'une série de règlements, de méthodes de formations, d'architectures, etc.) ; la mise en place, de l'autre côté, d'une grille d'analyse de la réalité sociale contemporaine réinsérant la prison dans le tissu continu des relations de pouvoir qui prévalent, à l'extérieur comme à l'intérieur de son enceinte.

Cette belle linéarité pose toutefois un problème : sitôt qu'on s'en approche, elle semble se compliquer et se disperser de telle sorte que le livre, vu d'un peu près, ne semble plus du tout suivre une trajectoire simple mais partir littéralement dans tous les sens – tant d'un point de vue philosophique qu'historique, d'ailleurs.

Du point de vue philosophique, la question initiale portant sur le rapport entre la prison et la modernité prise dans son ensemble se surcharge d'une série d'enjeux ou de « fronts » très différents. Questions de philosophie du droit, puisque les disciplines viennent remettre en cause les conditions de formation du sujet juridique, la portée du partage entre le permis et le défendu, la contradiction entre les diverses fonctions sociales du droit (sanctionner ? prévenir ? corriger ?). Mais aussi, questions de philosophie politique, dont Foucault remet en question les catégories (à commencer par l'identification du politique avec l'État), et l'horizon normatif (en remettant en cause le statut de la liberté individuelle dans les États modernes). Mais encore, questions d'épistémologie, puisque Foucault donne aux disciplines un caractère matriciel à l'égard des sciences humaines, dont les procédures (à commencer par « l'examen ») font corps avec des dispositifs d'observation constituant, en eux-mêmes, des relations de pouvoir. Mais enfin, questions de métaphysique puisque Foucault prétend poser de manière assez fondamentale le problème de la définition de l'individualité, convoquant curieusement le lexique classique des rapports entre l'âme et le corps.

Du point de vue historique, la linéarité suivie par le texte est évidemment brisée, puisqu'au milieu du livre à peu près, Foucault opère un saisissant retour en arrière pour nous projeter d'un coup sur une autre ligne : il revient du XVIIIe au XVIIe siècle, et reparcourt du même coup la période historique qu'il vient d'analyser ; il déplace brusquement l'enquête en-dehors du domaine pénal proprement dit et change en quelque sorte de corpus, au point que le début de la section « Discipline » paraît rejouer l'introduction du livre, par l'exhibition muette de deux archives successives (deux figures du soldat, début du XVIIe et fin du XVIIIe siècles) entre lesquelles il va s'agir de reconstituer une forme d'enchaînement. Foucault complique du même coup l'unité supposée de chaque période, en montrant que l'âge classique, en un sens ordonné à la figure politique de la souveraineté, est simultanément traversé par la mise en place d'un tout autre type de relations de pouvoir.

Double dispersion, donc. Cet essaimage du questionnement philosophique et historique retentit sur la notion de discipline. La fonction de celle-ci (faire la synthèse entre description historique et critique sociale) l'oblige à se dédoubler, pour désigner tour à tour deux genres de réalité assez radicalement différents : tantôt Foucault appelle « disciplines » un ensemble de mécanismes concrets, s'exerçant au ras des corps et caractérisés par leur dimension étroitement matérielle, de sorte que les individus se voient peu à peu assujettis par les espaces dans lesquels ils se déplacent, par les éléments techniques qu'ils manipulent ou avec lesquels ils entrent en relation (le fusil par exemple), selon une sorte de machinisme généralisé. Tantôt, au contraire, il appelle « disciplines » un certain type de schéma, une manière de concevoir ou de se représenter l'exercice du pouvoir ; ou encore (pour reprendre les termes du livre), une « syntaxe », un « programme », vis-à-vis duquel la réalité des relations de pouvoir est toujours en décalage, à la fois en excès et en défaut. Comme l'expliquera plus tard Foucault : « Ces programmes ne passent jamais intégralement dans les institutions ; on les simplifie, on en choisit certains et pas d'autres ; et ça ne se passe jamais comme c'était prévu. Mais ce que je voudrais montrer, c'est que cette différence, ce n'est pas celle qui oppose l'idéal pur et l'impureté désordonnée du réel ; mais qu'en fait des stratégies différentes venaient s'opposer, se composer, se superposer et produire des effets permanents et solides[2]… »

Cet extrait le montre bien : Foucault appelle discipline tantôt un ensemble de pratiques produisant un assujettissement effectif des corps ; et tantôt un certain mode de rationalité, jamais totalement actualisé dans les institutions, parce que sous-tendu par des pratiques qui le défont, le remodèlent, etc. Autrement dit, la « discipline » est non seulement une notion à deux faces (l'une tournée vers le concret, l'autre vers les modes de rationalité), mais une notion dont chacune des faces semble contester l'autre : d'un côté, il s'agit de jouer la matérialité des pratiques contre l'ordre des lois et des représentations ; de l'autre, il s'agit de dégager un type spécifique de régularités, un certain genre de « programmation » conceptuelle, des pratiques dans lesquelles il est à la fois investi, mais par lesquelles il est déformé et transformé.

Une remarque, ici. C'est peut-être le moment de prendre au sérieux la référence récurrente de Foucault à la question classique des rapports de l'âme et du corps : son ambition de « produire une généalogie de la morale moderne à partir d'une histoire politique des corps[3] », d'écrire une « histoire de l'âme moderne » montrant comment « l'âme est la prison du corps[4] ». Cette reprise de la dualité âme/corps touche au cœur du projet d'une analyse des disciplines. Traiter de l'âme et du corps en philosophie, c'est toujours se demander comment peuvent coexister (suivant les termes de Descartes), la distinction substantielle et l'union réelle ; comment peuvent s'articuler une exigence de séparation, l'âme et le corps donnant lieu à deux modes de description radicalement incomparables, et la reconstitution de l'unité ainsi divisée. Traitant des disciplines comme matrice de l'individualité moderne, Foucault se trouve de la même manière face à l'exigence de faire coexister, et d'articuler l'un sur l'autre, le point de vue de ce qui se passe sur le strict plan des corps (et que le discours sur les principes, les représentations, etc., tend toujours à masquer), et le point de vue de ce qui se pense de ces corps (cette pensée étant toujours en excès sur ses manifestations ou réalisations concrètes) ; ce, sans perdre de vue qu'il s'agit, ici et là, de deux aspects d'un même devenir historique, et non de deux ordres de réalité sans aucun rapport l'un avec l'autre.

Or, la résolution de ce problème (comment embrasser ces deux ordres de considérations sous un horizon unique) est inséparable de la manière dont celui-ci est élaboré et mis en œuvre à même le texte de *Surveiller et punir* : il nous faut donc reprendre le livre du départ, pour comprendre comment cette dualité se trouve introduite, développée et finalement réarticulée dans un point de vue unique.

103

La prison et ses doubles

Posons la question précisément : qu'est-ce qui conduit, au juste, l'histoire de la prison moderne à rencontrer ce problème si poussiéreux du dualisme, entrer dans ce labyrinthe où l'on se trouve à traiter de deux réalités qui n'en font qu'une, distinguer l'âme de ce corps que, par ailleurs et simultanément, elle est ? Pour ce faire, on doit se pencher sur la structure de l'introduction du livre : on s'aperçoit alors qu'elle est, dans sa conformation textuelle, le lieu d'une série de dédoublements tout à fait frappante.

Premier dédoublement : Foucault juxtapose (selon une stratégie stylistique déjà mise en œuvre dans *Naissance de la clinique*) deux archives historiquement très proches, mais mettant en œuvre des conceptualités radicalement incomparables. D'un côté, le supplice de Damiens, de l'autre un règlement « rédigé par Léon Faucher pour la Maison des jeunes détenus à Paris[5] ». Il s'agit par là de mettre en place les bornes extrêmes de l'histoire qu'il s'agit d'écrire, en situant cette histoire sur fond d'hétérogénéité et de contingence : comme chez Raymond Roussel (auquel Foucault emprunte le procédé), le récit, si clair soit-il, conserve quelque chose du hasard des phrases qui lui ont donné naissance, la reconstruction rationnelle de la naissance de la prison se produira sur fond d'obscurité, de par l'impossibilité de situer dans le même espace mental la logique du supplice et celle de la correction.

Deuxième dédoublement, en quelque sorte enchâssé dans le premier, et moins souvent remarqué. La symétrie installée par Foucault au seuil de son livre est une *fausse* symétrie. Deux archives restituent le supplice de Damiens : d'abord les pièces du procès, qui établissent le « programme » du supplice ; ensuite, divers articles de presse (en particulier, extraits de la *Gazette d'Amsterdam*) racontant comment le supplice s'est effectivement déroulé – c'est-à-dire, pas du tout comme prévu, puisque le corps de Damiens, à chaque étape, a résisté aux traitements qui lui étaient infligés, rechignant à se laisser écarteler jusqu'à faire tomber les chevaux chargés de la tâche, obligeant les bourreaux à le dépecer à la hache. Nous sont donc présentés, d'une part, la logique « abstraite » du supplice, son déroulement attendu, la succession des symboles qui le scandent ; d'autre part, la manière dont cette logique va rencontrer effectivement l'ordre des corps, lequel va en infléchir chaque moment, de telle sorte que la « verticalité » du supplice, comme rapport symbolique entre le souverain et le condamné glisse dans une sorte de rapport de forces horizontal, dans la question prosaïque de savoir comment trancher, dissocier, démembrer ce corps comme réalité matérielle : on croirait ici voir réalisé le projet d'Alfred Hitchcock, qui disait vouloir montrer combien il est difficile de tuer un homme. Face à ce double tableau, le règlement de maison de correction est, lui, singulier : ne s'y trouve présentée que l'abstraction pure d'un programme (« au premier roulement de tambour, les détenus doivent s'habiller[6]... »), dont le pendant matériel est absent : on ne voit rien du trébuchement de ces corps tirés du sommeil à heure fixe. Très curieusement, donc, là même où *Surveiller et punir* s'apprête à nous raconter une « histoire politique des corps », il situe cette histoire sous le signe d'une dissymétrie qui, s'agissant de la modernité, escamote l'objet même du délit : le corps, dans ses résistances possibles à l'ordre normatif qui prétend en régir chaque mouvement. Pour filer la métaphore hitchcockienne, cette fois, le cadavre a disparu.

Cette absence n'est toutefois pas radicale ; mais pour « trouver le corps », pour trouver ce qui fait pendant au corps de Damiens, s'agissant de la modernité, il faut aller chercher au bout de l'introduction et bien des pages plus tard, la mention des révoltes de prisonniers contemporaines de l'action du Groupe Information Prison : mutineries alors présentées comme « une révolte, au niveau des corps, contre le corps même de la prison[7] ». Silencieusement, ces révoltes sont au règlement pour la Maison des jeunes détenus ce que le récit de la *Gazette d'Amsterdam* est au prononcé de la condamnation à mort : à la fois un prolongement et un écart, une « réplique » (aux deux sens du terme : écho et réponse) au nouvel ordre imposé aux corps. Du même coup, c'est toute l'introduction de *Surveiller et punir* qui est ainsi insérée entre la disparition du corps, et sa réapparition transgressive et contestataire ; entre le moment où le corps s'évanouit littéralement, dans sa matérialité, sous la minutie des règlements, et le moment où il insiste à se faire de nouveau entendre.

Or, cette organisation du texte n'est pas seulement rhétorique, mais est liée à l'histoire même qu'il s'agit de raconter. En effet, lorsqu'on se penche sur ce que Foucault dit des révoltes de prisonniers, on s'aperçoit que celles-ci sont marquées au coin de la dualité, que ce sont des révoltes doubles : « Leurs objectifs, leurs mots d'ordre, leur déroulement avaient à coup sûr quelque chose de paradoxal. C'étaient des révoltes contre toute une misère physique qui date de plus d'un siècle : contre le froid, contre l'étouffement et l'entassement, contre des murs vétustes, contre la faim, contre les coups. Mais c'étaient des révoltes contre les prisons modèles, contre les tranquillisants, contre l'isolement, contre le service médical ou éducatif. Révoltes dont l'objectif n'était que matériel ? Révoltes contradictoires, contre la déchéance mais contre le confort, contre les gardiens, mais contre les psychiatres ? En fait, c'étaient bien des corps et de choses matérielles qu'il était question dans tous ces mouvements[8]...»

Troisième dédoublement, mais qui touche cette fois au cœur de la question, comme la dualité qui commande toutes les autres. Foucault le dit, d'ailleurs : « que les punitions en général et que la prison relèvent d'une technologie politique du corps, c'est peut-être moins l'histoire qui me l'a enseigné que le présent[9].» Les révoltes de prisonniers sont le centre de perspective à partir duquel, ou autour duquel, tout le dispositif historiographique et conceptuel de *Surveiller et punir* se trouve élaboré. Or, ce centre est un centre double, un foyer de divergence. En effet, les révoltes de prisonniers, telles que Foucault nous les présente, sont des révoltes entièrement paradoxales : contre un corps nié de la manière la plus archaïque, et contre un corps investi de la façon la plus moderne ; contre une institution qui, d'un même geste, prétend ne s'adresser qu'au corps, mais ne viser à travers celui-ci que l'âme des condamnés – d'un côté la faim, la surpopulation, les coups ; de l'autre le service médical et éducatif. D'un côté l'entassement, de l'autre l'évanescence. Face à une telle protestation, deux attitudes sont alors possibles : soit on cherche à en atténuer le paradoxe – en regrettant que des pratiques archaïques perdurent sous l'excellence des principes, en prétendant lire dans la coexistence de ces réalités incompossibles l'indice d'un progrès hélas trop lent, etc. ; mais alors, on fait l'histoire du point de vue des réformateurs ou des visiteurs bienveillants, plutôt que des prisonniers. Soit, refusant cette facilité, on saisit cette expérience telle qu'elle se donne, dans sa contradiction immédiate, mais alors, on devra faire droit au paradoxe dans la structure même des analyses que l'on propose : adopter d'un côté, sur la technologie politique du corps, une perspective strictement matérielle, déceler sous les programmes et les principes la réalité de corps que l'on maltraite ; montrer, de l'autre côté, comment ces mêmes programmes visent, en eux-mêmes, un investissement plus « moderne » et « humain » du corps, faisant de celui-ci le moyen d'accès à l'individualité des détenus, à leur « âme ».

En bref : si Foucault adopte, dans l'introduction de *Surveiller et punir*, un dispositif d'écriture et une mise en scène de l'archive si élaborés, ce n'est pas par coquetterie ou par goût de la complication : il s'agit de situer toute l'enquête à venir dans l'horizon d'une expérience qui, parce qu'elle est fondamentalement brisée, va donner lieu à une histoire se dédoublant en perspectives incompossibles : une histoire qui va devoir raconter l'investissement du corps *et* sa négation, la modernité *et* l'archaïsme de sa prise en charge, le froid, les coups *et* la prison-modèle. Une histoire où la diffraction des concepts fait écho à la disjonction des luttes.

Jetons un coup d'œil sur la manière dont ce dispositif d'ouverture engage la composition plus générale de l'ouvrage. De ce point de vue, les sections « Supplice » et « Punition » ont beau sembler s'enchaîner chronologiquement, elles n'en développent pas moins des perspectives fort différentes.

- Dans la section « Supplice », il va s'agir essentiellement de dénoncer l'illusion suivant laquelle la justice moderne semble avoir laissé le corps en paix. Certes, la répression pénale est passée de la publicité des exécutions au secret des prisons, et le juge recherche les motivations du criminel derrière le crime, en s'adjoignant les services de la science. Mais cette « spiritualisation » de la justice dénie et occulte les moyens, strictement physiques, par lesquels elle prétend accéder à l'âme du criminel. C'est pourquoi on doit, contre cette tendance, faire valoir les catégories du corps contre celles de la philosophie politique : préférer le « comment » au « pourquoi », les techniques aux principes, l'examen des forces à la dénonciation imprécise de la violence, rechercher la multiplicité des relations locales sous l'unité du contrat. En bref, ce que Foucault appelle la « microphysique » du pouvoir a avant tout une dimension polémique ou démystificatrice : il s'agit de penser, sous l'ordre « idéal » du droit, la réalité corporelle dont il ne veut pas entendre parler, et dans des termes physiques qu'il ne veut pas employer.

- Très curieusement, la section « punition » semble répéter exactement le même parcours, se pencher sur le même objet : de nouveau il s'agit de décrire le passage qui mène du supplice à la pénalité moderne, et les repères chronologiques sont grosso modo les mêmes. Mais alors, le diagnostic est tout différent ; Foucault ne prétend plus faire lever une matérialité dont la modernité ne voudrait plus entendre parler ; au contraire, il se fait archiviste de tous les discours qui, depuis deux siècles, ont très ouvertement centré l'exercice de la pénalité sur l'enfermement des corps et sur la prise calculée qu'on peut exercer sur eux. Ainsi retrace-t-il la manière dont, à la fin du XVIIIᵉ siècle, le rêve d'une « sémiotechnique » de la punition, qui fonctionnerait « au signe et à la représentation[10] » s'est finalement trouvé écarté : trop idéal, trop abstrait ; pas assez physique, matériel, corporel.

D'une section l'autre, donc, le point de vue change. Là où il s'agissait de faire valoir le corps contre sa disparition sous les principes et le discours que le droit tient sur lui-même, il s'agit maintenant de rendre raison de son apparition comme élément central de la pénalité. Là où il s'agissait de faire valoir les catégories d'une « microphysique » contre celles de la philosophie politique, il s'agit maintenant de restituer la forme de pensée, le cheminement conceptuel qui a conduit à ce recentrage sur le corps : non plus, donc, le corps contre les idéaux du droit, mais les idées qui ont conduit à promouvoir le corps. Là où la « microphysique » valait démystification du discours que le droit, ou la criminologie, tiennent sur eux-mêmes, la « technologie politique » va se présenter, elle, comme la simple recollection de la manière dont les pratiques punitives se sont pensées : non plus, donc, l'effectivité des pratiques sous le tissu du discours, mais l'effectivité d'un discours, déposé dans une archive.

On voit ainsi comment la perspective et le cadre interprétatif de *Surveiller et punir* sont entièrement doubles. Synthétique, « l'histoire politique des corps » se divise sans recours entre une « microphysique » démystificatrice et une « technologie » compréhensive. Dualité qui n'est, dans le discours de Foucault, ni invention ni confusion, mais prise en compte d'une expérience dans laquelle le corps est en permanence convoqué et récusé. Du même coup, on peut répondre à la question (si fréquemment posée en forme d'objection) de savoir « où sont les prisonniers » dans *Surveiller et punir*, et ce que Foucault fait de leur souffrance dans un livre apparemment voué aux architectures désincarnées, aux mécanismes implacables et aux couloirs déserts : si les prisonniers sont soustraits dans le livre à la description et au regard, c'est qu'ils en organisent la distribution fracturée ; s'ils ne sont visibles nulle part, c'est que Foucault déplace leur présence vers le foyer de la perception archéologique elle-même. Comme dans un contre-panoptique où leur œil, à son tour, serait collé à l'œilleton. Leur absence du tableau doit être mesurée à ce qu'ils nous font voir.

Disciplines, discipline, disciplinaire

On comprend maintenant que la notion de discipline résiste à une définition univoque, à la fois processus et programme, machine et idéal, etc. Cette notion est doublement réglée : par « discipline », Foucault va entendre l'ensemble des pratiques concrètes, s'exerçant au ras des corps et susceptibles d'être ressaisies dans leur multiplicité, dans l'horizon d'une microphysique ; mais par là, il va tout autant désigner l'horizon proprement conceptuel dans lequel ces pratiques vont trouver à se coordonner, dans la perspective d'une technologie. Aussi peut-on distinguer dans *Surveiller et punir* trois niveaux principaux d'usage de ce concept : les disciplines comme méthodes, la discipline comme diagramme, et le disciplinaire comme seuil d'existence d'une société.

Sous le pluriel des *disciplines*, Foucault va d'abord désigner un ensemble de méthodes, caractérisées par leur objet (le corps décomposé, recomposé, réparti), leurs moyens (la surveillance hiérarchique, la sanction norma-lisatrice), leur objectif (faire croître corrélativement la sujétion et la docilité). À ce niveau, c'est la perspective « microphysique » qui domine largement : l'histoire des disciplines se présente comme la lente émergence, à par-tir de pratiques spécifiées, particulières, d'un type de rationalisation peu à peu intégré. L'aspect matérialiste du propos est central : il s'agit de montrer, non seulement que les individus sont fabriqués comme sujets (au double sens d'agents et d'assujettis) à partir de leurs corps, mais aussi que ce processus est de part en part matériel, qu'il ne procède pas d'une stratégie d'emblée calculée au niveau de la société tout entière, mais de l'agrégation d'une série de méchancetés de détail, d'une « attentive malveillance qui fait son grain de tout[11] ».

Cette perspective va se trouver, toutefois, renversée dans le fameux chapitre sur le panoptique : là, *la disci-pline* (cette fois au singulier) apparaît, non comme la résultante d'une série d'innovations tactiques apparues d'abord au ras des relations entre les corps, mais comme un programme entièrement abstrait, reconductible indif-féremment d'une institution à l'autre, permettant leur coordination dans un tissu social intégré. À ce niveau, la « technologie », en l'emportant sur la « microphysique », permet du même coup de rendre raison d'une série de transformations que la seule référence aux tactiques locales ne permettait pas d'expliquer : l'inversion fonc-tionnelle des disciplines, *i.e.* la manière dont elles se pro-posent, non plus seulement de limiter les désordres, mais de faire croître l'activité ; leur essaimage hors des seules institutions closes ; leur étatisation, au travers de la police qui assure continûment leur diffusion dans le corps social.

Ces transformations ouvrent sur le troisième usage du terme de discipline, à travers l'expression de « société disciplinaire[12] ». Or, si « les disciplines » faisaient prévaloir le point de vue microphysique, allant si l'on veut du corps à l'âme ; si « la discipline » privilégiait le point de vue technologique, dégageant (à travers le diagramme panoptique) « l'âme » de ces pratiques corporelles et leur noyau commun de rationalité ; le « disciplinaire », lui, recueille la tension entre ces deux points de vue. D'un côté, ce que Foucault appelle la société disciplinaire, c'est cette société entièrement investie par les disciplines, lesquelles produisent et reproduisent le corps social comme totalité organisée d'individus. De l'autre côté, la « société disciplinaire », c'est un programme de société, programme visant à être appliqué à des multitudes d'abord indisciplinées et rétives à se laisser ainsi ordonner.

C'est pourquoi Foucault peut parler de la discipline tantôt comme d'un seuil d'existence des sociétés : « Les disciplines sont l'ensemble des minuscules inventions techniques qui ont permis de faire croître la grandeur utile des multiplicités en faisant décroître les inconvénients du pouvoir qui, pour les rendre justement utiles, doit les régir. Une multiplicité, que ce soit un atelier ou une nation, une armée ou une école, atteint le seuil de la discipline lorsque le rapport de l'un à l'autre devient favorable[13]. » Et tantôt, au contraire, il traite de la discipline comme d'un principe : « Ce qui a remplacé le supplice, ce n'est pas un enfermement massif, c'est un dispositif disciplinaire soigneusement articulé. En principe du moins[14]. »

Autrement dit, la société disciplinaire c'est à la fois la société qui sort des disciplines (comme « minuscules inventions » microphysiques), et la société sur laquelle la discipline opère (comme diagramme technologique). Nous touchons ici, évidemment, au point où la double perspective adoptée par Foucault semble toucher à sa limite, et où elle risque de se rompre. Comment expliquer, en effet, que les disciplines, comme dispositifs matériels dispersés tout au long du corps social, trouvent à s'intégrer dans un diagramme unique abstrait de toute situation particulière ? Comment justifier, à rebours, que le « principe disciplinaire » trouve une prise aussi « capillaire » dans le corps social ? En bref : faut-il privilégier une explication de type matérialiste (où la praxis donne naissance à des représentations qui lui demeurent subordonnées) où de type idéaliste (où le fonctionnement social s'enracine dans un mode de rationalité déterminée) ? D'un mot : l'âme, ou le corps ?

Il est très remarquable que Foucault refuse absolument de poser cette question – à vrai dire, il paraît s'en désintéresser complètement. À aucun moment, il ne donne de réponse univoque au problème de savoir si la disciplinarisation de la société résulte d'une convergence aléatoire, mécanique, de dispositifs locaux, ou si ces dispositifs sont, d'eux-mêmes, ordonnés par avance à un tel horizon de convergence. Foucault se contente de faire coexister les deux perspectives, dans leur incompatibilité même, sans déterminer de quel côté situer leur fondement commun ; bien davantage, il répute cette question totalement illégitime dans les textes qui suivent *Surveiller et punir*, en donnant pour horizon commun aux deux types d'analyse « la réalité » : « Ces programmations de conduite (…) ne sont pas des projets de réalité qui échouent. Ce sont des fragments de réalité qui induisent ces effets de réel si spécifiques qui sont ceux du partage du vrai et du faux dans la manière dont les hommes se

« dirigent », se « gouvernent », se « conduisent » eux-mêmes et les autres[15]. »

Comment comprendre une telle désinvolture ? On pourrait ici convoquer de nouveau une analogie avec le débat sur les rapports de l'âme et du corps. Chez Descartes, on s'en souvient, « l'union réelle » qui forme comme une troisième substance est en elle-même inexplicable : on ne saurait en rendre compte ni dans le lexique de la métaphysique (qui convient à l'âme) ni dans celui de la physique mécaniste (qui convient au corps). Mais cette conclusion négative, qui scandalisera les postcartésiens, est aussi dégagement d'un horizon spécifique dans lequel cette union est expérimentée, déployée dans ses conséquences, et élaborée à travers une série de maximes réfléchies : cet horizon est celui que Descartes appelle « la conduite de la vie » et qui donne lieu à sa morale, déployée dans la correspondance avec Élisabeth, puis dans les *Passions de l'âme*. Osons le parallèle : chez Foucault, la dualité qui traverse entièrement le concept de discipline ne saurait être réduite par l'assignation d'aucun fondement commun. Mais c'est que sa véritable signification n'est pas à rechercher en amont (du côté des fondements) : de ce côté-là, elle se justifie amplement d'être présente, comme on l'a vu, au cœur de l'expérience des prisonniers, de tarauder leur existence quotidienne. Non, la véritable unité du concept de discipline est à rechercher du côté de « la conduite de la vie » – soit, chez Foucault, du côté de ses effets politiques.

Soulignons, en particulier, l'un des principaux effets de cette notion double : correctement comprise, elle rend impossibles ces deux manières habituelles d'apprivoiser la critique des prisons, manières qui consistent, pour l'une, à déplacer le problème du côté du droit, et pour l'autre à arguer d'un simple manque de moyens. Impossible, en effet, de situer le débat sur le plan des principes, d'arguer seulement du nécessaire respect des droits, d'adopter en bref la posture indignée du législateur : contre cette réduction, la « microphysique » exerce son action corrosive et démystificatrice, rappelle que la prison n'est pas le prolongement plus ou moins transparent d'une logique juridique, mais un dispositif qui exerce des effets précis et réguliers sur les corps. Mais impossible, tout autant, de s'en sortir en prenant l'air embarrassé d'un administrateur, c'est-à-dire de réduire le débat sur les prisons à un problème d'intendance où le manque de moyens, la surpopulation, les nécessités matérielles du service expliqueraient à elles seules ce que la situation peut avoir d'intolérable : impossible, parce que la « technologie politique » montre que toutes ces contingences, tous ces ajustements et tous ces bricolages sont pris et réinvestis dans des structures, des enchaînements, des diagrammes qui leur donnent leur portée politique. En bref : le concept de discipline permet d'interrompre ce jeu de bascule qui, renvoyant perpétuellement de l'invocation des grands principes aux inévitables raccommodages du quotidien carcéral, évite la position globale du problème.

Une remarque pour finir. Habermas a raison lorsqu'il rappelle que l'utilité d'un auteur, pour ceux qui le suivent, suppose de pouvoir reconnaître dans ses textes non seulement un vocabulaire ou des thèses (sans quoi, la lecture versera dans le slogan, ou la doctrine) mais un exercice, étayé sur une attention aux textes et permettant un rapport médiat à l'horizon politique. Mais Habermas a tort, lorsqu'il pense qu'une telle recherche est, dans le cas de Foucault, vouée à l'échec. Pour trois raisons, sans doute. Premièrement, il y a bien exercice. On pourrait montrer, de ce point de vue, que l'exercice de *Surveiller et punir* est, sur bien des aspects, analogue à celui que Foucault mettait en œuvre dans *l'Histoire de la folie*, en écrivant une histoire de l'asile « du point de vue » de Nietzsche, Artaud ou Roussel. Dans les deux cas, l'exercice consiste à prendre appui sur une expérience, non unitaire ou synthétique, mais au contraire hétérogène et disjonctive, et à en faire non l'objet de l'enquête, mais le centre de perspective depuis lequel les catégories de cette enquête même vont être élaborées et distribuées (dans *l'Histoire de la folie*, à travers le couple folie/déraison ; dans *Surveiller et punir*, à travers le couple microphysique/technologie). Deuxièmement, cet exercice procède d'une attention minutieuse au texte, c'est-à-dire à ce qui se joue entre la lecture et l'écriture : malgré la considérable différence de leurs pratiques, Foucault et Derrida sont également soucieux de produire une lecture qui soit également écriture, et inversement. La composition de *Surveiller et punir* n'est pas extérieure à son propos ; la manière dont le livre se déploie entre deux archives (ou plutôt, entre deux fois deux archives) définit un protocole au sein duquel les thèses trouvent sens. Troisièmement, cet exercice articule directement la description sur l'horizon politique – non pas, évidemment, sous la forme d'un programme à appliquer, mais sous la forme paradoxale d'une sorte de mise en suspens, par le dispositif théorique lui-même, d'un certain nombre d'arguments et de positions politiques, de telle sorte qu'un espace se trouve ouvert pour les pratiques et les contestations, qui ne soit encadré par aucune perspective politique préalable. Ainsi l'exercice théorique chez Foucault organise-t-il minutieusement le débordement des pratiques sur toute réduction théorique possible : exercice de la *skepsis*, héritier d'une certaine manière des exercices les plus canoniques du scepticisme antique (telles ces hypotyposes pyrrhoniennes où la raison se retourne contre elle-même pour laisser filer, comme entre les jambes de lutteurs affrontés, l'ordre infondé et effectif de la pratique). À une différence près : l'exercice ouvre chez Foucault, non sur l'horizon d'une vie sans trouble, mais sur le grondement d'une bataille.

Mathieu Potte-Bonneville

Notes

1. Jürgen Habermas, « Présence de Derrida », *Libération,* 13 octobre 2004.
2. « Table ronde du 20 mai 1978 », *Dits et Écrits,* t. IV, *op. cit.,* p. 28.
3. *Surveiller et punir,* Paris, Gallimard, coll. « Bibliothèque des histoires », 1975, 4ᵉ de couverture.
4. *ibid.,* p. 34.
5. *ibid.,* p. 12.
6. *ibid.,* p. 12.
7. *ibid.,* p. 35.
8. *ibid.*
9. *ibid.*
10. *ibid.,* p. 103.
11. *ibid.,* p. 141.
12. *ibid.,* p. 219.
13. *ibid.,* p. 222.
14. *ibid.,* p. 269.
15. « Table ronde du 20 mai 1978 », *Dits et Écrits,* t. IV, *op. cit.,* p. 29.

Éditer

Histoire des anonymes : où l'on interrogera le marmonnement du monde.

En 1973, Michel Foucault publiait dans la collection « Archives », dirigée par Pierre Nora et Jacques Revel chez Gallimard, les mémoires d'un parricide du nom de Pierre Rivière qui avait fait l'objet, l'année universitaire précédente, de son séminaire restreint au Collège de France. Quatre ans plus tard, il préfaçait le texte d'un libertin anglais intitulé *My Secret Life* qu'il avait évoqué dans le premier tome de son histoire de la sexualité, *La Volonté de savoir*, paru l'année précédente, et auquel il consacra dans *Le Monde des livres* un long article, « L'Occident et la vérité du sexe ». En 1978, inaugurant une nouvelle collection chez Gallimard qu'il avait appelée « Les vies parallèles », Foucault publiait les mémoires d'une hermaphrodite, Herculine Barbin dite Alexina B. Enfin, en 1980 paraissait en France dans la revue *Arcadie* la préface qu'il avait rédigée pour l'édition anglaise de ce même texte. Ces récits ont en commun d'avoir été écrits au XIXᵉ siècle à la première personne du singulier par des auteurs anonymes dont la particularité est d'avoir eu une attitude ou un comportement déviants (le crime, l'hermaphrodisme et le libertinage).

Revenir sur ces textes et sur les lectures plurielles que Michel Foucault en proposa c'est, d'une part, relever que ces trois récits ont fait l'objet d'un traitement particulier de sa part : pour chacun d'eux, il a fait œuvre d'éditeur ; et d'autre part, c'est remarquer que Foucault a manifesté à leur égard une fascination, une stupéfaction due en particulier à leur beauté, et qu'il a cherché à travers eux à interroger le statut de la littérature personnelle dans nos sociétés.

Si ces textes forment à nos yeux un corpus cohérent au regard de l'œuvre de Foucault, c'est que l'intérêt que le philosophe leur porta tient aussi au fait que derrière la cohérence de genre, d'esthétique, ils témoignaient à ses yeux, par leurs histoires et leurs statuts différents, s'agissant notamment de leur mode de production et de l'histoire de leur lecture, de ce qu'il nomma dans *Surveiller et punir* le « pouvoir d'écriture ». Ces trois textes participent à des degrés différents de la mise en écriture de l'individu anormal ; ils sont les signes d'une valorisation de cette parole au cours du XIXe siècle.

Si la relecture conjointe de ces trois travaux de Michel Foucault me paraît nécessaire, c'est que, bien que chacun de ces textes fasse l'objet d'une analyse spécifique, ils permettent de mettre en évidence une lecture foucaldienne de la littérature ordinaire dont de nombreux travaux, tant historiques que littéraires, menés depuis une quinzaine d'années sont issus. En outre, alors qu'une édition intégrale de *My Secret Life* est maintenant disponible[1], et qu'existe une édition de poche de *Moi, Pierre Rivière...* et d'*Herculine Barbin*, cette relecture permet de souligner un aspect de l'œuvre de Michel Foucault trop souvent oublié : celui d'éditeur, de découvreur de textes pourrait-on dire. Plus encore, il s'agit de réfléchir au formidable succès que ces textes connaissent aujourd'hui grâce et à partir des analyses qu'il en fit.

En deçà de la littérature

Si Foucault s'est intéressé à ces textes, c'est parce qu'ils entretenaient selon lui des liens problématiques avec la littérature. À travers eux, il voulait interroger la notion de littérature, non de l'intérieur mais de l'extérieur : quel est le seuil à partir duquel un discours – que ce soit celui d'un malade ou d'un criminel... – commence à fonctionner dans le champ qualifié de « littéraire » ? Il souhaitait saisir le mouvement, le petit processus, par lesquels un type de discours non littéraire, négligé, oublié aussitôt que prononcé, entre dans le champ de la littérature[2]. L'intérêt de Foucault pour ces textes de déviants du XIXe siècle tient donc au fait qu'ils n'appartenaient pas à la littérature de leur époque, qu'ils étaient en quelque sorte en sa marge.

Foucault présente ainsi les mémoires de Pierre Rivière comme étant très proches de l'oral ; Rivière aurait imaginé son texte, l'aurait mémorisé puis, à la demande du magistrat, l'aurait inscrit noir sur blanc. Il est d'ailleurs intéressant que Foucault, dans le texte qu'il lui consacre, *Des crimes qu'on raconte*, évoque la culture populaire et les feuilles volantes comme point de comparaison pour lire le mémoire de Rivière. Selon Foucault, les mémoires de Rivière, emprunt de cette culture du fait divers, relèverait d'une écriture double : l'une d'un récit objectif des événements fait par une voix anonyme, l'autre de « la complainte » du criminel. Le rapprochement que fait Foucault entre le texte de Rivière et la complainte chantée du criminel me semble révéler le statut marginal d'un texte qui se situe à la limite de la littérature. La mémoire, la parole et le geste d'écrire se confondent dans le discours de Rivière.

S'agissant des souvenirs d'Herculine Barbin, le philosophe montre bien qu'ils sont issus d'une pratique d'écriture relativement commune dans les pensionnats de jeunes filles du XIXᵉ siècle[3]. Pour Foucault en effet, l'écriture d'Herculine se caractérise par « un style élégant, apprêté, allusif, un peu emphatique et désuet qui était pour les pensionnats d'alors non seulement une façon d'écrire, mais une manière de vivre ».

Le cas de *My Secret Life* est un peu différent. Foucault semble avoir été surtout intéressé par la proximité de ce texte avec le discours médical sur la sexualité au XIXᵉ siècle ; même s'il évoque à son propos Rétif de la Bretonne et Sade, il lui semble que c'est plutôt vers Krafft-Ebing et son « intérêt quasi entomologique pour les pratiques sexuelles, leurs variantes et tout leur disparate » que tend le journal de cet Anglais. Dans la préface qu'il lui consacra, il fait d'ailleurs un second parallèle, non plus cette fois avec la littérature médicale, mais avec la psychanalyse et Freud : « Il vaudrait peut-être la peine de comparer ce qu'ils disent. »

Autrement dit, ni le récit de Rivière, ni les *Souvenirs* d'Alexina, ni même le journal de l'anonyme anglais ne sont présentés par Foucault comme appartenant à la littérature ; mais ils occupent des espaces périphériques : ceux de l'oralité, de l'écriture comme exercice moral et enfin ceux du savoir scientifique.

Mais si Foucault travailla sur ces textes, c'est aussi parce qu'à travers leurs scripteurs se pose la question de l'auteur, au sens où il avait défini ce terme dans *L'Ordre du discours*. Pour lui, en effet, s'il est absurde de nier l'existence de l'individu écrivant et inventant, depuis une certaine époque au moins, « l'individu qui se met à écrire un texte à l'horizon duquel rôde une œuvre possible reprend à son compte la fonction de l'auteur : ce qu'il écrit et ce qu'il n'écrit pas, ce qu'il dessine, même à titre de brouillon provisoire, comme esquisse de l'œuvre, et ce qu'il laisse, va tomber comme propos quotidiens, tout ce jeu de différences est prescrit par la fonction auteur, telle qu'il la reçoit de son époque, ou telle qu'à son tour il la modifie ». Et Foucault d'ajouter que « le principe de l'auteur limite le hasard du discours par le jeu d'une identité qui a la forme de l'individualité et du moi[4] ».

Or aucun des scripteurs de ces trois textes ne correspond à cette définition de l'auteur. À la différence de Lacenaire qui, dit Foucault dans un entretien aux *Cahiers du Cinéma*, a commis « tout un tas de petits crimes, moches, en général ratés, pas glorieux du tout mais qui est arrivé par un discours, d'ailleurs fort intelligent, à faire exister ces crimes comme de véritables œuvres d'art, à faire exister le criminel, c'est-à-dire lui, Lacenaire, comme étant l'artiste même de la criminalité », Pierre Rivière a commis « un crime vraiment extraordinaire, mais qui a été relancé par un discours tellement plus extraordinaire encore, que le crime finit par ne plus exister ». Ce qui intéresse Foucault dans le cas Rivière, c'est que le meurtre et le récit sont consubstantiels. « Dans le comportement de Rivière, mémoire et meurtre ne s'ordonnent pas selon une succession chronologique simple : crime puis récit. Le texte ne relate pas le geste ; mais de l'un à l'autre, il y a toute une trame de relations : ils se soutiennent, ils s'emportent l'un l'autre, dans des rapports qui n'ont pas cessé de se modifier. »

S'agissant d'Herculine comme du libertin anglais, là aussi le jeu d'identification à l'auteur est brouillé. Dans *Les Souvenirs* d'Herculine, il y a une anonymisation implicite du texte : Foucault précise dans les notes que le prénom de Camille, prénom adopté pour la narration, semble avoir été « une convention inventée soit par Tardieu, quand il publia les souvenirs d'Alexina, soit plus vraisemblablement par elle-même, ce qui laisse supposer qu'elle songeait à des lecteurs éventuels ». Quant au scripteur de *My Secret Life*, il a consciencieusement pris soin de gommer tous les signes qui permettraient de l'identifier. Jean-Jacques Pauvert, dans la préface qu'il a consacrée à ce texte montre qu'aujourd'hui encore, malgré de nombreuses recherches, l'auteur de ce texte demeure anonyme. Il est un autre niveau auquel ces deux textes ne peuvent être considérés comme les œuvres d'*auteurs* au sens ou Foucault définissait cette fonction : Foucault montre en effet que lorsque Alexina rédige ses souvenirs, une fois découverte et établie sa nouvelle identité et quelque temps avant son suicide, elle se considère toujours sans sexe certain, mais elle est privée des délices qu'elle éprouvait à n'en pas avoir. Écrire ainsi ses souvenirs, c'était pour elle retrouver une dernière fois les tendres plaisirs que provoque la non-identité sexuelle.

De même, l'anonyme qui tint le journal de ses exploits sexuels pendant une vingtaine d'années ne le faisait pas comme un auteur de littérature érotique ; pour cet Anglais qui n'a pas laissé de nom, il s'agissait, nous dit Foucault, d'utiliser ce journal – soit qu'il le relise à haute voix, soit qu'il l'écrive à mesure – dans le déroulement de nouvelles expériences sexuelles, selon les règles de certains plaisirs étranges où « lire et écrire » auraient un rôle spécifique. Et Foucault d'ajouter dans la préface qu'il lui consacra en 1977, qu'il serait content d'apprendre que son auteur n'avait lu aucun livre, qu'il ne savait même pas ce que c'était (comme le sien le montre bien), qu'il méprisait l'écriture ou que du moins il n'y prêtait pas attention, et « que de toutes ces phrases alignées il ne faisait qu'un usage instrumental, physiologique, excitateur, strictement corporel, qu'il se les préparait avant l'amour, qu'il les humait pendant et qu'après, il allait les chercher au fond de sa mémoire à la manière d'un parfum ».

Selon Foucault, ces trois textes se situent donc en deçà de la littérature ; de par le genre utilisé, le statut de leur narrateur et leur fonction interne, ces autobiographies sont, si l'on peut dire, un degré zéro de la littérature.

En outre, ce qui intéressa sans doute le philosophe dans ces textes, c'est qu'ils avaient été édités dans un cadre qui n'était pas traditionnellement celui des textes littéraires. Rappelons que le mémoire de Rivière, comme celui d'Herculine, furent publiés dans un cadre médical. Le texte de Rivière parut pour la première fois dans les *Annales d'hygiène publique* en 1836, tandis que c'est Tardieu qui, en 1874, révéla les souvenirs d'Herculine dans la seconde partie de son essai sur la *Question médico-légale de l'identité dans ses rapports avec les vices de conformation des organes sexuels*. Dans une moindre mesure, *My Secret Life* connut aussi une histoire curieuse : il fut imprimé à une dizaine d'exemplaires, ne fut jamais mis en vente et finit par échouer chez quelques collectionneurs. En publiant ces textes, en les questionnant, Foucault mettait au jour une activité propre à nos sociétés, qui consiste à faire circuler des récits ; il saisissait ces circuits parallèles à la littérature.

Dans cette perspective, il faut relever qu'avant leur publication par Foucault, ces trois textes ne connurent aucun succès ; ils demeurèrent dans le silence, à la

seule exception des souvenirs d'Herculine, qui inspirè-
rent deux textes romanesques à la fin du XIXe siècle : une
nouvelle de Panizza, *Scandale au couvent*, et un roman
médico-pornographqiue de Dubarry, *L'Hermaphrodite*.
Or c'est précisément cet oubli qui intéressa Foucault. Il
cherchait en effet à comprendre en contrepoint de ces
textes ignorés pourquoi dans une société certains textes
font l'objet d'une sacralisation et se mettent à fonctionner comme « littérature ».

Ainsi, la lecture de cette « mauvaise » littérature
apparaît comme un moyen pour Foucault de saisir les
différentes règles qui régissent le champ littéraire.

Le je captif

La lecture de la littérature médicale à laquelle appartiennent les dossiers sur Pierre Rivière et sur Herculine
Barbin met en lumière, à partir du milieu du XIXe siècle,
la place importante qui fut donnée dans le discours sur
la déviance, non seulement à l'histoire individuelle, mais
aux récits que les principaux intéressés – criminels,
prostituées, aliénés, invertis et toxicomanes – pouvaient
faire de ces existences. L'histoire de cette mise en
parole de ceux qui jusque-là étaient restés en deçà du
seuil de description reste à écrire. Le regard, l'écoute et
la description de l'existence de l'individu anormal ont en
effet adopté simultanément des formes différentes qu'il
conviendrait d'analyser en détail à partir de leur cadre
institutionnel principal : l'expertise. Par ce biais, on s'est
efforcé de reconstituer la vie d'individus à partir des
témoignages de leurs parents et connaissances ; les

interrogatoires et les entretiens oraux furent aussi les sources de nombreuses biographies. Enfin, aux sujets eux-mêmes, fut confiée la rédaction d'écrits autobiographiques. Bien avant les premiers magnétophones, la parole du malade, du criminel ou du marginal a été consignée. Soumis à un rédacteur extérieur, transcrits par un tiers ou rédigés par les protagonistes, ces récits ont participé à la constitution de dossiers documentaires dont certains furent publiés.

Durant la seconde moitié du XIXe siècle, les anormaux furent l'un des objets de savoir favoris d'une partie du monde scientifique et le sujet d'une formidable explosion discursive. L'essor de la psychiatrie, la naissance de la criminologie et de la psychologie, l'émergence de savoirs fragiles (l'hypnotisme, l'anthropométrie, la graphologie) d'une part, et la volonté politique de contrôle et de normalisation des classes dangereuses d'autre part – encore qu'il soit certainement artificiel de les distinguer – ont tendu à renforcer l'importance de cette production discursive. Ainsi, tout au long de ce siècle, des revues ont été créées, ont parfois disparu, des enseignements spécifiques ont vu le jour, des thèses ont été soutenues, des congrès internationaux tenus, des sociétés se sont réunies, des éditeurs se sont spécialisés. *Les Archives d'anthropologie criminelle*, *L'Encéphale*, les *Annales médico-psychologiques*, *La Presse médicale*, *La Nouvelle Iconographie de la Salpêtrière* ou les plus anciennes *Annales d'hygiène publique* participèrent à un immense réseau de communication sur l'anormalité, et avec lui à un extraordinaire pouvoir d'écriture du sujet déviant. Cette volonté de savoir ne s'est pas limitée à la France : en Italie, en Belgique, aux États-Unis, au Brésil, des théories contradictoires ont été émises, des expériences parallèles menées et des pratiques similaires suivies.

Au sein de ce formidable pouvoir d'écriture dont témoignait cette multitude de discours où s'affrontaient des conceptions différentes – et dont il ne faudrait pas penser qu'aucune distinction n'y est faite entre les criminels, les aliénés, les prostituées, puisque précisément elles se caractérisent par une catégorisation extrême des individus –, la constitution de collections d'écrits autobiographiques et la publication de certains d'entre eux n'étaient pas le fait de toute la communauté médicale. Longtemps utilisée ponctuellement, cette pratique ne fit l'objet d'aucun guide pratique. Les traités de médecine mentale ou les vade-mecum des médecins experts l'encouragèrent, sans pourtant en définir les règles strictes. Mais bien que toujours expérimentale, cette collection de documents fut une pratique à laquelle se livrèrent particulièrement assidûment certains médecins. Outre Lacassagne à Lyon et Lombroso à Turin, le docteur Emanuel Régis joua à Bordeaux un rôle déterminant en collectant auprès de ses collègues et de ses patients un formidable fonds de manuscrits d'aliénés. Ces écrits parurent sous des titres et des rubriques variés et parfois trompeurs : tantôt intitulés Confession, Autobiographie, Observation de x par lui-même, Auto-observation, tantôt publiés isolément comme documents dans une rubrique appelée Variétés, au sein d'un développement sur tel ou tel aspect de la maladie mentale, de la criminalité, ou encore dans le cadre d'une réflexion sur les troubles du langage.

Illustrés par le portrait photographique du scripteur, ornés de reproductions artistiques de leur auteur, ou présentés en vis-à-vis d'un fac-similé d'une page du manuscrit original, ces écrits autobiographiques furent publiés sans règles préalables d'édition. Si certains médecins se contentaient d'une brève introduction, d'autres intervenaient dans le développement du texte ou sous la forme de notes de bas de page pour le commenter. Le document était plus rarement donné isolément ; dans plusieurs cas, il constituait une pièce parmi d'autres. Les fonctions assignées à ce type de documents étaient multiples. Il pouvait s'agir de présenter à la communauté scientifique une pièce énigmatique afin qu'un débat en son sein permette de faire un diagnostic la concernant ; d'apporter une illustration à telle ou telle théorie psychiatrique ou criminologique ; de soumettre une hypothèse nouvelle, ou tout simplement de donner à voir la maladie du point de vue du patient.

Par ailleurs, si tous ces documents émanaient de la rencontre d'un individu ordinaire avec le pouvoir – lors d'un séjour à l'hôpital, en prison ou d'un internement en asile –, ils avaient des origines différentes liées aux modalités de leur collection. D'une part, certains écrits semblaient avoir été spontanés : le rôle du médecin s'était limité à recueillir ces textes, soit directement auprès du malade ou du détenu, soit par l'intermédiaire d'un proche du scripteur (son médecin traitant ou son gardien). C'était en particulier le cas lorsque le scripteur était décédé. D'autre part, ces documents pouvaient avoir été précédemment publiés à compte d'auteur par la famille ou le scripteur lui-même. Il arrivait aussi que les médecins publient des écrits plusieurs années, et parfois même plusieurs siècles, après leur rédaction. Enfin, ces écrits autobiographiques pouvaient résulter de commandes : l'aliéniste ou le criminologue demandait à l'un de leurs patients ou détenus d'écrire son autobiographie, ou de tenir son journal intime. Il procurait au scripteur le matériel nécessaire à la bonne réalisation de l'exercice, et le texte, une fois terminé, était remis au destinataire. L'analyse du fonds Lacassagne de Lyon nous a permis d'avancer l'hypothèse que, dans ce cas de figure, le rôle du médecin ne se bornait pas à offrir au scripteur des fournitures ; on sait maintenant que dans la majorité des cas, le criminologue intervenait directement sur la rédaction des mémoires en suscitant l'écriture de tel ou tel point resté dans l'ombre.

Bien qu'il soit permis de douter de l'authenticité de la majorité de ces textes – difficile de lever totalement ce doute dans la mesure où les manuscrits originaux ont presque tous disparu –, ils ont tous été présentés par leurs éditeurs comme des écrits autobiographiques originaux. Les discours encadrant ces textes précisaient systématiquement qu'ils n'avaient été soumis ni à une censure, ni à des corrections de style ; mais cette surenchère produisait presque l'inverse de l'effet escompté. Si l'hypothèse d'une imposture totale qui ferait de ces textes de pures fictions doit être écartée, la lecture de manuscrits originaux de criminels conservés à la bibliothèque de Lyon, au sein du fonds Lacassagne, semble indiquer que les textes publiés ont été soumis à une sévère sélection et qu'ils ont été corrigés par leurs éditeurs.

Mais cette question de l'authenticité, dont on a dit l'impossible preuve, n'a que peu d'importance, tout comme d'ailleurs le fait que dans bien des cas les textes publiés ne le soient pas dans leur intégralité. L'intérêt de ce vaste corpus réside en effet d'une part dans ce qu'il témoigne de l'espace que les médecins ont donné à la parole des silencieux, dans son agencement et dans son montage, et d'autre part dans ce qu'il révèle de l'image qu'ils souhaitaient donner à ces individus « anormaux » à travers cet espace-miroir. En outre, la lecture attentive de ces documents permet de saisir les bribes d'une parole jusque-là tue. Se jouant des règles et des contraintes qui régissaient leur écriture les scripteurs émettaient un certain nombre de protestations et de requêtes. Ainsi, à travers ces textes publiés, une double histoire de la déviance se dessinait ; utilisant la terminologie médicale, les fous, les criminels, les déviants répondaient à leur médecin et à leur juge et constituaient un long discours où venaient se mêler ces voix en un uniforme mais non moins riche marmonnement du monde.

La volonté de savoir

Par les divers travaux qu'il consacra à *Moi, Pierre Rivière*, aux *Souvenirs d'Herculine* et à *My Secret Life*, Foucault a, me semble-t-il, remarquablement exposé comment la constitution de cette grande collection d'écrits a été rendue possible. Loin de constituer des parenthèses entre ses travaux théoriques, la lecture qu'il fait de cette « mauvaise » littérature me paraît s'inscrire totalement dans son œuvre d'alors : *Surveiller et punir* et *La Volonté de savoir*, mais aussi « La Vie des hommes infâmes ».

Il faut d'emblée rappeler que ces trois textes ne sont pas contemporains ; ils couvrent tout le XIXᵉ siècle : le mémoire de Rivière date de 1836, celui d'Herculine des années 1860, tandis que l'autobiographie du libertin anglais semble plus tardive, probablement des années 1890. Il ne s'agit donc pas de laisser penser que Foucault commet des anachronismes ou que son analyse est construite sur un amalgame du criminel, de l'hermaphrodite et du libertin. Au contraire, il prend en compte la spécificité de la situation de chacun de ces textes : le mémoire de Rivière intéresse d'abord Foucault parce qu'il y est question de crime – il publiera d'ailleurs l'ensemble des pièces du dossier judiciaire ; sa lecture des souvenirs d'Herculine passe d'abord par un questionnement sur le sexe comme identité, comme *My Secret Life* est en premier lieu un outil pour comprendre le statut du discours sur la sexualité dans la société victorienne.

De même, il est important de souligner que les conditions de production de ces trois textes ne sont pas les mêmes : Rivière écrit en quelques heures, quelques jours peut-être, le récit de son meurtre du fond de sa cellule après son arrestation ; Herculine rédige probablement ses souvenirs quelques jours avant de se donner la mort dans une chambre du quartier de l'Odéon à Paris, tandis que *My Secret Life* a été rédigé sur une vingtaine d'années, l'auteur anonyme abandonnant sa rédaction puis la reprenant au gré de son envie et de ses occupations. On est donc en présence de trois pratiques distinctes d'écriture : une écriture respectivement circonstancielle, testamentaire et journalière.

Mais l'essentiel, me semble-t-il, est que ces textes soient tous trois, rappelons-le, des autobiographies. Pour reprendre la définition de Philippe Lejeune dans *Le Pacte autobiographique*, ce sont « des récits rétrospectifs en prose que des personnes réelles font de leur propre existence, lorsqu'ils mettent l'accent sur leur vie

individuelle, en particulier sur l'histoire de leur personnalité ». Le terme d'autobiographie fut importé d'Angle-
terre au début du XIXe siècle et fut longtemps employé
dans deux sens différents : la vie d'un individu écrite
par lui-même – telle est par exemple la définition proposée par le Larousse en 1866 – et tout texte dont l'auteur
a eu l'intention, secrète ou avouée, de raconter sa vie,
d'exposer ses pensées et de peindre ses sentiments
– c'est en substance la définition que donne Vapereau
dans son *Dictionnaire universel des littératures* en 1876.
La première de ces deux définitions qualifie parfaitement le genre auquel appartiennent ces trois écrits.

L'important pour Foucault est donc qu'à un moment
donné de notre histoire, le récit de vie à la première personne ait été valorisé, et qu'à travers cette valorisation
un regard nouveau sur l'individu, entendu non plus seulement comme un corps mais aussi comme une personnalité ayant une histoire, ait été constitué. Et si la question du genre autobiographique me semble devoir être
soulignée, c'est parce que ce dispositif spécifique de
mise en écriture de l'homme ordinaire est remarquablement éclairé par différents travaux de Foucault.

Que dit en effet Foucault ? D'une part, dans *La Vie
des hommes infâmes*, Foucault montre qu'à une certaine
période s'est opérée une prise de pouvoir sur l'ordinaire
de la vie. Si, jusqu'à la fin du XVIIe siècle, « pour des centaines de millions d'hommes, le mal a dû s'avouer en
première personne, dans un chuchotement obligatoire
et fugitif », à partir de cette période, l'aveu ne sera plus
l'agent de ce mécanisme ; il sera remplacé par la dénonciation, la plainte, l'enquête, le rapport, le mouchardage,
l'interrogatoire. Foucault ajoute : « Tout ce qui se dit

ainsi s'enregistre par écrit, s'accumule, constitue des dossiers et des archives. » Foucault cherche donc à dévoiler la genèse du « pouvoir d'écriture », qui prend tout son essor au cours du XIXᵉ siècle. Les textes de Rivière, d'Herculine ou de l'anonyme anglais sont, si l'on peut dire, de lointains héritiers des lettres de cachet, dans la mesure où, comme l'écrit Foucault, ils sont le signe d'un nouvel « art du langage dont la tâche n'est plus de chanter l'improbable, mais de faire apparaître ce qui n'apparaît pas – ne peut pas ou ne doit pas apparaître : dire les derniers degrés, et les plus ténus, du réel ». Foucault considère que ce nouvel impératif va constituer « l'éthique immanente au discours littéraire de l'Occident ». Cette injonction à « débusquer la part la plus nocturne et la plus quotidienne de l'existence », le devoir de dire le plus commun des secrets, va dessiner ce qui est la ligne de pente de la littérature depuis le XVIIᵉ siècle.

Dans *Surveiller et punir*, Foucault montre qu'au cours du XIXᵉ siècle un formidable « pouvoir d'écriture » a fonctionné à partir de la pratique de l'examen. L'examen, écrit-il, « est au centre des procédures qui constituent l'individu comme effet et objet de pouvoir, comme effet et objet de savoir. C'est lui qui, en combinant surveillance hiérarchique et sanction normalisatrice, assure les fonctions disciplinaires de répartition et de classement, d'extraction maximale des forces et du temps, de cumul génétique continu, de composition optimale des aptitudes. Donc de fabrication de l'individualité cellulaire, organique, génétique et combinatoire. Avec lui se ritualisent ces disciplines qu'on peut caractériser d'un mot en disant qu'elles sont une modalité de pouvoir pour qui la différence individuelle est pertinente ». Ainsi, « toutes les sciences, analyses ou pratiques à radical « psycho » ont leur place dans ce retournement historique des procédures d'individualisations ». Et Foucault à nouveau de se référer à des catégories littéraires : « Et si depuis le fond du Moyen Âge jusqu'à aujourd'hui "l'aventure" est bien le récit de l'individualité, le passage de l'épique au romanesque, du haut fait à la secrète singularité, des longs exils à la recherche intérieure de l'enfance, des joutes aux fantasmes, s'inscrit lui aussi dans la formation d'une société disciplinaire. (...) *Le Roman de la rose* est écrit aujourd'hui par Mary Barnes ; à la place de Lancelot, le président Schreber. » Car, selon lui, « les procédés disciplinaires abaissent le seuil de l'individualité descriptible et font de cette description un moyen de contrôle et une méthode de domination ». Ainsi, l'enfant, le fou, le condamné deviendront de plus en plus facilement, à partir du XVIIIᵉ siècle, l'objet de descriptions individuelles et de récits biographiques. Et pour Foucault, cette mise en écriture des existences réelles, qui n'est plus une procédure d'héroïsation, fonctionne comme procédure d'objectivation et d'assujettissement. Ainsi, ce vaste corpus, tout comme la chronique des rois ou l'épopée des grands bandits populaires, relève d'une certaine fonction politique de l'écriture.

Grâce à cet appareil d'écriture, l'examen ouvre deux possibilités corrélatives : la constitution de l'individu comme objet descriptible, analysable, et d'autre part « la constitution d'un système comparatif qui permet la mesure de phénomènes globaux, la description de groupes, la caractérisation de faits collectifs, l'estimation des écrits des individus les uns par rapport aux autres, leur répartition dans une population ».

Dans *La Volonté de savoir*, revenant sur ce formidable pouvoir d'écriture, Foucault explique à propos de la science du sexe qu'elle a pris appui sur le rituel de l'aveu. Une double articulation s'est donc opérée : celle de la production de la vérité sur le vieux modèle juridico-religieux de l'aveu et celle de l'extorsion de la confidence sur les règles du discours scientifique. Cette rencontre apparemment improbable a été rendue possible par une série de procédés par lesquels cette volonté de savoir relative au sexe a fait fonctionner les rituels de l'aveu dans les schémas de la régularité scientifique qu'illustrent parfaitement les différents mémoires de malades, d'aliénés ou de criminels. Il s'agit entre autres d'une codification clinique du « faire parler », de la méthode de l'interprétation et de la médicalisation des effets de l'aveu. Il me semble que ces analyses à propos de la question de la sexualité ont aussi leur pertinence pour l'ensemble des productions de textes autobiographiques d'anormaux au XIXe siècle.

En outre, dans ce même livre, Foucault montre que ce dispositif de mise en écriture a généré un nouveau plaisir. L'intérêt des criminologues et des médecins pour ces textes met au jour tout un plaisir de lire, d'interroger le sexe, de collectionner les discours, de les commenter et de les interpréter, en constituant ce qu'il nomme la « Grande archive du plaisir », et que l'on pourrait qualifier plus généralement de « Grande archive de la déviance ». De même, les textes d'Herculine Barbin ou du libertin anglais dévoilent ainsi ce que Foucault appelle « un plaisir à la vérité du plaisir, plaisir à la savoir, à l'exposer, à la découvrir, à se fasciner de la voir, à la dire, à captiver et à capturer les autres par elle ». Nul ne peut lire aujourd'hui ces mémoires sans ressentir cette jubilation du narrateur dans la peinture de sa sexualité, de son identité ou de son crime.

Ce plaisir de s'écrire, d'écrire son sexe ou son crime est tel qu'il faudrait un jour, à partir des textes de Rivière, d'Herculine, ou de *My Secret Life* et de bien d'autres encore – je pense notamment aux multiples autobiographies de voleurs, de criminels ou, s'agissant du sexe, aux *Souvenirs érotiques d'un anonyme russe* et au *Roman de l'inverti-né* – réfléchir à l'histoire de ce plaisir d'écrire son identité marginale ; plaisir que notre société n'a, depuis le XIXᵉ siècle, cessé d'encourager.

Philippe Artières

Notes

1. Aux éditions Stock.
2. *Le Monde*, 6 septembre 1986, entretien avec Roger-Pol Droit.
3. Cf. les travaux de Philippe Lejeune, en particulier *Le Moi des demoiselles*, Paris, Le Seuil, 1993.
4. *L'Ordre du discours, op. cit.*

Disparaître

Question d'éthique : où l'on suggèrera que la disparition, loin d'être une tentation morbide, pourrait être une façon de vivre.

Depuis quelques années, dans l'univers journalistique et éditorial, la célébration des grandes figures intellectuelles se règle souvent sur la date de leur disparition : ainsi le calendrier rassurant des anniversaires peut-il se substituer au rythme plus heurté, imprévisible et intempestif, selon lequel ressurgissent les questions qu'ils ont contribué à poser. Ce déplacement, de la durée vive au temps des commémorations, ne va pas parfois sans grincer un peu, lorsque les auteurs auxquels on l'applique (par exemple Foucault en 2004, Deleuze l'année suivante) semblent ne se prêter qu'avec réticence à ce type de culte. La leçon inaugurale de Foucault au Collège de France s'ouvrait sur une rêverie, et sur une réponse : rêverie de l'orateur qui voudrait n'avoir pas à prendre la parole, à laquelle l'institution répond ironiquement « en rendant les commencements solennels » – en faisant paraître, et comparaître, celui qui voudrait se faire tout petit. Et voilà que, trente ans plus tard, c'est la disparition même de Foucault qui devenait prétexte à le faire reparaître, bientôt suivie par celle d'un autre philosophe qui n'aimait pas davantage ce type de publicité. Prenons un instant l'entreprise au sérieux : que voudrait dire, sérieusement, s'inquiéter de la disparition de ces philosophes ? À tirer sur ce fil, c'est un écheveau qui vient, tant cette question (qu'est-ce que disparaître ? comment disparaître ?) semble entre Deleuze et Foucault se jouer à des niveaux multiples.

Partons du plus simple. Dans les écrits de Foucault comme dans ceux de Deleuze, la référence à la disparition est d'une certaine façon centrale : « être le point d'une disparition possible », écrit Foucault ; « devenir-imperceptible », répond Deleuze. Dans les deux cas, on le voit, la disparition prend la forme paradoxale d'une aspiration et d'une tâche ; d'une injonction, mais propre à soustraire celui qui s'y livre à l'ordre des injonctions ; d'une manière d'être, mais propre à suspendre l'assignation des identités. Par disparition, j'entends ici, encore très vaguement : cesser d'apparaître aux autres (d'être vu, d'être visible), et cesser d'apparaître à soi, comme soi (cesser d'être un soi, ou « se déprendre de soi »). À cette entreprise, on peut associer chez Foucault une série de *noms*, chez Deleuze une série de *postures*.

Chez Foucault, et pour s'en tenir à quelques exemples, c'est bien la disparition qu'ont en commun la Justine et la Juliette de Sade (« cet éclair d'un instant que la nature a tiré d'elle-même pour frapper Justine ne fait qu'une seule et même chose avec la longue existence de Juliette qui elle aussi disparaîtra d'elle-même, sans laisser ni trace ni cadavre, ni rien sur quoi la nature puisse reprendre ses droits[1] »). C'est elle qui articule le suicide de Roussel à son dispositif d'écriture (« Le "je" qui parle dans *Comment j'ai écrit certains de mes livres*, il est vrai qu'un éloignement démesuré, au cœur des phrases qu'il prononce, le place aussi loin qu'un "il"[2] »). C'est elle que tente, après son crime, Pierre Rivière, dont l'errance dans les bois est minutieusement reconstituée, mais dont la cartographie ne restitue finalement qu'une longue absence à soi-même. C'est d'elle, qu'est arrachée l'hermaphrodite Herculine Barbin lorsqu'on la tire de la discrétion de son couvent (ce que Foucault nomme: « le clair obscur qui était celui des couvents, des pensions, et de la monosexualité féminine et chrétienne[3] ») pour l'enjoindre de dire quel est son « vrai sexe ». Justine, Raymond, Pierre, Herculine : dans l'écriture de Foucault, l'insistance des noms ne vient pas interrompre le jeu des structures anonymes en désignant, en leur centre, l'initiative d'acteurs clairement identifiés, paraissant en personne sur la scène de l'histoire ; ils désignent au contraire comme de l'extérieur ce contre quoi les dispositifs assurant la distribution et la reproduction des identités viennent se briser – ou ce qu'ils brisent à jamais.

Chez Deleuze, le motif est peut-être moins apparent – mais l'horizon d'un devenir-imperceptible semble lui aussi ponctué de figures qui, par la posture qu'elles adoptent, n'y sont plus pour personne (et pas davantage pour elles-mêmes) : la démolition de Scott Fitzgerald, la formule de Bartleby, l'épuisement de Beckett, la fuite en avant d'Achab pour se confondre avec la baleine. Du style épistolaire de Kafka et de Proust, Deleuze peut écrire : « Il s'agit pour tous deux d'éviter, par les lettres, la proximité spécifique qui caractérise le rapport conjugal, et constitue la situation de voir et d'être vu[4]. » De même, on peut dire que *Logique du sens* est parcouru d'un double mouvement, d'une double quête : quête d'une vie soustraite à l'horizon du regard d'autrui (c'est le texte sur Tournier), et soustraite aussi bien à la nécessité d'un regard sur soi – passer, comme Alice, de l'autre côté du miroir, c'est ne plus pouvoir s'y mirer ou s'y reconnaître. Dans l'ouvrage, s'appellent et se répondent la critique du motif phénoménologique selon lequel le pour-soi ne s'appréhende lui-même pleinement que sous la menace du pour-autrui, et la critique du motif kantien qui fait de la recognition (moi=moi) la condition de toute pensée. On se souviendra ici que le premier texte dont Deleuze ait accepté la republication posthume est consacré aux îles désertes : aux îles où l'on disparaît non seulement aux regards du monde, mais à son propre regard, où l'on ne trouve plus, donc, à se distinguer du désert de l'île (« le naufragé, s'il est unique, s'il a perdu la structure autrui, ne rompt en rien le désert de l'île, il le consacre plutôt[5] »).

L'horizon de la disparition joue donc, à l'intérieur des textes, au moins le rôle d'un contrepoint insistant. Mais cette perspective ne gouverne pas seulement le contenu de ces écrits, l'ordre des énoncés ; elle préside au geste même d'écrire. Autrement dit, Deleuze et Foucault n'écrivent pas seulement *à propos de* la disparition ; ils écrivent, en partie, *pour* disparaître, et pratiquent l'écriture comme un exercice d'évanouissement ou de dissipation du sujet. Il faut ici citer l'exclamation de Foucault qui pourrait nous servir de guide : « - Eh quoi, vous imaginez-vous que je prendrais à écrire tant de peine et tant de plaisir, croyez-vous que je m'y serais obstiné, tête baissée, si je ne préparais – d'une main un peu fébrile – le labyrinthe où m'aventurer, déplacer mon propos, lui ouvrir des souterrains, l'enfoncer loin de lui-même, lui trouver des surplombs qui résument et déforment le parcours, où me perdre et apparaître finalement à des yeux que je n'aurai plus jamais à rencontrer. Plus d'un, comme moi sans doute, écrivent pour n'avoir plus de visage[6]. »

On sait comment, de son côté, Deleuze met en scène dans l'introduction de *Mille Plateaux*, le principe de

l'écriture à deux comme vecteur d'une entière dépersonnalisation : « Nous avons écrit *l'Anti-Œdipe* à deux.
Comme chacun de nous était plusieurs, ça faisait déjà
beaucoup de monde. Ici nous avons utilisé tout ce qui
nous approchait, le plus proche et le plus lointain. Nous
avons distribué d'habiles pseudonymes, pour nous rendre méconnaissables. Pourquoi avons-nous gardé nos
noms ? Par habitude, uniquement par habitude. Pour
nous rendre méconnaissables à notre tour. Pour rendre
imperceptible non pas nous-mêmes, mais ce qui nous
fait agir, éprouver ou penser[7]. »

Il faut donc y prendre garde : s'il y a, chez l'un
comme chez l'autre, une stratégie de la disparition,
celle-ci doit être recherchée dans la relation entre certains énoncés, qui en établissent la possibilité et les
conditions, et certaines postures énonciatives, qui tendent à l'accomplir. Relation du *dire* et du *dit*, qui n'a
aucune raison d'être mimétique ou représentative :
ainsi l'auteur peut-il disparaître, comme sujet d'énonciation, dans la minutie même avec laquelle il fait apparaître, dans l'énoncé, la figure de l'homme – c'est, assez
largement, ainsi que l'on pourrait décrire le dispositif
mis en place dans *Les Mots et les Choses*.

Ce n'est pas tout. Au parallèle jusqu'ici établi entre
Foucault et Deleuze, il faut adjoindre l'examen de la relation effective que ces deux philosophes entretinrent. Or,
à ce niveau, notre motif se complique d'une sorte de
chiasme : il semble bien que Deleuze et Foucault n'aient
pas seulement eu la disparition en partage, mais qu'ils se
soient trouvés partagés par celle-ci ; qu'ils aient éprouvé
la même préoccupation sur le plan philosophique, cependant qu'ils disparaissaient l'un à l'autre dans la vie, s'en-
voyant des signaux de plus en plus lointains, puis ces-

sant entièrement de s'écrire. S'il n'est pas dans mon intention de revenir sur les causes alléguées à cette « brouille », il est tout aussi évident que quelque chose de cette disparition réciproque, entre des auteurs qui pensent la disparition et affirment l'identité de plan entre la vie et la pensée, doit nous arrêter. On rapporte que Foucault aurait dit, alors qu'on lui proposait d'appeler Deleuze : « on ne se voit plus. » La phrase est peut-être apocryphe, mais cela n'a pas d'importance : beaucoup d'anecdotes sur les philosophes antiques sont elles aussi apocryphes, comme inventées sous la poussée de la vérité qui traversait leur œuvre. C'est le cas, je crois, de cette formule, « on ne se voit plus », très belle parce qu'elle ne donne, à l'éloignement, aucun autre sens que celui d'une perception devenue brouillée, d'une invisibilité réciproque (on ne se « voit » plus parce qu'on ne se *voit* plus), d'une disparition en un sens entièrement accomplie, en un autre sens parfaitement annulée : car la fin d'une intimité, c'est avant tout la perte d'une certaine façon de disparaître, à deux, aux yeux du monde, ou de devenir ensemble incompréhensibles.

La mort : un (fâcheux) raccourci ?

Si donc demeure pendante, *entre* Deleuze et Foucault, une « question de la disparition », il faut reconnaître qu'elle se trouve distribuée sur toutes les significations possibles de ce « entre » (entre l'écrit et l'écrire, l'écrire et la vie, entre les écrits de l'un et les écrits de l'autre, entre la vie de l'un et la vie de l'autre…). Cette pluralité de niveaux, il faut résister à la tentation de la réduire de force. Il y a une manière simple, trop simple, de dénouer l'écheveau, dont certains commentateurs et biographes ne se sont pas privés : elle consiste à faire de la disparition qui finit par emporter l'un et l'autre la clef de toutes les autres ; à lire dans le suicide de Deleuze l'aboutissement et la confirmation du nihilisme de sa pensée, et dans la maladie de Foucault la juste sanction de son goût pour les expériences-limites (ce fut la lecture du biographe américain James Miller, heureusement oublié, lecture dont Didier Eribon a fait justice). On voit l'idée : après tout, que des auteurs qui avaient toujours parlé de disparaître finissent par le faire, quoi de plus logique ? Mais aussi, quelle confirmation de ce que, si nous ne voulons pas finir par disparaître comme ils le firent, nous ne devons pas tenter de disparaître comme ils l'écrivirent (et nous ne devons, donc, pas les lire) ?

Cette lecture appelle, d'abord, une critique de fait : aucun de ces deux penseurs n'est mort « comme » il l'avait pensé. Deleuze se suicida, lui qui n'avait traité du suicide qu'à travers l'analyse spinoziste, laquelle consiste pour l'essentiel à en montrer le caractère insignifiant et extérieur, et surtout à en interdire toute surévaluation éthique. C'est Foucault qui, assez régulièrement, revient sur la question du suicide – mais Foucault, lui, ne s'est pas suicidé (sauf à penser, il y en a encore régulièrement pour le dire, que la contamination par le virus du SIDA au début des années 1980 pouvait être délibérée, ce qui n'est pas une interprétation mais s'apparente à du révisionnisme). Foucault est mort de maladie, et dans des conditions telles que son compagnon Daniel Defert fonda l'association Aides précisément parce qu'il considérait que Foucault s'était fait voler sa mort par ses médecins, qu'il était mort sans avoir pu mettre de l'ordre dans ses affaires, sans avoir donc pu mobiliser aucun des préceptes du « souci de soi » auquel il venait de consacrer six ou huit années. Ainsi la mort constitue-t-elle, pour l'un comme pour l'autre, non une confirmation mais une irruption et un gâchis – ce qu'elle est somme toute toujours.

Le raccourci que j'ai mentionné appelle d'autre part une critique de droit : en lisant dans les textes que Deleuze et Foucault consacrent à leur disparition la préfiguration de leur trépas, on s'autorise peut-être un peu vite à penser que mourir, c'est disparaître. Or, rien de moins évident : la mort pourrait aussi bien correspondre à la fin de toute possibilité de disparaître, c'est-à-dire de changer et de se soustraire au jugement public. Il faut ici se souvenir du mot de Solon cité par Aristote, et suivant lequel le bonheur d'un homme ne se laisse juger qu'après la mort, parce qu'enfin les choses ne se renversent plus. Celui qui meurt, donc, ne disparaît pas, au contraire : il paraît, enfin, « tel qu'en lui-même », et il comparaît devant le jugement de Dieu, le tribunal de Solon ou celui de l'histoire. Cela Foucault le note : lorsqu'il évoque le suicide d'Herculine Barbin, il souligne que ce geste ne lui a nullement permis de disparaître et d'échapper à l'assignation à un « vrai sexe » – au contraire, redevenue « *Abel Barbin* », elle n'est plus qu'un « cadavre auquel des médecins curieux finissent par attribuer la réalité d'un sexe mesquin[8] ». Il faut donc souligner ceci : c'est dans la vie, non dans la mort, que l'on peut disparaître – se faire pousser les ongles et raconter que l'on n'a pas d'empreintes digitales, comme le fit Deleuze ; ou partir à Uppsala, là où il fait nuit six mois par an, en se prénommant Paul, pour revenir en s'appelant Michel, comme le fit Foucault. Ce sont là des disparitions vivantes, des manières de se soustraire à l'injonction d'être à sa place, vis-à-vis desquelles le décès apparaît moins comme un accomplissement que comme une interruption.

Il serait bien sûr absurde de prétendre que la question de la mort est du même coup entièrement absente de la réflexion que Foucault, comme Deleuze, menèrent autour de la disparition. Mais si elle s'y trouve inscrite, c'est comme problème et non comme évidence : toute la difficulté est de conserver à la mort son statut d'effacement, de tordre la pensée de la mort de telle sorte qu'elle contribue, ce qui n'est nullement joué, à nous arracher à l'obligation de paraître et de comparaître. Ainsi Foucault peut-il noter, en 1983, face à un interlocuteur qui se lamente (vieille antienne) de ce que la société ne sache plus penser la mort : « je n'adhère pas tellement à tout ce qui s'est dit sur l'aseptisation de la mort, renvoyée à quelque chose comme un grand rituel intégratif et dramatique. (…) Je préfère la tristesse douce de la disparition à cette sorte de cérémonial (…) essayons plutôt de donner sens et beauté à la mort-effacement[9]. » Et l'on peut aussi se souvenir de la lecture que Deleuze donne, dans son tout dernier texte, de cette *near death experience* racontée par Dickens où un mauvais sujet, manquant de mourir, suscite autour de lui une sorte d'onde ou d'aura de compassion anonyme, où l'élan vers la vie se trouve en quelque sorte libéré parce qu'un instant, personne ne se demande plus *qui* meurt : « entre sa vie et sa mort il y a un moment qui n'est plus que celui d'une vie jouant avec la mort » – mais ensuite, à mesure que la canaille revient à la vie « ses sauveurs se font plus froids et il retrouve toute sa grossièreté[10] ». Il est remarquable qu'en ces deux textes qui portent, l'un et l'autre, des accents presque testamentaires, la disparition apparaisse moins comme la vérité de la mort que comme une mince éventualité, ouverte par celle-ci de manière incidente et aussitôt refermée par la solennité du cérémonial mortuaire ou par le prosaïsme de la guérison.

Les pièges du visage

On peut, du coup, reformuler le problème. Il ne s'agit pas de se demander si Deleuze et Foucault disparurent enfin dans la mort comme ils l'avaient théorisé ; mais comment il tâchèrent de disparaître de leur vivant même – autrement dit, à l'intérieur de quel *art de vivre* la question de la disparition prend sens chez l'un et chez l'autre, art de vivre où la pensée de la mort même peut éventuellement jouer son rôle (comme dans la préméditation de la mort chez Sénèque, auquel Foucault consacre de longues pages dans *L'Herméneutique du sujet*). Non pas, donc, la maxime de Socrate : « philosopher, c'est apprendre à mourir », mais celle d'Épicure : « cache ta vie ». Pour caractériser cet art de vivre, on peut circuler assez librement entre les deux pensées ; ou plutôt (impression que je serai peut-être amené à corriger tout à l'heure), tout se passe comme si les analyses de Deleuze venaient déplier et élucider des prises de positions que Foucault, lui, se contente d'indiquer de manière lapidaire.

C'est le cas, en premier lieu, de cette obligation de défaire le visage, que j'ai mentionnée au départ et qui clôt la longue introduction de *L'Archéologie du savoir*, donnant un tour ironique au souci de « s'expliquer » qui semblait jusque-là animer ce texte-bilan. À bien y regarder un impératif du même ordre traverse, sans être plus explicite, plusieurs autres textes : l'analyse de Goya dans

L'Histoire de la folie (« seule est présente la plus intérieure et en même temps la plus sauvagement libre des
forces : celle qui morcelle des corps dans *Le Grand Disparate*, celle qui déchaîne et crève les yeux dans *La Folie
furieuse*. À partir de là, les visages se décomposent[11]… »),
et bien entendu le « visage de sable » dont la dernière
page des *Mots et les Choses* annonce l'effacement. Si l'on
veut saisir ce qui est en jeu dans cet effacement dont
Foucault fait l'éloge, c'est vers *Mille plateaux* qu'il faut se
tourner. Chez Deleuze en effet, l'hostilité au visage
trouve son ressort et ses raisons.

Le visage y est d'abord défini comme le point de
recoupement, et de renforcement réciproque, de deux
processus que Deleuze nomme « ligne de signifiance »
et « ligne de subjectivation ». La première tend à référer
la différence purement horizontale des signes à la profondeur d'un sens ; la seconde à attribuer la différence
des affects à l'unité d'un sujet. Le visage, et l'expressivité
qui est la sienne, est alors ce par quoi ces deux formes
d'unité trouvent à se conjoindre : à la surface du visage,
le sens se présente comme expression, et se trouve du
même coup amarré à la subjectivité, définie comme identité visible : « un enfant, une femme, un chef de famille
ne parlent pas une langue en général, mais une langue
dont les traits signifiants sont indexés sur des traits de
visagéité spécifique[12]. » Mais le sujet, à rebours, s'y sur-
prend animé d'une vie intérieure dont le regard serait
l'indice ; par la médiation du visage, il est convié à se
découvrir habité d'un sens plus profond que lui-même, et
ne se reconnaît pas dans la glace sans se demander ce
qu'il y a « derrière » son propre visage. Lorsque Foucault se penchera sur l'expérience chrétienne de la chair,
il en produira d'ailleurs une analyse très proche, puisque

cette expérience se définit selon lui comme le recoupement entre « une codification des actes » et « le développement d'une herméneutique du désir[13] ».

Or, cette manière dont le visage joue comme un échangeur entre subjectivité et signification n'est ni universelle, ni originaire. Deleuze y voit au contraire l'effet et l'enjeu de dispositifs politiques déterminés, d'abord anonymes et non-signifiants : « les visages concrets naissent d'une machine abstraite de visagéité[14] », laquelle fait corps avec certains agencements de pouvoir, dont le dispositif chrétien est pour lui le paradigme. La proximité est ici frappante avec un curieux texte de Foucault, écrit en 1976 à propos de la caricature, et où il s'agissait aussi de faire apparaître la dépendance du visage à l'égard des dispositifs politiques (même si Foucault se référait en l'affaire, non à l'avènement du christianisme, mais au passage de la souveraineté à la gouvernementalité) : « la souveraineté fonctionnait au signe, à la marque creusée sur le métal, sur la pierre et la cire ; le corps du roi se gravait. La politique elle, fonctionne à l'expression : bouche molle ou dure, nez arrogant, vulgaire, obscène, front déplumé ou buté, les visages qu'elle émet montrent, révèlent, trahissent ou cachent. Elle marche à la laideur et à la mise à nu. Depuis la Monarchie de Juillet, les figures des hommes politiques ont pris leur vol. Danton, Daumier puis Léandre ont fait lever la grande nuée des corbeaux[15]. »

De cette fabrique politique du visage, Deleuze pointe trois effets essentiels. Le premier est individuel, et tiendrait à ce qu'il nomme l'épinglage : « vous serez épinglés sur le mur blanc, enfoncés dans le trou noir[16] » ; autrement dit, voués à un procès d'identification indéfinie à vous-mêmes, commis à vous laisser reconnaître comme sujet, mais à vous rechercher sans cesse en amont de vous-mêmes, comme sens ; à vous voir sans cesse renvoyés, donc, du visage comme faciès au visage comme énigme. À ce compte, même le sexe peut fonctionner comme « visage », comme principe d'une double injonction à s'identifier et à se reconnaître, comme instance à faire paraître en vérité, en pleine lumière, mais où reconnaître en même temps sa vérité cachée ; on comprend que Foucault ait pu sur ce point emprunter au Diderot des *Bijoux indiscrets* l'image du « sexe qui parle ». Le second effet est collectif, et touche à la façon dont le visage vaut établissement d'une norme : « le racisme procède par détermination des écarts de déviance, en fonction du visage Homme blanc qui prétend intégrer dans des ondes de plus en plus excentriques et retardées les traits qui ne sont pas conformes[17] » – on notera l'inversion rigoureuse du thème lévinassien, le visage n'étant pas ici effraction de l'autre, mais gradation indéfinie vers soi. Enfin et peut-être surtout, le troisième effet serait à rechercher du côté des choses, et du rapport aux choses : l'institution du visage ne va pas sans celle d'un « paysage », c'est-à-dire d'un monde qui ne se présente plus que comme vis-à-vis du sujet, comme son miroir et son pendant, monde qu'on ne reconnaîtra pas sans s'y reconnaître. Ainsi Deleuze peut-il écrire du Christ qu'il « préside à la visagéification de tout le corps » et « à la paysagéification de tous les milieux[18] », instituant ici comme là un même ordre : on sait que, dans l'iconographie chrétienne, la Croix, c'est le visage encore, c'est l'arête du nez, la ligne des sourcils. Le ciel, ce n'est jamais que la courbe d'un front.

Cette dernière remarque permet de comprendre en quel sens la disparition, qu'on peut maintenant redéfinir comme *défiguration*, peut apparaître chez Foucault et Deleuze comme un impératif : elle conditionne, me semble-t-il, la possibilité d'un accès au monde qui échappe à cette relation spéculaire entre visage et paysage, la chance d'une perception qui ne soit plus reconnaissance – qui ne soit plus, au sens littéral du terme, un *face-à-face*. Foucault cite une phrase de Lamartine, refusant de se laisser caricaturer : « Ma figure appartient à tout le monde, au soleil comme au ruisseau, mais telle qu'elle est. Je ne veux pas la profaner volontairement ». Et Foucault de commenter : « Le piège, il le sentait, c'est que de son visage d'homme politique on ne pourrait jamais extraire le soleil ni le ruisseau[19]. » Là encore, l'analyse de Deleuze vaut explicitation d'un motif qui, dans cette remarque, demeure assez énigmatique. Que d'un « visage politique », on ne puisse extraire « ni soleil, ni ruisseau », Deleuze l'indique d'une autre manière : par son insistance sur la difficulté, tant que l'on ne s'est pas défait du visage, à échapper si loin que l'on s'en aille au jeu des identifications et des interprétations qui entravent toute perception véritable – « ô ma petite île déserte où je retouve la Closerie des Lilas, ô mon océan profond qui reflète le bois de Boulogne, ô la petite phrase de Vinteuil qui me rappelle un doux moment[20]. » De ce point de vue, Deleuze simplifie, lorqu'il affirme que « défaire le visage » n'est pas une « aventure d'amateur ou d'esthète » mais une « politique[21] » : car politique et esthétique sont sans doute inséparables en l'affaire, et l'objectif de cette politique d'hostilité au visage semble bien être de restaurer la possibilité d'une *aisthesis*, d'une sensation. Sensation qui peut d'ailleurs être directement politique : à l'image de cette « perception de l'intolérable » que Deleuze repérait chez Foucault, à l'image de cette « honte d'être un homme » qu'il invoque chez Primo Levi dans ses derniers travaux – pour avoir honte, après tout, il faut avoir *perdu la face*. Autrement dit encore, s'il faut travailler à devenir imperceptible, c'est que l'imperceptibilité du mouvement est la condition d'une perception redevenue véritablement telle. Commentant la phrase de Kierkegaard « je ne regarde qu'aux mouvements », Deleuze note : « telle la jeune fille comme être de fuite, le mouvement ne peut pas être perçu. Et pourtant il faut tout de suite corriger ; le mouvement aussi doit être perçu, il ne peut être que perçu (…) c'est que la perception ne sera plus dans le rapport d'un sujet et d'un objet (…) elle sera parmi les choses, dans l'ensemble de son propre voisinage[22]… » On voit ici comment se nouent le motif de la fuite et la quête d'une nouvelle perception : seule une vie déliée de l'obligation de se présenter comme visage, de faire (bonne) figure, peut éviter d'entrer dans le jeu de la reconnaissance (se reconnaître dans les choses, se faire reconnaître par les autres), jeu qui suspend toute possibilité d'être parmi les choses, soleil et ruisseau. Ou, pour le dire à la manière très simple et directe du dernier Foucault, expliquant pourquoi il a disparu presque huit ans du paysage éditorial : « il y a des moments dans la vie où la question de savoir si on peut penser autrement qu'on ne pense et percevoir autrement qu'on ne voit est indispensable pour continuer à regarder et à réfléchir[23]. »

« How to disappear completely[24] »

Encore faut-il savoir comment s'y prendre. Tel que Deleuze pose le problème, une réponse semble s'imposer assez vite : si le visage articule « signifiance » et « subjectivation », défaire le visage exigerait de substituer (dans l'ordre du dicible) au sens le *secret*, et (dans l'ordre du visible) à la subjectivité *l'anonymat*. Du visage au secret, du visage à l'anonyme : on comprend pourquoi, au croisement de ces deux exigences, Foucault comme Deleuze ont pu développer un intérêt commun pour l'usage des masques. Chez Deleuze, cela passe évidemment par la méditation autour de la figure nietzschéenne du philosophe masqué : « parmi les plus hauts moments de la philosophie de Nietzsche, il y a des pages où il parle de la nécessité de se masquer, de la vertu et de la positivité des masques, de leur instance ultime. Mains, oreilles et yeux étaient les beautés de Nietzsche (il se félicite de ses peittes oreilles, comme un secret labyrinthique qui mène à Dionysos). Mais sur ce premier masque, un autre, représenté par l'énorme moustache[25]. » La moustache, les oreilles : le lien de l'imperceptible à la perception ne saurait être plus précis. À cela, fait écho chez Foucault la lecture de la généalogie nietzschéenne comme « carnaval concerté » : « le généalogiste (…) veut mettre en œuvre un grand carnaval du temps, où les masques ne cesseront de revenir. Plutôt que d'identifier notre pâle individualité aux identités fortement réelles du passé, il s'agit de nous irréaliser dans tant d'identités réapparues[26]. » On ne peut s'empêcher sur ce point de penser à la manière dont Foucault avait fait de son visage davantage qu'un masque : un visage superlatif si le visage est bien, selon la formule fameuse de Deleuze, un « système mur blanc trou noir. Large visage aux joues blanches, visage de craie percé des yeux comme trou noir[27] ». Le visage de Foucault, c'est le Visage selon Deleuze, et l'on dirait que, là où Nietzsche s'écrie : « donne moi, je t'en prie, donne moi... – quoi donc ? – un autre masque, un second masque », Foucault semble avoir procédé au contraire par épure, s'être collé sur le crâne comme un masque de visage.

Reste que cette piste s'épuise peut-être relativement vite – comme s'il y avait, au tournoiement des masques, comme une limite, une lassitude et une mélancolie. Sans doute Foucault use-t-il de temps à autres du pseudonyme, voire de l'anonymat (il signe un entretien dans *Le Monde* « le philosophe masqué »), mais cette stratégie demeure exceptionnelle, et la déception envers les masques perce à plusieurs reprises. Deleuze le souligne : le masque peut aussi bien assurer « l'érection, l'exhaussement du visage, la visagéification de la tête et du corps : le masque est le visage en lui-même, l'abstraction ou l'opération du visage[28] ». Piège du masque que l'on ne parvient plus à décoller, médiocrité de celui qui, à la longue, se rassure à la seule idée qu'il porte un masque. En d'autres termes, la disparition dont Foucault et Deleuze tentent de déterminer les conditions ne peut pas se réduire à l'éloge du *secret* et de l'*anonymat* que procure une identité d'emprunt. À cela une raison simple, qui fait du « cache ta vie » épicurien un mot d'ordre finalement inadéquat : il ne suffit pas de se cacher pour disparaître, précisément parce que n'apparaît que ce qui est caché ou masqué. Le secret, en effet, n'est pas l'autre du sens, mais aussi bien la réserve dont la quête du sens indéfiniment s'alimente. Je renvoie ici à *La Volonté de savoir*, et à l'analyse que Foucault y propose de l'aveu, comme mode de constitution des individus en sujets reposant précisément sur la postulation d'un secret dont le dévoilement est à la fois précieux et difficile : les ruses du pouvoir « sont parvenues à nous soumettre à cette austère monarchie du sexe, au point de nous vouer à la tâche indéfinie de forcer son secret et d'extorquer à cette ombre les aveux les plus vrais[29] ». À cette analyse, fait écho la longue et très belle étude des différents régimes de secret dans *Mille Plateaux*. Deleuze y note : « du point de vue de l'anecdote, la perception du secret en est le contraire, mais du point de vue du concept, elle en fait partie[30]. » De la même façon, sur l'autre ligne, l'anonymat n'est pas l'autre de la subjectivité ; c'est le lot commun dont émane et où perpétuellement s'échoue le désir d'être quelqu'un. Comme l'écrit Deleuze à propos de Kierkegaard : « si c'est tellement difficile, être comme tout le monde, c'est qu'il y a une affaire de devenir. Ce n'est pas tout le monde qui devient comme tout le monde, qui fait de tout le monde un devenir[31]. » L'opposition de la subjectivité et de l'anonyme est donc aussi provisoire et précaire que l'autre : non seulement parce qu'être anonyme, ce peut être ruminer de sourds rêves de grandeur, mais parce qu'il n'y a rien de plus commun que l'aspiration au singulier. Le problème, la tâche, n'est donc pas de choisir l'anonymat contre l'identité, mais de sortir de cette alternative ; ce n'est pas de choisir le caché contre le visible, mais de faire filer le secret hors de l'opposition du caché et du visible, de le rendre (pour reprendre une formule de l'*Archéologie du savoir*) « à la fois non visible et non caché[32] » : c'est la voie d'un « secret absolument superficiel » dont Foucault repère la possibilité à l'horizon de l'interprétation nietzschéenne[33] ou d'un secret du secret, dont l'aveu final même renforce le caractère inquiétant (comme lorsque Roussel explique rétrospectivement suivant quel procédé il a écrit certains de ses livres : « si Roussel de son plein gré a dit qu'il y avait du secret, on peut supposer qu'il l'a radicalement supprimé en le disant et en disant quel il est ou, tout aussi bien, qu'il la décalé, poursuivi et multiplié en laissant secret le principe du secret et de sa suppression[34] ». Recherche que l'on rencontre, de la même manière, chez Deleuze, où la possibilité de « devenir comme tout le monde » (non de l'être, mais de le devenir, comme Foucault disait qu'il fallait s'acharner à devenir gay) passe par un devenir du secret jusqu'à sa forme féminine : « Les hommes prennent une attitude grave, chevaliers du secret, "voyez sous quelle charge je ploie, ma gravité, ma discrétion", mais ils finissent par tout dire, et ce n'était rien. Il y a des femmes au contraire qui disent tout, elles parlent même avec une effroyable technicité, on n'en saura pourtant pas plus à la fin qu'au début, elles auront tout caché par célérité, limpidité ». Et, plus loin : « certains peuvent parler, ne rien cacher, ne pas mentir : ils sont secrets par transparence, impénétrables comme l'eau, incompréhensibles en vérité[35] ».

Faut-il conclure que l'horizon d'un secret du secret se présente de même, chez Foucault et chez Deleuze, comme l'avatar ultime du problème de la disparition ? Peut-être faut-il corriger, et faire droit pour finir à une bifurcation entre les deux penseurs. La différence semble d'abord de simple degré : là où Deleuze rêve en effet d'un effacement *absolu* de la subjectivité, d'un secret intégral qui soit intégrale transparence, Foucault paraît s'arrêter, revenir sur ses pas, recourant volontiers à la première personne et consacrant ses derniers travaux à la subjectivation, au « souci de soi ». Ce point, d'ailleurs, embarrasse Deleuze ; celui-ci est tenté, dans le texte qu'il consacre à la subjectivation, de traiter de cette inflexion comme d'une sorte d'abandon, né d'une tristesse qui serait survenue chez Foucault assez tard, à un moment où d'ailleurs ils ne se voyaient plus : « déjà l'échec final du mouvement des prisons, après 1970, avait attristé Foucault, puis d'autres événements, à l'échelle mondiale, devaient accroître la tristesse[36]... » On le sent : qu'une pensée accorde une quelconque place à la subjectivité, cela ne peut être pour Deleuze qu'un signe de tristesse. Quelque rigueur qu'il puisse donner, par ailleurs, à l'analyse du processus de subjectivation, le motif du « pli » philosophique se teinte chez Deleuze d'une mélancolie envers ce qu'il éprouve comme un « repli » historique – période de « désert », « années d'hiver » dont la mention scandera les derniers entretiens, notamment l'*Abécédaire* avec Claire Parnet. Rien n'indique pourtant que le « dernier Foucault » ait été plus triste ; rien n'indique, surtout, que cette « concession » faite au sujet, et au visage, soit chez lui un élément tardif. Déjà, lorsqu'il traitait de la manière dont Raymond Roussel organise, dans son dernier écrit, son propre effacement existentiel et littéraire, Foucault soulignait que cet effacement, que cette abolition de soi dans le murmure du langage ne pouvait s'accomplir qu'en renonçant, paradoxalement, à s'accomplir *entièrement* : dans le même texte où Roussel s'efface devant son œuvre, il reprend à son compte les jugements du psychiatre Pierre Janet à son propos, il paraît donc accueillir le regard du psychiatre qui l'assigne pourtant à sa maladie, et lui fait le visage d'un « pauvre petit malade[37] ».

Faut-il dire alors que Foucault aurait été, dans son éthique de la disparition, moins radical, moins résolu – y a-t-il chez lui un compromis entre la tentative pour n'avoir plus de visage et le souci de soi là où Deleuze aurait été plus conséquent dans son projet d'échapper entièrement à soi ? La question ne se pose sans doute pas en ces termes. On pourrait même, en un sens, en inverser les facteurs, et lire dans la rigueur avec laquelle Deleuze se propose d'abolir le soi, comme un profond souci de *ne pas* disparaître. Car que recherche Deleuze dans l'absolu dépassement de soi, sinon une expérience de l'absolu dans laquelle ce qui était le soi trouve à se survivre à lui-même, ne se distinguant plus de l'absolu qu'il touche et gagnant par là une forme d'éternité ? Lorsque nous lisons : « devenir soi-même imperceptible, avoir défait l'amour pour devenir capable d'aimer. Avoir défait son propre moi pour devenir enfin seul, et rencontrer le vrai double à l'autre bout de la ligne », c'est une description bouleversante – mais c'est la description bouleversante d'une expérience mystique, celle, plotinienne, du « fuir seul vers le seul », qui ne se sépare pas de l'espérance d'un salut. Cette fois, c'est peut-être Foucault qui permet de lire et d'éclairer Deleuze, lorsqu'il intitule, se référant à « l'introduction à la vie dévote » de François de Sales, son compte-rendu de *l'Anti-Œdipe* « Introduction à la vie non fasciste » ; ou lorsqu'il note : « nous avons hérité de la morale chrétienne, qui fait du renoncement à soi la condition du salut[38]. » On ne saurait le soutenir sans trembler un peu – mais l'exigence d'un absolu renoncement à soi ne va pas chez Deleuze sans cette aspiration, religieuse en son fond, même si elle se trouve instruite au travers d'une philosophie de l'immanence : aspiration d'une expérience où ce qui nous a été pris nous sera rendu, où le « chevalier de la foi » kierkegaardien, d'être enfin « comme tout le monde », de s'être dessaisi de toute identité, aura « la jeune fille, il aura tout le fini ». Deleuze est d'ailleurs quelque peu embarrassé avec le fait que, dans le texte de Kierkegaard où il puise le modèle même du « devenir imperceptible », il est tout de même beaucoup question de foi (« c'est curieux que le mot « foi » serve à désigner un plan qui tourne à l'immanence[39] »).

Cette remarque éclaire, par contraste, d'une lumière différente les derniers travaux de Foucault, la manière dont celui-ci cherche à la fois à « se déprendre de soi » et à faire une place aux formes selon lesquelles, au cours des âges, les hommes se sont occupés d'eux-mêmes. Les deux motifs ne se contredisent pas ; mais il faudrait plutôt dire qu'en acceptant de ne pouvoir se dégager entièrement de l'instance et de l'horizon du soi, se demandant finalement ce que l'on peut faire de son visage lorsqu'on l'a défait autant qu'il est possible, Foucault accepte du même coup de ne pas se survivre – c'est-à-dire, et c'est après tout un autre genre de foi, d'accueillir l'événement dans sa radicale extériorité, dans son absolue imprévisibilité, l'événement en tant que le sujet ne le voit pas venir et auquel il ne saurait, même au prix de la plus sévère dépersonnalisation, s'équivaloir entièrement. Il y a là, avec Deleuze, une profonde divergence. En rabattre sur l'effacement de soi, c'est pour Deleuze régresser, et il n'a pas de mots assez durs pour de tels reniements (au risque d'introduire, c'est peut-être la contrepartie de l'horizon du salut, quelques accents de jugement) : « nous ne pouvons pas revenir en arrière. Seuls les névrosés ou, comme dit Lawrence, les renégats, les tricheurs, tentent une régression[40]. » Foucault, quant à lui, suggère une autre éthique : *renoncer à renoncer entièrement à soi*, ce pourrait être s'avancer vers une dépossession plus radicale encore, vers un dessaisissement plus escarpé parce qu'arrêté en quelque sorte à mi-pente de l'absolu, et sans espoir d'en dévaler jamais l'autre versant. C'est cette position que Foucault décrivait en 1966 à propos du langage de Blanchot : « parvenu au bord de lui-même, il ne voit pas surgir la positivité qui le contredit, mais le vide dans lequel il va s'effacer ; et vers ce vide il doit aller, en acceptant de se dénouer dans la rumeur, dans l'immédiate négation de ce qu'il dit[41]. » C'est elle encore que l'on rencontre dans un entretien de 1982 : « ce qui vaut pour l'écriture et pour une relation amoureuse vaut aussi pour la vie : le jeu ne vaut la chandelle que dans la mesure où l'on ignore comment il finira[42] » – mais pour ignorer comment le jeu finira, il faut accepter de ne pouvoir voir beaucoup plus loin que soi-même (« j'accepte que mon discours s'efface comme la figure qui a pu le porter jusqu'ici[43] »). Cette attitude où le souci de soi ne contredit pas, mais conditionne la « pensée du dehors » (du dehors en tant, justement, qu'il ne se laisse pas entièrement penser, et qu'aucun salut ne promet, comme chez Kierkegaard la jeune fille, de l'« avoir » enfin pour peu qu'on sorte *absolument* de soi), cette attitude donc, il me semble la reconnaître dans une réponse qui m'a toujours bouleversé. Foucault la formule en 1983, il mourra l'année suivante.

Question de l'intervieweur : « Et qu'est-ce qui viendra par la suite ? Y aura-t-il d'autres livres sur les chrétiens lorsque vous finirez ces trois livres ? »

Réponse : « Oh ! Je vais d'abord m'occuper de moi. »

Mathieu Potte-Bonneville

Notes

1. *Histoire de la folie à l'âge classique*, rééd. Paris, Gallimard, coll. « Tel », 1972, p. 554.
2. *Raymond Roussel*, Paris, Gallimard, coll. « NRF – Le Chemin », 1963, p. 195.
3. « Le vrai sexe », *Dits et Écrits*, t. IV, *op. cit.*, p. 120.
4. Gilles Deleuze et Félix Guattari, *Kafka. Pour une littérature mineure*, Paris, Minuit, 1975. p. 62.
5. Gilles Deleuze, *Logique du sens*, Paris, Minuit, 1969, p. 362.
6. *L'Archéologie du savoir*, *op. cit.*, p. 28.
7. Gilles Deleuze et Félix Guattari, *Mille plateaux*, Paris, Minuit, 1980, p. 9.
8. « Le vrai sexe », *Dits et Écrits*, t. IV, *op. cit.*, p. 123.
9. « Un système fini face à une demande infinie », *Dits et Écrits*, t. IV, *op. cit.*, p. 382.
10. Gilles Deleuze, « L'immanence : une vie… », *in Deux régimes de fous*, Paris, Minuit, 2003, p. 361.
11. *Histoire de la folie à l'âge classique*, rééd., Paris, Gallimard, coll. « Tel », 1972, p. 551. On mettra cette attention à la décomposition du visage chez Goya en rapport avec cette autre remarque, relative aux rapports qui se nouent, dans la psychiatrie, entre la folie et la raison : « *c'est du rapport de l'homme au fou qu'il s'agit, et de cet étrange visage – si longtemps étranger – qui prend maintenant des vertus de miroir* » (p. 538).
12. Gilles Deleuze et Félix Guattari, *Mille plateaux*, p. 206.
13. *Histoire de la sexualité, t. II. L'Usage des plaisirs*, *op. cit.*, p. 106.
14. *Mille plateaux*, p. 207.
15. « Les têtes de la politique », *Dits et Écrits*, t. III, *op. cit.*, p. 10.
16. *Mille plateaux*, p. 222.
17. *ibid.*, p. 218.
18. *ibid.*, p. 219.
19. « Les têtes de la politique », *Dits et Écrits*, t. III, *op. cit.*, pp. 12-13.
20. *Mille plateaux*, p. 231.
21. *ibid.*, p. 230.

22. *ibid.*, p. 345.

23. *Histoire de la sexualité*, t. II. *L'Usage des plaisirs*, *op. cit.*, p. 14.

24. Titre d'une chanson du groupe Radiohead.

25. Gilles Deleuze, *Nietzsche*, Presses Universitaires de France, coll. « Philosophes », 1965. p. 11.

26. « Nietzsche, la généalogie, l'histoire », *Dits et Écrits*, t. II, *op. cit.*, p. 153.

27. Gilles Deleuze et Félix Guattari, *Mille Plateaux*, p. 205.

28. *ibid.*, p. 222.

29. *Histoire de la sexualité*, t. I. *La Volonté de savoir*, Paris, Gallimard, coll. « Bibliothèque des histoires », 1976. p. 211.

30. Gilles Deleuze et Félix Guattari, *Mille plateaux*, p. 351.

31. *ibid.*, p. 342.

32. *L'Archéologie du savoir*, *op. cit.*, p. 143.

33. « Nietzsche, Freud, Marx », *Dits et Écrits*, t. I, *op. cit.*, p. 568.

34. *Raymond Roussel*, *op. cit.*, p. 10.

35. Gilles Deleuze et Félix Guattari, *Mille plateaux*, p. 354.

36. Gilles Deleuze, *Foucault*, Paris, Minuit, coll. « Critique », 1986, p.101.

37. *Raymond Roussel*, *op. cit.*, p. 195.

38. « Les techniques de soi », *Dits et Écrits*, t. IV, *op. cit.*,, p. 788.

39. Gilles Deleuze et Félix Guattari, *Mille plateaux*, p. 345.

40. *ibid.*, p. 231.

41. « La pensée du dehors », *Dits et Écrits*, t. I, *op. cit.*, p. 523.

42. « Vérité, pouvoir et soi », *Dits et Écrits*, t. IV, *op. cit.*, p. 777.

43. *L'Archéologie du savoir*, *op. cit.*, p. 371.

Rire

Histoire des archives : où l'on examinera comment se jouer de la notion d'auteur et en faire une arme.

C'est une photographie conservée au sein des archives du cinéaste René Allio, un cliché pris lors du tournage du film *Moi, Pierre Rivière...* au cours de l'été 1975 ; on y voit, derrière un prétoire, dans un costume de juge des années 1830, Michel Foucault rire aux éclats[1].

C'est cet autre cliché, pris cette fois en 1972 dans le quartier de la Goutte d'Or, à Paris, au moment de l'affaire Djellali, ce jeune Algérien tué par son concierge ; au premier plan, Sartre, le regard sévère et, derrière, hilare, Foucault[2].

Le 3 janvier 1972, Claude Mauriac raconte dans son journal : « Il y a de l'enfance chez Michel Foucault. Avec quelle allégresse juvénile il nous dit ce soir, un peu comme s'il s'agissait d'une bonne blague : "Vous avez vu, il y a eu de nouveaux incidents à la prison de Nîmes !" Aucun homme n'est pourtant moins irresponsable, peu sont si intelligents, aucun chez nos intellectuels ne se donne à une tâche avec autant d'application, de constance, d'efficacité. Mais il y a ce reste d'enfance. Il me dit : "Nous avons recommencé à Fresnes, le 31 décembre, votre petite festivité de Noël à la Santé. Même scénario. Sinon qu'ils étaient plus nombreux, et plus près, sur une terrasse. (...) Pétards et feux de Bengale. Cris, Messages. C'était très réussi." Il est enchanté[3]. »

Il me semble pertinent d'ouvrir une réflexion sur les archives de Foucault par ce portrait du philosophe riant, parce qu'au-delà du caractère anecdotique de ces éclats de rire foucaldiens, ici jouant le juge du « parricide aux yeux roux », là derrière Sartre vieillissant, ou enfin avec des pétards à Fresnes, le rire traverse toute l'œuvre foucaldienne.

Dans un article magnifique en hommage à Michel Foucault que Michel de Certeau intitula « Le rire de Michel Foucault » (et à qui, on l'aura compris, nous empruntons le nôtre[4]), l'historien fait du rire la signature du philosophe Foucault – signature marquée du sceau de l'ironie de l'histoire. De Certeau place à l'origine de tout le travail de Foucault ces formes jubilatoires subites, quasi extatiques. Le rire comme genèse de l'œuvre. De Certeau écrit ainsi de Foucault : « Il visitait les livres comme il circulait dans Paris en vélo, dans San Francisco ou dans Tokyo, avec une attention exacte et vigilante à saisir, au détour d'une page ou d'une rue, l'éclat d'une étrangeté tapie là, inaperçue. Toutes ces marques d'altérité, « accrocs minuscules » ou aveux énormes, lui étaient les citations d'un impensé (...). Lui, à les découvrir, il se roulait de rire. »

L'éclat de rire comme moment instaurateur de l'activité philosophique. Ainsi, à la première page de la préface des *Mots et les Choses*, Foucault écrit : « ce livre a son lieu de naissance dans un texte de Borges. Dans le *rire*[5] qui secoue à sa lecture toutes les familiarités de la pensée – de la nôtre : de celle qui a notre âge et notre géographie –, ébranlant toutes les surfaces ordonnées et tous les plans qui assagissent pour nous le foisonnement des êtres, faisant vaciller et inquiétant pour longtemps notre pratique millénaire du Même et de l'Autre[6]. »

De même, le chef-d'œuvre de Foucault selon Deleuze, « La Vie des hommes infâmes », s'ouvre-t-il par ces mots : « Ce n'est point un livre d'histoire. Le choix qu'on trouvera n'a pas eu de règle plus importante que mon goût, mon plaisir, mon émotion, *le rire*, la surprise, un certain effroi ou quelque autre sentiment, dont j'aurais du mal peut-être à justifier l'intensité maintenant qu'est passé le premier moment de la découverte[7]. »

Il est inutile de multiplier ici les exemples ; ils sont nombreux ces rires mêlés d'effroi et de stupéfaction qui agitent Foucault à la lecture de tel texte ou de telle archive. Arlette Farge a parfaitement analysé cette vibration physique initiale et déterminante chez le philosophe[8]. Mais ce rire ne reste pas au seuil de l'œuvre, explique Michel de Certeau, il l'habite. Dans la perspective qui est ici la mienne, celle des archives, qu'en est-il exactement ? l'archive échappe-t-elle à ce rire. Rien n'est moins sûr.

Foucault, on le sait, n'a cessé de refuser cette identité de l'auteur : « Je ne suis pas là où vous me guettez, mais ici d'où je vous regarde en riant[9] » ou « je ne conçois pas du tout ce que je fais comme une œuvre, et je suis choqué qu'on puisse s'appeler écrivain. Je suis un marchand d'instruments, un faiseur de recettes, un indicateur d'objectifs, un cartographe, un releveur de plans, un armurier[10]... » Songeons encore à cet entretien anonyme donné au journal *Le Monde* en 1980, où Foucault proposait dans un grand éclat de rire que les auteurs se livre au jeu de « l'année sans nom ».

Réfléchir à l'archive de ce rire. Qu'est-ce que sont les archives d'un philosophe-armurier-cartographe ? Qu'est-ce que l'archive d'une œuvre destinée à servir de boîte à outils[11] ? En somme, interroger l'archive d'une pensée produite pour servir des usages non définis par celui qui en est l'auteur ; l'archive d'une parole à user, à déformer, à faire grincer, crier pour appliquer à Foucault lui-même ce qu'il dit de Nietzsche[12].

Résistances de Foucault à l'archive

Si Michel Foucault, lecteur, fut un formidable dénicheur d'archives – n'est-il pas question dès le début de la préface de *Folie et déraison* du manuscrit du dénommé Thorin, « ce laquais presque analphabète, et dément furieux qui a transcrit, à la fin du XVIIe siècle, ses visions en fuite et les aboiements de son épouvante[13] » ?

Si Foucault, historien des discours, fut très attentif à l'émergence historique des notions d'auteur et d'œuvre et avec elles de celle d'archives de l'œuvre – dès 1964, dans le compte rendu qu'il fait du *Mallarmé* de Jean-Pierre Richard, Foucault montre comment le XIXe siècle inventa la conservation documentaire absolue : ce siècle « a créé avec les "archives" et les "bibliothèques" un fonds de langage stagnant », une masse de langage immobile composé par un entassement de brouillons, de fragments et de griffonnages qui n'est une addition ni à l'Opus, ni à la biographie de l'auteur mais « un troisième objet, irréductible[14] ».

S'il fut donc à la fois un extraordinaire quêteur d'archives et l'un de ses premiers historiens, en revanche, Michel Foucault, auteur, resta silencieux sur le statut de ses propres archives. Plus que silencieux, nous devrions dire muet. Comment interpréter ce mutisme ?

Il s'en moquait, nous dit-on. Désintérêt, certes, mais quoi ? Tant de livres écrits, tant de pages noircies et une simple indifférence vers ce qui en portait la trace ! Non, il y a une inquiétude chez Foucault que ne dément pas – bien au contraire, elle le confirme – le célèbre et si souvent discuté « pas de publications posthumes », inscrit avec deux autres recommandations dans son testament rédigé en septembre 1982, avant son départ pour la Pologne[15].

Inquiétude, disais-je, qui transparaît largement dans les articles ou préfaces qu'il consacra à Nietzsche. Méfiance, devrais-je dire ; oui, Foucault se méfiait, non des archivistes, mais des useurs d'archives. Il confiait ainsi à la fin des années 1960 : « Une œuvre, bien sûr, c'est ce qu'un auteur a publié. Sans doute. Mais il y a également toutes les œuvres qu'il aurait voulu publier et que les circonstances – sa mort peut-être – ont empêché de rendre publiques et qu'on va trouver, qu'on va publier après lui et qui constitueront son œuvre posthume. Puis, derrière ces œuvres esquissées, dans certains cas presque à moitié achevées, il y a aussi tous les brouillons, toutes les esquisses, toutes les ratures. On a pris l'habitude – habitude récente d'ailleurs – de considérer cela aussi comme une œuvre. Quand on publie les œuvres complète de Nietzsche, par exemple, on tient compte de toutes ses ratures. Mais très vite on rencontre également la couche infime des variations, des minuscules corrections qui ont pu être faites et qu'on va être obligé de négliger. On dit alors : "Bah, ce n'est pas une variante de l'œuvre, ça s'intègre à ce qui a été publié, ce n'est, ce ne sont qu'infimes variations". »

Désintérêt, inquiétude, méfiance, c'est probable ; mais sans doute y a-t-il chez Foucault une résistance volontaire à l'archive. Cette résistance, c'est ce refus de tenir un discours d'« auteur » sur ses propres ratures, sur ses propres griffonnages.

Cette résistance, il faut la lire aussi dans l'illisibilité de la graphie de Foucault. Sans doute n'est-il pas inutile de rappeler ici ses propos sur son incapacité à écrire lisiblement et que les archives qui sont conservées de lui – nous verrons dans quelles conditions elles le furent – gardent la trace de cette illisibilité. « Un de mes plus constants souvenirs – certainement pas le plus ancien, mais le plus obstiné – est celui des difficultés que j'ai eu à bien écrire. (...) En sixième, on me faisait faire des pages spéciales d'écriture tellement j'avais des difficultés à tenir comme il faut mon porte-plume et à tracer comme il fallait les signes de l'écriture. »

On m'objectera que cette résistance à l'archive par le mutisme délibéré, par l'illisibilité est bien légère, mais comment interpréter autrement le geste de destruction de cette archive ? Car à l'archive muette, à l'archive illisible, il faut ajouter l'archive détruite.

Foucault n'entretenait aucun rapport fétichiste avec ses manuscrits ; on sait aujourd'hui que lorsque, à la fin des années 1950, il rédigeait ce qui deviendra *Folie et déraison*, il envoyait de Suède par la poste ses manuscrits à Poitiers pour qu'ils soient dactylographiés. Mais, surtout, l'examen de la question « Comment Foucault a écrit certains de ses livres ? » confirme et consolide cette hypothèse. Rappelons ici la chronologie de la rédaction de deux de ses livres.

S'agissant de *L'Histoire de la folie à l'âge classique*, son origine remonte à 1956. Cette année-là, Colette Duhamel commande à Michel Foucault pour les éditions La Table Ronde une courte histoire de la psychiatrie. Foucault travaille alors dans cette perspective à la bibliothèque d'Uppsala. Il rédige en Suède un premier manuscrit d'une histoire de la psychiatrie qu'il donne à Jean Hyppolite en décembre 1957 ; en 1958, il réécrit en Pologne ce qui est devenu *Folie et déraison* et à Noël il remet à Canguilhem cette nouvelle version. En 1959, à Varsovie, il reprend à nouveau son manuscrit, et en février 1960 il en rédige la préface. C'est en avril de la même année que Philippe Ariès accepte de publier, chez Plon, *Folie et déraison*, qui sortira un an plus tard, en mai 1961[16].

Quant à la rédaction des *Mots et les Choses*, Foucault la commence en octobre 1963 ; en décembre, il arrête le plan, puis tout le premier semestre de l'année suivante il travaille à la Bibliothèque nationale. À partir du mois d'octobre de la même année, il réécrit le manuscrit et achève à Noël une première version du livre. De janvier à avril 1965, il reprend son manuscrit et le réécrit selon un tout autre plan. C'est ce manuscrit qu'il dépose en mai aux éditions Gallimard et qui paraîtra en avril 1966.

Si la rédaction s'étend parfois sur plusieurs années, c'est qu'en vérité, pour écrire un livre, Foucault en rédigeait au moins une autre version totalement différente. Trois phases de rédaction rythmaient en effet cette production :

- Une première rédaction : réalisée en quelques semaines ou quelques mois, généralement d'un seul jet ou d'un seul tenant.

- Une deuxième rédaction : elle vient après un travail d'érudition qui peut durer plusieurs années. Elle vient étayer, ou détruire le plus souvent, le premier jet. Au terme de cette étape, pour laquelle Foucault accumulait des milliers de notes (j'y reviendrai), le manuscrit est donné à dactylographier.

- Enfin, une troisième rédaction : elle a pour support la dactylographie. À son issue, elle sera remise à l'éditeur pour une nouvelle dactylographie[17].

Or, Foucault détruisait l'ensemble de ce dossier génétique, à l'exception de ses notes de lectures qui pouvaient lui resservir pour d'autres travaux. Il ne donnait pas ses manuscrits, ne les conservait pas, il les détruisait (c'est ainsi par exemple qu'il détruisit, après *La Volonté de savoir*, un manuscrit inédit intitulé *La Chair et le Corps*).

Mais alors pourquoi les manuscrits des deux derniers volumes publiés de *L'Histoire de la sexualité* ont-ils été conservés ? S'agit-il de faux ? Foucault aurait-il joué un drôle de tour aux archivistes ? Non, ce sont bien des originaux ; malheureusement, devrais-je dire. Ils constituent la phase deux, respectivement de *L'Usage des plaisirs* et du *Souci de soi*, et forment un ensemble de plus de deux mille pages manuscrites (recto uniquement). La raison de l'existence de ces manuscrits est à chercher ailleurs, dans la mort brutale de Michel Foucault, et dans l'impossibilité dans laquelle il fut au début de juin 1984 de les détruire, tout comme d'ailleurs celui de *L'Archéologie du savoir* dont il avait oublié qu'il l'avait prêté à un ami[18].

Les manuscrits de Foucault conservés sont des archives, si l'on peut dire, « involontaires ». Nous disons involontaires au seul sens qu'elles ont survécu à leur auteur uniquement « à cause » de l'incapacité dans laquelle il se trouvait de les détruire, comme il l'avait fait jusqu'alors pour ses autres productions.

Archive muette, archive illisible, archive détruite ; résistance de Foucault à l'inédit, aux ratures, à la recherche de la genèse. Si l'œuvre – avec toute les réserves

que l'emploi de ce terme suppose concernant Foucault –
a une archive, cette archive chez lui est précisément
dans l'œuvre.

L'archive dans l'œuvre

Pourquoi affirmer que chez Foucault l'archive est
dans l'œuvre ? qu'en somme, l'archive *c'est* l'œuvre ?
Nullement par provocation. Mais il faut néanmoins une
fois pour toutes cesser de véhiculer la rumeur d'un
fonds inédit foucaldien, des inédits qui gommeraient
soudain les aspérités, les difficultés de la pensée de Foucault, des inédits qui soudain diraient le vrai de Michel
Foucault, comme c'est le cas pour Louis Althusser. Ce
serait d'ailleurs, selon nous, un profond contresens de
ce que Foucault chercha à produire. Il y a chez lui un
refus de donner à voir la couture des textes, mais un
véritable désir de donner à lire le geste, le mouvement
qui les produit, celui qui anime son travail. Foucault
écrit ainsi qu'« il n'y aurait peut-être pas de sens à se
donner le mal de faire des livres s'ils ne devaient apprendre à celui qui les écrit ce qu'il ne sait pas, s'ils ne
devaient le conduire là où il ne l'a pas prévu, et s'ils ne
devaient lui permettre d'établir à lui-même un étrange et
nouveau rapport. La peine et le plaisir du livre est d'être
une expérience[19]. »
Ce qu'il chercha à produire – et c'est probablement
en cela que sa production n'est pas une œuvre –, c'est
un travail de recherche, au sens d'une activité toujours
dynamique constituée de la série d'expériences singulières que sont chacun de ses livres. Aussi Foucault a-t-il

toujours publié ce qu'il avait produit. Dans *L'Usage des plaisirs*, il écrit ainsi, suite à la réorientation prise par son histoire de la sexualité, ceci : « Quant à ceux pour qui se donner du mal, commencer et recommencer, essayer, se tromper, tout reprendre de fond en comble, et trouver encore moyen d'hésiter de pas en pas, quant à ceux pour qui, en somme travailler en se tenant dans la réserve et l'inquiétude vaut démission, eh bien, nous ne sommes pas, c'est manifeste, de la même planète[20]. »

Ainsi, avant tout, l'archive foucaldienne se caractérise par sa publication. Foucault, on le sait, publia de son vivant quinze livres. Pour mémoire, trois d'entre eux feront l'objet par leur auteur de modifications lors de leur republication : *Maladie mentale et personnalité* (1954) devint en 1962 *Maladie mentale et psychologie* (Foucault en réécrit entièrement la seconde partie, initialement appelée « Les conditions de la maladie » et qui devint « Folie et culture ») ; c'est aussi le cas pour *Naissance de la clinique* (1963) qu'il modifia en 1972 en supprimant toute une terminologie à connotation structuraliste ; c'est enfin le cas de *Folie et déraison. Une histoire de la folie à l'âge classique* qui, dans sa première édition en 1961 chez Plon, comportait une longue préface qui disparut, ainsi que le titre initial, lors de la republication chez Gallimard en 1972, mais à laquelle Foucault ajouta deux appendices « Mon corps, ce papier, ce feu » et « La folie absence d'œuvre » ; appendices qui disparaîtront à leur tour lors de la publication dans la collection « Tel » en 1976. On rappellera enfin que Foucault rompit avec les éditions Plon lorsque, publié en poche dans la collection « le monde » en 10/18, son *Histoire de la folie à l'âge classique* fut abrégée sans son accord et que Plon ne souhaita pas rééditer le livre dans sa version intégrale.

Si l'on examine à présent quelques instants l'ensemble de ce que Foucault publia (plus de trois cents articles, entretiens et autres préfaces), on s'aperçoit que les livres et les articles sont semblables à ces friandises que nous dévorons à la période des fêtes : les papillotes[21] ; la papillote, et non la paperole, avec son papier d'emballage frangé à chacune de ses extrémités et son pétard à craquer en mangeant le chocolat. Les extrémités frangées, ce sont les articles qui, en deçà et au delà du livre, l'esquissent, l'annoncent et le prolongent. Le pétard, c'est l'effet de lecture que le livre suscite, le feu de Bengale que nous évoquions en commençant.

En 1980, dans le long entretien qu'il consacre à Trombadori, Foucault définit en ces termes la fonction des articles : « Je propose aussi des réflexions méthodiques dans des articles et des entretiens. Ce sont plutôt des réflexions sur un livre terminé, susceptibles de m'aider à définir un autre travail possible. Ce sont des espèces d'échafaudages qui servent de relais entre un travail qui est en train de s'achever et un autre[22]. »

De fait, bon nombre des articles de Foucault forment en effet l'archive-échafaudage des livres ; on y voit non seulement le repérage de ce qui sera l'objet d'un livre mais aussi sa continuation, sa dérivation, sa rotation. Ni redondance, ni répétition, l'article ou l'entretien, parfois le cours, poursuivent le livre.

Si l'archive est dans l'œuvre, cela ne signifie pas forcément qu'elle dispose du même statut que les livres ; il faut ici ouvrir une parenthèse pour insister sur l'attention de Foucault à l'objet livre et au livre en français – il ne fut par exemple jamais attentif aux traductions de son œuvre et surtout à leur qualité à l'étranger. Et c'est bien là que les choses se compliquent ; Foucault ne publie pas – au sens ici de « rendre public » – de la même manière ses livres et le reste de sa production. Si les livres font l'objet de modifications et paraissent tous en France (et à une ou deux exceptions près chez Gallimard), il en va tout autrement de ce que nous qualifierons d'écrits brefs (pour faire vite justement).

Foucault aima à se défaire de son travail d'abord par une dispersion systématique de l'archive qu'il constituait. Est-il nécessaire de rappeler l'extrême fragmentation qu'il faisait de ses travaux, fragmentation géographique et multiplication des supports ? Foucault sema en effet à travers le monde les éléments de cette archive. On pourrait le dire de ses travaux sur la littérature, de ceux sur la médecine – au Brésil, ses travaux sur la médecine sociale ; en France, au sein d'un volume collectif sur l'architecture de l'hôpital moderne, son analyse des politiques de Santé, ou son analyse de l'évolution récente de la médecine lors d'une émission radiophonique, ou encore dans un texte de soutien au Groupe Information Santé. Quel plus bel exemple que son travail autour de la prison pour illustrer ce souci de Foucault de disperser l'archive sur des supports totalement différents. Du texte-manifeste dans la presse à la brochure quasiment auto-éditée, en passant par l'ouvrage collectif publié au Seuil, jusqu'à cet entretien qu'il donna lors de son séjour au Québec à Radio-Canada. Foucault, et ce n'est pas le fruit du hasard, prit un immense plaisir à disséminer. Il dissémina tellement que les éditeurs des *Dits et Écrits*, Daniel Defert et François Ewald, mirent des années à retrouver l'ensemble de ses interventions publiées. Et sans nullement dévaluer le remarquable travail que les deux éditeurs ont mené pour cette entreprise[23], il faut bien admettre qu'il est probable qu'une partie, infime au regard du reste, leur ait échappé.

Il y a des archives oubliées de Michel Foucault. Par exemple, les deux conférences données en avril-mai 1975 à Berkeley (« Discours et répression » et « La sexualité infantile avant Freud ») ou le long entretien autobiographique de mai 1981 à Louvain.

De même, Foucault n'était absolument pas naïf sur les nombreux enregistrements pirates dont firent l'objet ses enseignements, et principalement celui qu'il dispensa à partir de 1971 au Collège de France[24]. Foucault, je crois, aimait cette archive pirate et l'idée que son enseignement, ses analyses pouvaient sortir de l'amphithéâtre du Collège, descendre la rue Saint-Jacques, et bien souvent quitter la France – beaucoup de ses auditeurs étaient des étudiants ou chercheurs étrangers. Sans doute n'est-il pas totalement inexact de dire que sa pensée s'est propagée sur des bandes magnétiques à l'image de ce que Foucault avait constaté lors de son séjour en Iran pour la pensée révolutionnaire[25] : « Il paraît que de Gaulle a pu résister au putsch d'Alger grâce aux transistors. Si le shah devait sombrer, ce sera pour une part grâce aux cassettes. C'est l'instrument par excellence de la contre-information. (...) On peut trouver à la porte de la plupart des mosquées de province pour quelques milliers de lires les cassettes des orateurs les plus réputés. Il arrive qu'on rencontre dans les rues, même les plus fréquentées, des enfants qui marchent un magnétophone à la main. Et ils font hurler si fort ces voix qui viennent de Qom, de Mesched et d'Ispahan qu'elles couvrent le bruit des voitures, et que les passants n'ont pas besoin de s'arrêter pour entendre[26]. »

Il existe ainsi quantité d'archives sonores des interventions publiques de Foucault ; or, cette *audiographie* de Michel Foucault, on l'a dit précédemment, reste à faire. L'enregistrement sur bande magnétique, pratique relativement récente, a produit un nouveau type d'archives et avec lui une série de problèmes : contextualisation, statut de cette archive par rapport aux textes... Ce fonds d'archives sonores, plus de 20 ans après la disparition de Michel Foucault, n'est pas clos. Très régulièrement de nouvelles pièces nous parviennent, un jour de Toronto, un autre du Brésil ou de Tunisie.

Publier l'archive, disperser l'archive, faire circuler l'archive, laisser imaginer l'archive

Il y a en effet des archives imaginaires chez Foucault. Tout au long de ses travaux, qu'il s'agisse des livres ou du reste du corpus, Foucault évoqua des livres ou des travaux qu'il songeait à mener. Ainsi, juste après *Les Mots et les Choses*, un livre inspiré par la lecture de Braudel sur l'historiographie qui serait l'occasion d'une autre archéologie, puis en janvier 1975, une suite à l'*Histoire de la folie* qui portait sur l'expertise médico-légale en matière psychiatrique, ou encore son anthologie des archives de l'enfermement de l'hôpital général à la Bastille, ou ce livre intitulé *Le Gouvernement de soi* ; et tous les autres : une articulation de l'éthique et du politique autour d'Alcibiade et d'Épictète, *Le Pouvoir de la Vérité* (que Foucault annonce dans *La Volonté de savoir*). Des archives imaginaires donc, mais également des archives mystérieuses, comme l'essai sur Manet, *Le Noir et la Couleur* (1967), ou le texte sur Warhol (1970).

Si Foucault a pris un soin certain, dont le rire n'est pas absent, à faire en sorte que jamais sa production ne devienne du langage stagnant, il a également toujours souhaité que ses livres soient des objets-événements, que ces objets « disparaissent, comme il l'écrit dans la seconde préface à l'*Histoire de la folie*, disparaissent finalement sans que celui à qui il est arrivé de le produire puisse jamais revendiquer le droit d'en être le maître ». Et l'archive foucaldienne n'échappe pas à ce souci. Cette archive est ainsi pour partie une archive de l'Autre.

L'archive foucaldienne / l'archive de l'autre

On l'a dit, si Foucault ne conservait pas ses manuscrits, il gardait en revanche l'ensemble des milliers de notes prises lors de ses séances quotidiennes en bibliothèque. Archives immenses ; fragments de la bibliothèque imaginaire du philosophe Foucault qui passait, on le sait, toutes ses semaines à la Bibliothèque nationale et qui, lorsqu'il était à l'étranger, en particulier en Amérique du Nord, fréquentait assidûment les bibliothèques locales (nous pensons ici notamment à la New York Public Library). À la fin de sa vie, ne supportant plus l'attente à la Bibliothèque nationale, il décida d'établir ses quartiers chez son ami Michel Albaric à la bibliothèque du Saulchoir. C'est d'ailleurs là que les archives Foucault furent constituées à partir de 1986, avant d'être transférées en 1998 à l'IMEC[27].

Pour chacun des énoncés que Foucault jugeait utiles à ses recherches, il copiait mot à mot une citation ; travail de scribe. En haut à gauche, il en indiquait la référence, et en haut au centre le thème général. Il existe ainsi des milliers de feuilles volantes annotées par lui.

Mais Foucault recomposait avec elles des ensembles thématiques dans des chemises cartonnées sur lesquelles il indiquait un thème plus large encore[28]. Une fois son travail terminé, il conservait ces ensembles, auxquels il lui arrivait d'ajouter d'autres éléments, fruits de nouvelles séances en bibliothèque. On dispose ainsi d'une archive documentaire constituée sur plus de 30 ans, une sorte de manuscrit unique, somme des lectures d'une vie. Il y aurait sans doute un beau travail à mener sur Foucault lecteur. Il arrive aussi qu'au sein de cet ensemble des dossiers soient tellement construits que s'en dégagent en somme l'esquisse, le plan d'un livre à venir. Je pense ici notamment au dossier sur l'expertise psychiatrique.

L'archive foucaldienne est archive de l'autre, au sens aussi où, et cela est devenu flagrant avec le transfert du fonds à l'IMEC, elle est bien souvent hétérographe. En venant retrouver les archives de ses contemporains, les archives Foucault se sont métamorphosées et multipliées. Quelques exemples de ces croisements d'archives, de ces correspondances : Foucault/Allio autour de la figure de Pierre Rivière, Foucault/Genet, Foucault/Barthes, Foucault/Guattari, Foucault/Althusser, Foucault/Barbedette ; mais il n'y a probablement rien d'étonnant à cela. Ce qui en revanche nous semble important, c'est que ces croisements préfigurent une autre caractéristique des archives foucaldiennes, celle de leur aspect très souvent collectif. Sans être anonyme, bien souvent l'archive est collective au sens où, comme plus largement la production foucaldienne, elle participe d'une critique de la notion d'auteur – critique que Foucault, nous semble-t-il, mènera à son terme en publiant avec Arlette Farge, en 1982, *Le Désordre des familles,* une anthologie d'archives, sans qu'aucune identification permette de distinguer qui, de lui ou d'elle, écrit.

L'exemple le plus frappant de cette désindividualisation de l'archive est le cas du Groupe d'informations sur les prisons (GIP). On le sait, Foucault fut l'un des membres les plus actifs du Groupe entre février 1971 et décembre 1972. Avec Jean-Marie Domenach, Gilles Deleuze, Jean Genet mais aussi Claude Mauriac[29], Danièle Rancière et Daniel Defert, il rédigea une série de textes qui tantôt sont signés, tantôt sont anonymes. Jamais leader, jamais auteur du GIP, comme trop souvent il a été écrit et dit, Foucault a adopté ici une position non de retrait mais de neutralisation de tout ce que sa figure d'auteur pouvait véhiculer. Les archives sont à l'image de cette posture singulière. Ce sont véritablement des archives écrites à plusieurs mains. À l'image de ce que fut le GIP, elles sont constituées d'un ensemble de documents quasi anonymes, où l'on rencontre là l'écriture de Foucault, ici celle de Defert, ailleurs celle de Danièle Rancière, un peu plus loin celle de Serge Livrozet ou d'Ariane Mnouchkine. Cette archive est moins une somme d'archives individuelles qu'une archive commune, où les identités de ceux qui l'on produite sont effacées. Archive commune d'une lutte.

Mais les archives du GIP, de par la fonction que ce groupe s'était donnée – ne pas parler à la place des prisonniers mais être de simples mais efficaces passeurs de paroles ; des transmetteurs d'information produite par les détenus ; antennes et non émetteurs –, ces archives sont tout à fait singulières. Elles sont principalement composées des propres archives que le GIP avait constituées au début des années 1970. Autrement dit, en souhaitant parler de la prison non plus seulement à travers mais avec les propres mots des prisonniers, le GIP collecta et reçut spontanément une quantité importante de témoignages (lettres, récits autobiographiques, journaux). L'archive foucaldienne n'est ici plus seulement collective, elle prend une autre dimension : c'est l'archive de l'autre. L'auteur, non plus comme producteur d'archives, mais comme récepteur d'archives.

Il est en effet remarquable que Foucault, à partir des années 1970, adopte une position de retrait par rapport à d'autres figures contemporaines. Songeons ainsi à l'évolution de sa présence dans des livres comme *Moi, Pierre Rivière*, *Herculine Barbin*, « La Vie des hommes infâmes » et enfin *Le Désordre des familles*. L'auteur Foucault y disparaît progressivement, l'archive de l'autre devient première. Tout se passe comme si il y avait là un recouvrement de l'œuvre par l'archive de l'autre, l'archive du « marmonnement du monde » devrions-nous dire. Car ce n'est nullement un hasard que ce recouvrement de l'auteur se fasse par les archives de l'homme infâme, du silencieux. C'est en fait l'archive d'un cri, celui des détenus des années 1970, celui des Polonais, archives de notre présent.

Philippe Artières

Notes

1. Les archives René Allio sont déposées à l'IMEC ; elles comprennent, outre un important fonds photographique, les carnets de travail du cinéaste ; les pages consacrées à l'adaptation du Mémoire de Rivière (MPR) ont été exposées à l'abbaye d'Ardenne en avril 1999 lors de l'exposition « Michel Foucault/René Allio : regards croisés sur Pierre Rivière » (CMF/IMEC).

2. L'affaire Djellali intervient au moment du GIP (novembre 1971) ; un comité Djellali réunira notamment Sartre, Genet, Mauriac, Glucksmann. Cette photo a été publiée dans l'hommage consacré à Michel Foucault par la CFDT.

3. Le soir de Noël et de la Saint-Sylvestre 1972, entre les révoltes de Toul en décembre et de Nancy en janvier, le GIP manifeste bruyamment devant les prisons de la Santé et de Fleury-Mérogis pour protester contre les conditions de détention (*Le Monde*, 2 janvier 1972).

4. Cet hommage a été publié par Luce Giard *in Histoire et psychanalyse entre science et fiction*, Paris, Gallimard, 1987, p. 51.

5. C'est moi qui souligne.

6. *Les Mots et les Choses, op. cit.*, p. 7.

7. Cf. *Les Cahiers du chemin*, n° 29, 15 janvier 1977 (repris *in Dits et Écrits*, texte n° 198).

8. Voir notamment l'article d'Arlette Farge : « Michel Foucault et les archives de l'exclusion », contribution au volume dirigé par Élisabeth Roudinesco intitulé *Penser la folie. Essais sur Michel Foucault*, Galilée, 1992, p. 65.

9. *L'Archéologie du savoir, op. cit.*

10. Extrait de l'entretien avec Jean-Louis Ézine, « Sur la sellette », *Les Nouvelles littéraires*, mars 1975, in *Dits et Écrits*, n° 152.

11. *Le Monde*, février 1975, Roger-Pol Droit, Cf. *Dits et Écrits*, n° 151.

12. « Entretien sur la prison : le livre et sa méthode », avec J.-J. Brochier, 1975, cf. *Dits et Écrits*, n° 156.

13. *Dits et Écrits*, t. I, *op. cit.*, p. 162.

14. *Dits et Écrits*, t. I, *op. cit.*, p. 429.

15. À l'automne 1982, Michel Foucault, Yves Montand, Simone Signoret et Bernard Kouchner se rendent en Pologne pour soutenir le syndicat Solidarité.

16. Pour la chronologie de la rédaction des livres de Michel Foucault, voir la chronologie de Daniel Defert, *Dits et Écrits*, t. I, *op. cit.*

17. D'après une note de Daniel Defert déposée au sein du fonds Foucault (IMEC) ; que Daniel Defert soit ici remercié pour la générosité, la disponibilité, les conseils qu'il me donna sur les archives de Michel Foucault.

18. Ces trois manuscrits sont consultables au département des manuscrits de la Bibliothèque nationale à Paris.

19. *Dits et Écrits*, t. IV, *op. cit.*, n° 340.

20. *Histoire de la sexualité, t. II. L'Usage des plaisirs, op. cit.*, p. 13.

21. Cette heureuse formule est de Daniel Defert et illustre très justement le propos – entretien avec Daniel Defert, automne 1999.

22. *Dits et Écrits*, t. IV, *op. cit.*, p. 42.

23. Il faut associer le silencieux mais très efficace Jacques Lagrange aux deux édditeurs de ces quatre volumes, quatre volumes de textes publiés dans un classement chronologique tout à fait éclairant et lumineux dans la perspective qui est la nôtre aujourd'hui.

24. L'ensemble de ses archives sonores étant aujourd'hui conservé à l'IMEC.

25. Lors des fameux articles-enquêtes de la fin des années 1970, publiés dans la presse italienne.

26. *Dits et Écrits*, t. III, *op. cit.*, pp. 709-713.

27. Pendant dix années, la bibliothèque du Saulchoir accueillit les chercheurs ; qu'il nous soit ici permis de remercier l'ensemble de son équipe en soulignant que si aujourd'hui bien des institutions seraient tout à fait favorables à l'accueil de ce fonds, en 1986 leurs portes lui demeurèrent solidement fermées.

28. Nous avions exposé un certain nombre de ces dossiers, grâce à la générosité de Daniel Defert, à l'abbaye d'Ardenne en avril 1999 lors du colloque « Foucault et la médecine ». Sur ces dossiers, voir aussi les

contextualisations des cours au Collège de France, et notamment celle de Valerio Marchetti (Cf. Michel Foucault, *Les Anormaux*, cours au Collège de France 1974-1975, Paris, Gallimard-Seuil, coll. « Hautes études », 1999).

29. *Le Temps immobile* est l'un des rares livres qui tiennent la chronique de cette action.

Luttes

*« Si vous voulez lutter, voici quelques
points clés, voici quelques lignes de
force, voici quelques verrous et
quelques blocages. »*

Actualité

Histoire de l'Europe : où l'on montrera que la défense d'un homme est l'affaire de tous les gouvernés.

L'affaire Croissant, du nom d'un avocat allemand, Klaus Croissant, né en mai 1931 et mort en mars 2002, éclate au début du mois de novembre 1977. Croissant est alors l'un des avocats des membres de la Fraction Armée Rouge, la RAF, dont le procès s'est achevé en avril 1977, deux années après son ouverture, condamnant à la prison à vie Andreas Baader et ses deux camarades (Jan-Carl Raspe et Gudrun Ensslin[1]). À la suite d'une nouvelle arrestation de l'un de ses confrères par la justice de la République fédérale allemande pour « complicité avec une association de malfaiteurs », Croissant, qui avait été lui-même arrêté deux fois et qui est l'objet d'une surveillance continue de la police, se réfugie en France, le 11 juillet 1977, et demande l'asile politique lors d'une conférence de presse[2].

Pendant l'été 1977, interviennent plusieurs événements qui dramatisent et tendent la situation. Le 30 juillet, Jürgen Ponto, président de la Dresdner Bank est blessé mortellement par un commando composé de deux femmes et d'un homme (l'action est revendiquée par la RAF) ; le 8 août, les militants de la RAF emprisonnés à Stammheim entreprennent une grève de la faim contre leurs conditions d'enfermement. Survient le

5 septembre l'enlèvement du chef du patronat allemand, opération de la RAF dans laquelle quatre gardes du corps sont tués.

Le 30 septembre, Croissant est arrêté à Paris. Les jours qui suivent sont plus dramatiques encore puisque le 13 octobre un avion Boeing de la Lufthansa est détourné par un commando palestinien réclamant la libération des membres de la RAF emprisonnés. La prise d'otages prend fin avec l'assaut des forces spéciales allemandes qui tuent les membres du commando « Martyr Halimeh ». Le lendemain matin, on retrouve morts dans leurs cellules les quatre principaux militants de la RAF emprisonnés à Stammheim, dont Andreas Baader, qui étaient soumis à un isolement total. Présentés officiellement comme des suicides, ces décès pourraient être des assassinats, du moins est-ce la thèse défendue par leur avocat.

Le 19 octobre, le cadavre de Hans-martin Schleyer, chef du patronat allemand, est retrouvé dans le coffre d'une voiture à Mulhouse, en France.

Le 24, la justice française refuse la demande d'asile de Croissant et le 16 novembre, elle répond favorablement à la demande d'extradition de l'avocat vers la RFA.

Ces trois semaines sont le théâtre d'intenses mobilisations, tant dans les rangs de l'extrême-gauche française que chez les intellectuels. Tribunes dans les journaux, manifestations devant la prison de la Santé se succèdent, alors qu'une campagne de presse (*France-soir, L'Aurore, Le Figaro* en tête) accuse Croissant d'être un terroriste. C'est dans le contexte de cette mobilisation que Michel Foucault intervient.

Foucault publie le 14 novembre dans le *Nouvel Observateur* une longue tribune intitulée « Va-t-on extrader

Klaus Croissant ? », puis donne deux entretiens sur la question : le premier au quotidien *Le Matin* le 18 novembre, « Désormais, la sécurité est au-dessus des lois », le second dans *Tribune socialiste*, le 24 novembre. L'extradition opérée, Foucault intervient de nouveau, mais cette fois en s'adressant aux responsables de la gauche française, pour dénoncer leur silence dans cette affaire et l'absence de soutien à deux amies françaises de Klaus Croissant poursuivies pour complicité par les autorités[3].

Le jour de l'extradition, Foucault accompagne les avocats de Croissant à la prison de la Santé où ce dernier est détenu. Un mois plus tard, il se rend à Berlin-Ouest et Est et publie là-bas un texte qu'on ne peut isoler des précédents, puisqu'il y dénonce la société de sécurité dont il est alors lui-même physiquement victime[4]. De même, il faut joindre à ce corpus d'interventions la préface que rédige Foucault pour la traduction française, en 1979, de l'ouvrage de Peter Bruckner et Alfred Krovoza paru en 1972, *Ennemis d'État*[5]. Autrement dit, sur l'affaire Croissant et ses retombées, ce sont au total six prises de parole – trois tribunes, deux entretiens et une préface – qu'opère Foucault. On est donc très loin d'une intervention anecdotique ou conjoncturelle (fait rare chez Foucault) ; il s'agit bien d'une prise de parole délibérée qui ne s'adresse pas seulement au gouvernement français, mais aussi aux intellectuels et à l'opposition (le PS et le PC). Montrer en particulier qu'elle est très différente dans sa teneur de celles des autres intellectuels français, qu'elle s'inscrit en revanche dans le travail de diagnosticien que Foucault s'est assigné et enfin que l'affaire Croissant est pour lui, non l'occasion, ni le prétexte, mais bien l'actualité d'une question sur laquelle il travaille, qui est celle d'idée de l'Europe.

Les intellectuels français dans l'affaire Croissant

Les interventions de Michel Foucault au cours de l'affaire Croissant ne peuvent être analysées sans prendre en compte deux événements qui lui sont antérieurs. Le prologue de l'affaire Croissant est en effet constitué, d'une part, de l'affaire Sartre, trois ans auparavant en décembre 1974, et d'autre part de l'affaire Genet en septembre 1977.

En 1974, Jean-Paul Sartre, à l'invitation de Croissant, rend visite à Andreas Baader à la prison de Stuttgart-Stammheim. Il déclare lors d'une conférence de presse à sa sortie que « les conditions de détention réservées aux prisonniers de la RAF auraient été dignes du régime nazi » et annonce la création d'un comité international de défense des prisonniers politiques en Europe de l'Ouest. Sartre, qui a présidé le tribunal Russel contre l'intervention au Vietnam, est alors violemment pris à partie dans la presse allemande. En 1976, dans un entretien avec Michel Contat[6], Sartre revient sur cette visite : « J'ai eu beau dire, au début de ma conférence de presse, que je ne prenais pas en considération les actes reprochés à Baader, mais que je ne considérais que les conditions de sa détention, les journalistes ont jugé que je soutenais l'action politique de Baader. Je crois donc que ça a été un échec, ce qui n'empêche pas que, si c'était à refaire, je le referais. »

L'auteur de *L'Être et le Néant* constate dans une certaine mesure l'échec de la posture de l'intellectuel qu'il a forgée. Une personnalité qui, de la situation de savoir qui est la sienne, produit un discours de vérité. L'échec de cette posture de surplomb de l'«intellectuel universel» – pour reprendre la formule de Foucault qui, soulignons-le, théorise en 1977 pour la première fois la notion d'«intellectuel spécifique» qui lui est opposée –, c'est bien contre elle aussi que Foucault intervient dans l'affaire Croissant.

Un second événement constitue à mes yeux l'archéologie de l'intervention de Foucault en novembre 1977 : il s'agit de ce qu'il convient bien d'appeler «l'affaire Genet», au début du mois de septembre de la même année.

Jean Genet, sollicité au printemps 1977 pour préfacer un ouvrage collectif constitué des écrits de la Fraction Armée Rouge – qui paraîtra en décembre chez Maspero –, rédige au cours de l'été un texte, «Violence et Brutalité», et accepte, à la demande de Roland Dumas, de le publier d'abord dans un grand journal français. Refusé par *L'Humanité*, qui ne voulait pas apparaître comme un soutien du groupe allemand, il est finalement publié par *Le Monde* le 14 septembre[7]. Edmund White rappelle dans la biographie qu'il lui a consacrée, que l'écrivain se lia à Croissant à partir de 1976 (le soutien des militants de la RAF à la cause palestinienne n'était pas indifférent pour Genet à ce rapprochement). Paule Thévenin, alors très proche de Genet, et pourtant hostile à l'action de la RAF («Les Baader, estime-t-elle, ne couraient aucun risque personnel et ne faisaient pas eux-mêmes partie d'une population opprimée»), accueille Croissant chez elle au cours de l'été 1977 et y voit longuement Genet[8]. Dans son texte, Genet prenait fait et cause pour la Bande à Baader et écrivait notamment : « Nous devons à Andreas Baader, à Ulrike Meinhof (…) à la RAF en général de nous avoir fait comprendre, non seulement par des mots mais par leurs actions, hors de prison et dans les prisons, que la violence seule peut achever la brutalité des hommes. Une remarque ici : la brutalité d'une irruption volcanique, celle d'une tempête, ou plus quotidienne, celle d'un animal, n'appellent aucun jugement. La violence d'un bourgeon qui éclate – contre toute attente et contre toute difficulté – nous émeut toujours[9]. » Genet soutient aussi l'URSS, seul État selon lui à aider les pays du Tiers-Monde.

Or, la publication du texte de Genet intervient au lendemain de l'enlèvement du responsable du patronat allemand. L'accueil est glacial. En France, la majorité de la presse, *Libération* en tête, marque sa distance et ne manque pas de voir en Genet un nouvel Aragon[10]. En Allemagne, la réception du texte est plus violente encore – l'article est publié dans le *Spiegel* dès le 12 septembre – et déclenche un souffle de francophobie, et plus encore une très grande méfiance à l'égard des intellectuels français[11].

Lorsque l'affaire éclate, Foucault a en tête ces deux événements et les deux figures de l'intellectuel qu'ils incarnent. Il sait aussi qu'une partie de l'extrême-gauche, pour condamner le traitement inhumain des prisonniers de la RAF dans les établissements allemands, compare le régime de la RFA à un état fasciste (thèse qui était sous-jacente au discours de Genet). Une série de pétitions circule qui reprennent plus ou moins explicitement cette thèse. Or Foucault n'a pas pris part aux protestations contre les conditions d'emprisonnement de la RAF ; il est resté très silencieux. Il hésite à intervenir là encore et choisit d'écrire une tribune dans le *Nouvel Observateur*, comme Claude Mauriac le rapporte dans son journal le 7 novembre 1977 : « J'écris, en ce qui me concerne, un papier pour le *Nouvel Observateur*. (...) En attendant je ne puis donner mon accord à des textes où ce qui est dit est incontestable sur les raisons qu'il y a de refuser l'extradition, mais est accompagné, en un inacceptable amalgame, de considérations sur une Allemagne prétendue fasciste[12]... »

Gilles Deleuze et Félix Guattari ont publié dès le 2 novembre dans *Le Monde* un point de vue qui complexifie encore un peu plus la situation. Ils y dénoncent l'amalgame fait par la presse entre les membres de la RAF et les nazis, mais ne disent rien sur l'amalgame inverse. Ils suggèrent même un lien entre les gouvernements allemand et italien. Surtout, et Foucault y sera très sensible, ils n'ont pas un mot pour dire leur désaccord avec l'action terroriste, alors qu'en Allemagne de nouvelles actions sont menées. Et les auteurs de *L'Anti-Œdipe* de conclure leur texte par ces mots : « Trois choses nous inquiètent immédiatement : la possibilité que beaucoup d'hommes de gauche allemands, dans un système organisé de délation, voient leur vie devenir intolérable en Allemagne, et soient forcés de quitter leur pays. Inversement, la possibilité que M⁰ Croissant soit livré, renvoyé en Allemagne où il risque le pire, (...) enfin, la perspective que l'Europe entière passe sous ce type de contrôle réclamé par l'Allemagne[13]. »

On rappellera que c'est l'un des motifs de la brouille qui intervint entre Foucault et Deleuze, brouille qui dura plusieurs années, jusqu'à la veille de la mort du premier, en 1984. En effet, plus que la lecture divergente de la question de la libération sexuelle, suite à la publication de *La Volonté de savoir* en 1976, c'est un désaccord sur la question du terrorisme et de sa dénonciation publique qui interrompt leur relation[14].

La polémique sur la mort de Baader et de ses camarades constitue l'autre arrière-plan de ces interventions d'intellectuels. Jean Baudrillard publie lui aussi une tribune dans *Libération*, le 5 novembre, dans laquelle il dénonce la polémique et son côté morbide.

Foucault entre donc assez tardivement dans la mobilisation, même s'il a les yeux, comme beaucoup, braqués sur la situation allemande[15] et s'il propose une autre lecture de la demande d'extradition de Klauss Croissant ; une lecture par laquelle successivement il marque son opposition à l'action de la RAF, se distingue des points de vue de ceux qu'il qualifiera plus tard de « phobiques de l'État », et propose un autre type d'intervention de l'intellectuel : le diagnostic. Foucault axe ainsi immédiatement son intervention sur ce qu'il désigne comme la défense du « droit des gouvernés » : « Ce qui s'y trouve engagé ? Un droit qui est celui de Croissant, qui est celui des avocats, (…) un droit qui est, plus généralement, celui des « gouvernés ». Ce droit est plus précis, plus historiquement déterminé que les droits de l'homme : il est plus large que celui des administrés et des citoyens ; on n'en a guère formulé la théorie[16]. »

Précisons que l'intervention de Foucault est menée en plusieurs temps : sa tribune au *Nouvel Observateur* dans laquelle, à partir de cette notion de « droit des gouvernés », il dresse une généalogie de ce droit – depuis le XIXe siècle, en partant notamment du cas des anarchistes de la fin du siècle –, puis les deux entretiens portant sur une caractérisation du type de sociétés que l'affaire Croissant révèle – celle de sociétés basées sur le pacte de sécurité et sur le terrorisme –, et enfin un article sur l'anti-intellectualisme que l'affaire Croissant a produit, notamment dans les partis de gauche.

Michel Foucault dans l'affaire Croissant : poursuivre le travail de diagnosticien

Comment Foucault produit-il ce diagnostic ? En suivant le programme qu'il se fixe et formule dans la préface à l'ouvrage *Les Juges kakis*, cette même année 1977 : « Il s'agit ici d'aiguiser l'intolérable aux faits de pouvoirs et aux habitudes qui les assourdissent, les faire apparaître dans ce qu'ils ont de petit, de fragile, par conséquent d'accessible... Modifier l'équilibre des peurs, non par une intensification qui terrifie, par une mesure de la réalité qui, au sens strict du terme, "encourage" ».

Il faut, là aussi, mettre en relation le diagnostic produit sur l'affaire Croissant avec le travail de Foucault et ses autres interventions. Il faut d'abord indiquer que l'affaire Croissant intervient alors que Foucault s'est engagé en juin aux côtés des dissidents soviétiques ; une rencontre avec plusieurs d'entre eux a été organisée par ses soins, en juin, au théâtre Récamier. Cette intervention est l'occasion pour Foucault d'une réflexion sur la dissidence. L'autre grande intervention de Foucault sur la scène internationale se produit en septembre 1975 pour dénoncer la condamnation au garrot de onze Espagnols qui luttaient contre le régime de Franco. Avec Yves Montand, François Mauriac et Régis Debray, Foucault se rend à Madrid dont il est expulsé. Le manifeste que Montand lit à Madrid a été rédigé par Foucault et celui-ci n'est pas sans rapport avec le droit des gouvernés : « Onze hommes et femmes viennent d'être condamnés à mort. Ils l'ont été par des tribunaux d'exception et ils n'ont pas eu droit à la justice. Ni à celle qui réclame des preuves pour condamner. Ni à celle qui donne aux condamnés le pouvoir de se défendre… »

On indiquera aussi sur ce dernier point, que lors de l'enquête du GIP sur les prisons au printemps 1971, cette question de la défense et du droit à la défense des détenus était apparue dans la campagne contre le casier judiciaire mais surtout dans l'élaboration d'un questionnaire à destination des avocats. Et qu'après l'autodissolution du GIP, une association suivra cette piste : l'Association de défense du droit des prisonniers.

Si j'opère ces rappels, ce n'est pas pour esquisser une ligne qui serait formée de ces trois interventions sur la question de la défense, à laquelle on pourrait ajouter en 1976 l'affaire Stern – du nom du médecin juif objet d'un procès en URSS –, mais c'est pour souligner la méthode suivie par Foucault. Ce dernier intervient lorsqu'un individu est menacé et, à partir de cette existence menacée, il dresse la cartographie de cette menace ; à chaque fois, une cartographie historico-politique.

Dans les textes de l'affaire Croissant, on retrouve ce même souci de cartographe. La carte qu'il dessine est celle de la construction européenne sous un angle particulier qui, aujourd'hui, apparaît d'une formidable actualité : la question du droit d'asile. Mais à travers cette double question, c'est l'esquisse d'une généalogie de l'État moderne qu'il veut dessiner ; une esquisse dont le point d'arrivée est précisément la société qui se dévoile avec l'affaire Croissant : une société qui n'est pas une société fasciste, qui n'est pas de type totalitaire. Autrement dit, pour Foucault, il est d'autant plus nécessaire de tracer cette cartographie que l'affaire Croissant montre que les outils de lutte traditionnels, les instruments de résistance habituels ne sont plus adéquats – « ces vieux schémas sont caduques », écrit Foucault. Ce qu'il perçoit en définitive, c'est l'émergence d'une nouvelle forme d'État.

De l'affaire Croissant à la question de l'État moderne

Or, le plus intéressant ici est que c'est précisément cette question qui est au centre du cours qu'il entreprend à partir de janvier 1978, jusqu'en 1979, autour de la notion de gouvernementalité[17]. Au début de la première année de ce cours, Foucault insiste sur cette articulation entre ses travaux et les luttes contemporaines et sur l'impératif qui sous-tend son analyse théorique. Le philosophe indique que cet impératif pourrait consister à produire des indicateurs tactiques : « Si vous voulez lutter, voici quelques points clés, voici quelques lignes de force, voici quelques verrous[18]. » Ainsi, le rôle que Foucault s'assigne n'est pas d'énoncer telle ou telle vérité, mais de peindre un tableau à partir duquel des luttes peuvent se développer. Or, ce tableau n'est pas un instantané du présent, il donne à voir une série de strates historiques. Et l'on peut ainsi lire le cours « Naissance de la biopolitique » comme un développement du diagnostic que Foucault avait produit au moment de l'affaire Croissant, soit quelques mois seulement auparavant[19]. C'est ainsi que le cours au Collège de France de 1978-1979 est le lieu d'une investigation sur les formes de l'État moderne, une lecture qui dépasse et retourne la question d'un État fasciste pour s'intéresser à des notions jusqu'alors peu étudiées, comme la raison d'État. Comprendre les sociétés de sécurité passe donc pour lui par une analyse des transformations des modes de gouvernement, et de ce qu'il ne désigne plus comme pouvoir mais comme gouvernementalité. En ce sens, Foucault se démarque radicalement du discours à l'œuvre pour qualifier ce qui était en train de se passer en Allemagne. Il déplace son regard, à la manière de ce qu'il fit sur la sexualité en invalidant l'hypothèse répressive et celle de la libération sexuelle dans *La Volonté de savoir*. Il prend en somme à revers ceux – et parmi eux bon nombre d'intellectuels dont il fut très proche – qu'il désigne comme des phobiques de l'État : « je dis qu'il ne faut pas se leurrer sur l'appartenance à l'État d'un processus de fascisation qui lui est exogène et qui relève beaucoup plus tôt de la décroissance et de la dislocation de l'État. Je veux dire aussi qu'il ne faut pas se leurrer sur la nature du processus historique qui rend actuellement l'État à la fois si intolérable et si problématique[20]. »

Aussi voit-on comment Foucault, intervenant dans la défense d'un individu aux prises avec le pouvoir, ici Klaus Croissant, produit une lecture qui, sans se déprendre de son ancrage dans cette actualité, conduit par l'analyse historique, celle des théoriciens du libéralisme, à une nouvelle évaluation de la situation mettant en évidence la généalogie de l'idée d'Europe.

Philippe Artières

Notes

1. Sur la Fraction Armée Rouge et les différents procès de ses militants, on pourra lire : *À propos du procès Baader-Meinhof, Fraction Armée Rouge. De la Torture dans les prisons de la RFA*, Paris, Christian Bourgois Éditeur, 1975 ; *Textes des prisonniers de la Fraction Armée Rouge et dernières lettres d'Ulrike Meinhof*, Paris, François Maspero, « Cahiers libres », 1977 ; Robert Boure, *Les Interdictions professionnelles en Allemagne*, Paris, François Maspero, « Cahiers libres », 1978 ; Klaus Croissant, *Procès en République fédérale allemande*, Paris, François Maspero, « Cahiers libres », 1979 ; *La Mort d'Ulrike Meinhof. Rapport de la Commission internationale d'enquête*, Paris, François Maspero, « Cahiers libres », 1979 ; ainsi que l'ouvrage de synthèse d'Anne Steiner et Loïc Debray, *La Fraction Armée Rouge. Guérilla urbaine en Europe occidentale*, Paris, Klincksieck, « Méridiens », 1987, et le travail de Dominique Linhardt.

2. Cf. l'ouvrage publié fin 1977 par le Mouvement d'action judiciaire (MAJ) : *L'Affaire Croissant*, Paris, François Maspero, « Cahiers libres », qui reproduit les pièces de l'affaire et auquel j'emprunte plusieurs citations de Klaus Croissant.

3. Cf. Michel Foucault, « Michel Foucault : la sécurité et l'État », entretien avec R. Lefort, *Dits et Écrits*, n° 213 et « Lettre à quelques leaders de la gauche », *Dits et Écrits*, n° 214.

4. À Berlin-Est, Foucault est l'objet d'une suspicion, et à Berlin-Ouest d'une interpellation et d'une garde-à-vue violente (voir la chronologie de Daniel Defert in *Dits et Écrits*, t. I, et le film de la cinéaste allemande Agnes Handwerk intitulé *Foucault à Berlin*, 2004).

5. *Dits et Écrits*, t. II, *op. cit.*, n° 256

6. « Autobiographie à 70 ans », entretien avec Michel Contat in Jean-Paul Sartre, *Situation X. Entretiens sur moi-même*, Paris, Gallimard, 1976, p. 158.

7. Voir sur ce point le dossier publié par Albert Dichy en annexe des textes politiques de Jean Genet, *L'Ennemi déclaré*, Paris, Gallimard, 1991.

8. Edmund White, *Jean Genet*, Paris, Gallimard, 1993, p. 584.

9. « Violence et Brutalité » in Jean Genet, *L'Ennemi déclaré*, édition établie par Albert Dichy, Paris, Gallimard, 1991, pp. 200-201.

10. Jacques Henric le 21 septembre dans ce journal : « Est-ce la volonté d'être original à tout prix, solitaire jusqu'au bout, qui pousse Genet à finir dans la peau d'un intellectuel stalinien ? »

11. On notera au passage que la réception de « Violence et Brutalité », comme l'indique Albert Dichy, marque un tournant chez Genet et que les deux années suivantes, il reste totalement silencieux.

12. Claude Mauriac, *Mauriac et fils, Le Temps immobile*, tome 9, 1986, éd. du Livre de poche, pp. 402-403.

13. Gilles Deleuze, Félix Guattari, « Le pire moyen de faire l'Europe » *in Le Monde*, 2 novembre 1977, repris in Gilles Deleuze, *Deux régimes de fous*, Paris, Minuit, 2004, p. 137.

14. Voir sur ce point les remarques de Daniel Defert dans la chronologie des *Dits et Écrits*, t. I.

15. Soulignons ici que cet intérêt pour l'Allemagne n'est pas seulement politique mais également esthétique : les rares articles, par exemple, sur le cinéma portent précisément sur le jeune cinéma allemand.

16. Michel Foucault, « Va-t-on extrader Klaus Croissant ? », *Dits et Écrits*, t. II, *op. cit.*, p. 362.

17. *Sécurité, territoire, population*, cours au Collège de France 1977-1978, Paris, Gallimard-Seuil, coll. « Hautes études », 2004, et *Naissance de la biopolitique*, cours au Collège de France 1978-1979, Paris, Gallimard-Seuil, coll. « Hautes études », 2004.

18. *Sécurité, territoire, population*, *op. cit.*, p. 5.

19. Nous rejoignons ici Michel Sennelart, qui évoque à plusieurs reprises, dans ses commentaires sur le cours, l'affaire Croissant et plus généralement l'ensemble des débats sur la RFA.

20. Voir notamment, dans le cours *Naissance de la biopolitique, op. cit.*, les pages 191 à 220.

Droit

Question de formes : où l'on découvrira combien est instructive l'ignorance supposée de Foucault envers le droit, et combien profonde sa désinvolture.

Partons d'une remarque conjoncturelle. Nous sommes entrés dans une séquence historique marquée par deux mouvements d'apparence inverse : d'un côté, ce que l'on nommera (pour rendre hommage à la « chaîne pénale », métaphore qui eut son heure de gloire, ces dernières années, aux environs de la place Beauvau), une *concaténation du juridique* : autrement dit, un recul massif de la question des formes juridiques, un amenuisement des protections qu'elles impliquent, une subordination explicitement revendiquée du moment du droit à des finalités extérieures (qu'il s'agisse de l'insertion de la procédure pénale dans une technologie du « traitement en temps réel », ou de la refonte des catégories pénales ouvrant la responsabilité sur l'horizon de la sécurité). Restriction du droit, donc. Mais simultanément, on assiste à l'extension et à la dissémination d'une régulation de type juridique : multiplication des foyers depuis lesquels les normes se trouvent émises, transfert de compétences du couple législatif/exécutif vers le judiciaire, création d'autorités administratives indépendantes faisant jouer des procédures contradictoires, etc. D'un même trait, donc, nous sommes les témoins d'une multiplication des juges, et de ce que Benoît Frydman nomme une profonde « *crise de la prescription*[1] ».

Un tel contexte donne-t-il raison ou tort à la façon dont Foucault, voici un quart de siècle, diagnostiquait la lente colonisation du système judiciaire par une logique toute différente, s'ordonnant non plus à la loi, mais à « un mixte de légalité et de nature, de prescription et de constitution, la norme[2] » ? Cette question n'admet pas de réponse simple. Sans doute les textes de Foucault acquièrent-ils aujourd'hui une indéniable puissance descriptive – mais si indéniable, en fait, que l'usage de ces textes en devient embarrassé, tant ils semblent proposer du présent une peinture si fidèle qu'aucun écart critique n'y est plus décelable. Ironique succès de Foucault : en pressentant clairement la réintégration du droit au jeu des rapports de pouvoir et des normes sociales, n'aurait-il pas, du même coup, négligé de défendre l'importance et l'autonomie du juridique, nous laissant par là-même sans prises pour résister aux processus en cours ?

Il est ainsi frappant de relire aujourd'hui l'intervention de Foucault intitulée « La redéfinition du judiciable », et reproduite dans un numéro de la revue *Justice* (revue du Syndicat de la Magistrature) en 1987. Dans ce texte (malheureusement non repris dans les *Dits et Écrits*), Foucault prend appui sur un livre-programme du Parti socialiste, intitulé *Liberté, libertés*, pour diagnostiquer une transformation de ce qu'il nomme le « judiciable », c'est-à-dire « le domaine d'objets qui peuvent entrer dans le champ de pertinence d'une action judiciaire ». Transformations consistant à la fois en une « démultiplication, [un] éparpillement, [un] essaimage du judiciaire » ; en la transformation de ses catégories directrices, l'opposition licite-illicite s'associant à d'autres couples, « vrai-faux, mais en même temps (à propos de l'information) honnête-malhonnête, sain-pathologique » ; en la redéfinition, finalement, de la finalité de l'action judiciaire, l'horizon du juste faisant place à la « définition d'un optimum fonctionnel pour le corps social ». Problème, toutefois : en hasardant de tels pronostics, le but de Foucault était de faire apparaître, sous un discours politique centré sur le droit et les principes, la réalité de mécanismes disciplinaires alors rejetés dans l'ombre ; pour nous, et alors que ces pronostics sont assez largement réalisés, l'enjeu serait plutôt de nous demander si, dans un ordre politique qui s'avoue volontiers sécuritaire, certains éléments de juridicité sont à même de faire contrepoids, ou s'il faut se résoudre à n'y voir que maillons dans la chaîne pénale. En d'autres termes : qu'est-ce que l'auteur de *Surveiller et punir* peut nous apprendre du droit dans une actualité qui, de manière troublante, s'est mise à ressembler aux « fictions » foucaldiennes, mais ne s'embarrasse même plus d'emprunter le masque de légalisme que Foucault prétendait lui ôter ?

Poser le problème ainsi oblige à s'affronter à ce qui est devenu un lieu commun : il y aurait chez Foucault une profonde indifférence aux questions de droit, questions qu'il aurait largement ignorées en tous les sens du terme – méconnues, méprisées. Ici, il faut d'ailleurs distinguer : lorsqu'on prétend lire chez Foucault une ignorance du juridique, on fait en réalité référence à une série de reproches qui se situent sur des registres assez différents. Le reproche peut renvoyer à l'absence, chez lui, du droit comme exigence ou préalable *philosophique* ; à la méconnaissance du juridique comme domaine justiciable d'une analyse *scientifique* autonome ; à l'incertitude relative au sujet de droit comme support ou foyer d'une revendication *politique*.

La première critique concerne, de façon très générale, la manière dont Foucault refuse d'ordonner la réflexion philosophique à la reconnaissance préalable d'une *différence entre les questions de fait et les questions de droit*. Est ici en question la négation, par Foucault, du « *quid juris ?* » kantien ; négation qui trouverait ses effets les plus dévastateurs dans le champ où cette question a son lieu propre : savoir, la philosophie politique, comme lieu d'une réflexion sur la *légitimité* (en tant qu'elle se distingue de la simple *existence* d'un ordre social), sur *l'obligation* (en tant qu'elle se distingue de la *force*), sur *l'autorité* (en tant qu'elle se distingue du *pouvoir*).

La seconde critique consiste plutôt à dénoncer, dans l'examen de l'objet historique que Foucault se donne, l'aveuglement envers *le fait du droit* : autrement dit, le fait que les règles et procédures juridiques ressortissent d'un domaine d'objets tout à fait particuliers, dont le mode d'être, la fonction et la relation aux autres aspects de l'expérience sociale impliquent que l'on ne puisse le dissoudre ou le démembrer. Foucault, en bref, aurait méconnu dans son analyse des sociétés l'autonomie et la spécificité du juridique, ainsi que leurs effets en retour sur les phénomènes qu'il prétend décrire.

La dernière critique vise l'impossibilité, à partir des prémisses de la pensée de Foucault, de donner statut au *sujet de droit*, c'est-à-dire aux sujets en tant qu'ils revendiquent certaines capacités dont ils considèrent qu'ils sont, non seulement privés, mais *injustement* privés. Cette référence au sujet de droit suppose, d'une part, une certaine représentation des aspirations individuelles là même où celles-ci ne s'expriment pas (donc un droit *opposable* au fait) ; elle paraît impliquer d'autre part une norme de légitimité qui fonde le caractère précieux et respectable de ces aspirations (donc un droit *supérieur* au fait). Or, Foucault récuse à la fois l'un et l'autre – il refuse de dégager le sujet de ses modes de constitution historique, et refuse de poser une norme du juste au-delà des discours et des pouvoirs. Il semble donc rendre incompréhensible cette figure du sujet de droit, là même où, pratiquement, ses descriptions visent pourtant à soutenir et à relayer des luttes politiques où certains sujets exigent certains droits.

Trois reproches, donc : le premier est si l'on veut celui du philosophe ; le second, celui du juriste ; le dernier, celui du militant (ou de celui, tout au moins, qui prétend parler en son nom, tant il est vrai que les militants sont généralement peu préoccupés de fonder en raison leur statut de sujets de droit). Examinons tour à tour les aspects de ce débat.

L'anti-juridisme de Foucault

Partons du plus général. En philosophie, Foucault ne refuse pas de penser le droit ; il refuse la manière dont le droit est ordinairement pensé et, plus radicalement encore, cette pensée de la société (voire de l'expérience) qui emprunte au droit ses catégories. Autrement dit : Foucault construit sa théorie du pouvoir, non directement contre le juridique, mais contre le discours méta-juridique (ce qu'il appelle la « théorie de la souveraineté »), et plus encore contre la posture philosophique qui fait des concepts juridiques les catégories directrices de toute réflexion sur le politique (ce qu'il appelle la « conception juridico-discursive du pouvoir »). Si cette hypothèse est tenable, cela voudrait dire que la critique du *juridisme* n'obère pas chez Foucault la possibilité d'appréhender le *juridique*, voire constitue un préalable à une appréhension adéquate de ce qu'est effectivement le droit. Certes, Foucault ne cesse d'échanger les points de vue, faisant tantôt référence aux énoncés juridiques, tantôt au discours des théoriciens et des philosophes du droit[3]. Il n'empêche : son propos est d'abord, non de statuer sur le rôle et l'importance du droit dans le fonctionnement des sociétés, mais d'analyser, puis de se débarrasser du discours sur le droit.

Au point de départ de l'analyse, il faut situer la généalogie de la « théorie de la souveraineté », *i.e.* la manière dont Foucault retrace le parcours du discours sur le droit, et sa « re-fonctionnalisation » permanente au cours de l'histoire politique. Ainsi, le cours intitulé « Il faut défendre la société[4] » distingue-t-il cinq étapes à l'intérieur de cette histoire : d'abord, la théorie de la souveraineté « s'est référée à un mécanisme de pouvoir effectif qui était celui de la monarchie féodale ». Deuxièmement, cette théorie a servi « d'instrument et de justification pour la constitution des grandes monarchies administratives ». Troisièmement, elle a constitué un instrument dans la lutte politique et théorique entre les XVIe et XVIIIe siècles – lutte à l'issue de laquelle, quatrièmement, elle a permis de construire le modèle alternatif de la démocratie parlementaire. Cinquièmement enfin, dès lors que s'est mis en place un autre type de pouvoir (disciplinaire, puis biopolitique), la « théorie de la souveraineté » a trouvé une dernière fonction, servant à travestir les rapports de pouvoir : « cette théorie, et l'organisation

d'un code juridique centré sur elle ont permis de superposer aux mécanismes de la discipline un système de
droit qui en masquait les procédés, qui effaçait ce qu'il
pouvait y avoir de domination et de techniques de domination dans la discipline et qui garantissait à chacun
qu'il exerçait à travers la souveraineté de l'État, ses propres droits souverains[5]. »

Cette généalogie est relativement imprécise, mais sa
signification, elle, est claire : il s'agit pour Foucault de
montrer que le discours sur le droit ne tire pas sa
consistance de l'objet qu'il prétend décrire (objet qu'il
« perd » très vite, à partir du moment où il se décale visà-vis de sa matrice féodale) mais de la fonction qu'il
occupe dans l'exercice effectif du pouvoir. Autrement
dit, la théorie de la souveraineté ne tient pas sa valeur
du fait qu'elle dirait ce qu'est le droit, à la manière d'une
représentation, mais de son instrumentalisation diverse
– instrumentalisation dont le droit, en retour, subit un
certain nombre d'effets. Du même coup, on ne saurait
dire que, pour Foucault, le travestissement des rapports
de pouvoir constitue la vérité éternelle du juridique :
ce n'est pas le droit, mais le *discours sur le droit* qui
acquiert (et qui acquiert tardivement) cette signification, laquelle, secondairement, vient peser sur les structures et le fonctionnement juridiques, à la manière d'un
« centrage ». Foucault ne nie certes pas que la fonction
d'occultation tenue par le discours sur le droit ait des
effets sur le droit lui-même, sur le contenu des codes et
les modalités de leur mise en œuvre ; pour autant, il ne
soutient pas que cette fonction d'occultation *épuise* la
réalité du droit.

Pour une analyse non-juridique du pouvoir

Cette généalogie conduit Foucault à affirmer qu'une analyse adéquate du pouvoir, dans les sociétés modernes, doit rompre de plusieurs manières avec la « théorie juridico-discursive » du pouvoir. Autrement dit, le repérage de la fonction historique (de plus en plus « déconnectée » et falsificatrice) de la théorie de la souveraineté exige un ensemble de transformations dans le regard que le philosophe porte sur son objet. Cet aspect est sans doute le mieux connu : la recherche d'une alternative à la théorie « juridico-discursive » comprend quatre aspects essentiels.

D'abord, elle implique que le philosophe cesse de se prendre pour un juge : en ce sens, c'est toute la philosophie de Foucault (et pas seulement ses textes sur le pouvoir) qui, en opposant à la recherche de principes, la description et l'analyse, s'oppose à la grande métaphore du « tribunal de la raison ».

Ensuite, elle passe par la recherche de paradigmes alternatifs au paradigme juridique : contre une théorie du pouvoir qui pense celui-ci à partir du juridique, et en termes juridiques, Foucault fait valoir une pluralité d'autres modèles – essentiellement, un modèle stratégique, un modèle technologique, un modèle biologique. Dans ses réflexions sur la guerre, sur la technique, sur le vivant et la médecine, Foucault cherche à déborder la pensée qui se focalise sur le droit. Foucault s'interdit d'ailleurs d'hypostasier l'un ou l'autre de ces modèles, en soulignant qu'il s'agit d'autant de discours : ainsi, « Il faut défendre la société » n'oppose pas la théorie de la souveraineté à la réalité du pouvoir, laquelle serait la guerre ; il fait l'histoire du discours qui, présentant le pouvoir comme guerre des races, double et conteste le discours juridico-politique. De manière plus générale, Foucault ne dit donc pas « le pouvoir c'est la guerre », ou « le pouvoir c'est le vivant », mais « on gagne à penser le pouvoir comme guerre », ou « le pouvoir comme vivant ». Ce, pour deux raisons essentielles : parce que ces paradigmes ont été repoussés par le discours sur le droit et peuvent donc jouer, vis-à-vis de lui, un rôle critique ; parce que, simultanément, ces paradigmes participent à la constitution des pratiques modernes de pouvoir, et sont en prise avec celles-ci. Autrement dit, ce qui intéresse Foucault dans le discours sur le pouvoir-guerre, ou sur le pouvoir-vivant, ou sur le pouvoir-technique, c'est qu'ils se situent exactement au lieu où (comme l'établit la généalogie que j'ai rappelée plus haut) le discours sur le pouvoir-droit se situait aux XVIIe et XVIIIe siècles : ce sont des catégories à travers lesquelles le pouvoir se construit effectivement, et qui simultanément sont susceptibles de jouer vis-à-vis de lui et des justifications qu'il se donne, un rôle critique. Ainsi, le discours sur la guerre est-il à la fois discours efficace du côté de l'art militaire, et discours critique vis-à-vis des prétentions de l'État à l'universalité. De même, le discours sur la technique est efficace dans les technologies disciplinaires, et critique vis-à-vis d'une interrogation limitée au seul examen des principes de légitimité de l'ordre politique. De même encore, le discours sur le vivant est efficace dans la constitution de la biopolitique, et critique vis-à-vis du discours identifiant le pouvoir avec une autorité transcendante et limitative. On ne saurait donc adopter sur l'un de ces paradigmes un point de vue trop réaliste (par exemple, en tirant comme le fait Deleuze l'analyse de la biopolitique du côté d'un vitalisme) sans se souvenir de ce que chez Foucault, il s'agit là d'un discours ; sans se souvenir, aussi, que Foucault prend soin de ne jamais choisir *un seul* paradigme, mais en met toujours plusieurs en concurrence.

Troisième trait de cette théorie non-juridique du pouvoir. L'opposition à la « théorie juridico-discursive », étayée sur ces paradigmes alternatifs, conduit à la formulation d'un certain nombre de principes très connus : principe suivant lequel le pouvoir produit plus qu'il ne nie ; principe suivant lequel on a toujours affaire à une pluralité de pouvoirs ; principe suivant lequel le pouvoir est une relation, et non un bien susceptible de cession ; principe suivant lequel, enfin, les règles qui organisent l'exercice du pouvoir sont immanentes et se transforment dans cet exercice même, plutôt que de s'imposer d'en haut. On le voit, les principes de la « microphysique du pouvoir » s'opposent terme à terme à ceux de la théorie de la souveraineté – au modèle d'un pacte par lequel les individus renoncent à leur droit, au profit d'un souverain susceptible d'instituer le droit, lequel prend essentiellement la forme de lois restrictives et transcendantes.

Enfin, la rupture avec la « théorie juridico-discursive » commande un déplacement de l'attention, ou ce que Foucault appelle une « précaution de méthode » dans le choix des objets d'étude : « prendre le pouvoir dans ses formes et ses institutions les plus régionales, les plus locales, là surtout où le pouvoir, débordant les règles de droit qui l'organisent et le délimitent, se prolonge par conséquent au-delà de ces règles (...) Autrement dit, saisir le pouvoir du côté de l'extrémité la moins juridique de son exercice[6]. »

On voit ici qu'il n'y a pas chez Foucault d'exclusion de principe de toute réflexion sur le juridique, mais une série de thèses assez complexes. Au point de départ, cette affirmation : le discours qui prétend lire la constitution d'une société politique *autour* du droit et *en termes de droit* (le discours qui fait de la loi l'instance centrale, et où le philosophe met la toque du juge) est un discours de pouvoir, mais qui pour cette raison même bloque l'appréhension du pouvoir, tel qu'il s'exerce depuis (au moins) le XVIII siècle. Ce constat conduit, d'un côté, à la refonte des catégories philosophiques propres à analyser le pouvoir, de façon à ce que celles-ci se débarrassent du modèle du droit ; il conduit, de l'autre côté, à écarter par souci de méthode les mécanismes directement juridiques (parce que ceux-ci ont jusqu'ici fait l'objet d'une attention exclusive, et qu'ils sont du même coup impropres à élaborer le paradigme alternatif que Foucault souhaite promouvoir). À aucun moment, Foucault ne dit que le droit est une dimension négligeable ou inconsistante de l'expérience sociale – il y voit seulement un *modèle impropre* à fournir des catégories à la philosophie politique, et un *objet rendu illisible* parce qu'entièrement investi par le discours sur la souveraineté. Mais qu'il faille partir « de l'extrémité la moins juridique » de l'exercice du pouvoir ne signifie pas que les concepts élaborés dans ce cadre ne puissent pas, une fois lancés, récupérer le droit lui-même.

À la limite, on peut même dire l'inverse. Lorsque Foucault écrit : « dans les sociétés occidentales, et ceci depuis le Moyen Âge, l'élaboration de la pensée juridique s'est faite essentiellement autour du pouvoir royal. C'est à la demande du pouvoir royal, c'est également à son profit, c'est pour lui servir d'instrument et de justification que s'est élaboré l'édifice juridique de nos sociétés[7]. »

On peut certes lire ici l'idée que le droit est, et n'est rien d'autre, qu'un instrument et un leurre au service du pouvoir. Mais on peut aussi lire la phrase en un autre sens : la théorie qui absolutise le juridique, parce qu'elle est absolument soumise à des impératifs politiques, conduit à manquer non seulement la véritable nature du pouvoir royal, mais aussi la véritable nature du droit. Pour Foucault, le discours sur le droit est d'autant plus un discours de pouvoir qu'il prétend dissoudre la question du pouvoir dans celle du droit : les légistes royaux sont plus royalistes que le roi, parce que d'abord, ils sont plus juristes que le droit. On peut alors penser, sans paradoxe, qu'une analyse du pouvoir qui ne part plus du droit (ni dans ses catégories, ni dans ses objets privilégiés) est non seulement capable d'y arriver, mais peut offrir une meilleure compréhension du droit parce qu'elle ne l'absolutise pas pour des motifs de légitimation politique.

Foucault est-il réductionniste ?

Chemin faisant, on a commencé à répondre à l'objection du juriste : chez Foucault, critique du juridisme ne veut pas dire évacuation du juridique. C'est pourquoi il peut écrire : « Le droit n'est ni la vérité ni l'alibi du pouvoir. Il est un instrument à la fois complexe et partiel. La forme de la loi et les effets d'interdit qu'elle porte sont à replacer parmi d'autres mécanismes non-juridiques[8]. » Traduisons : ce qui est un alibi du pouvoir, c'est le *juridisme*, dès lors qu'il fait du droit la vérité de l'autorité, et de la question « *quid juris ?* » la vérité de la philosophie.

Mais si l'on se débarrasse de cette vérité-alibi, on peut accéder au *juridique*, comme instrument « partiel » – le droit n'est pas tout – et « complexe » – le droit n'est pas rien – complexité touchant à sa « forme » et à ses « effets d'interdits », tous éléments que Foucault est loin de nier. Encore faut-il que le paradigme produit par Foucault soit effectivement apte à rendre compte des caractéristiques propres aux phénomènes juridiques. Autrement dit, la question que nous devons poser à Foucault est : une théorie « non-juridiste » du droit est-elle condamnée à rabattre celui-ci sur d'autres phénomènes discursifs ou sociaux, en bref au réductionnisme ? Cela suppose évidemment de s'entendre sur les caractéristiques qu'une théorie devrait respecter, sous peine de se voir accuser d'« écraser » le juridique. On peut, par provision, proposer trois critères essentiels : critère *d'idéalité*, critère de *constitution*, critère *d'autonomie*. a) Serait réductionniste une théorie qui manquerait l'idéalité du droit et de ses significations : autrement dit, pour parler comme les philosophes analytiques, le fait que la sémantique des règles juridiques ne saurait être rabattue sur celle des propositions descriptives ; ou encore, pour reprendre cette fois le vocabulaire de Kelsen, le fait que les normes du droit prennent sens par référence à un ordre du « devoir-être », du *sollen,* et ne sauraient être réduites à l'expression de puissances étroitement matérielles. b) Serait réductionniste, d'autre part, une théorie qui manquerait le caractère constituant du droit ; autrement dit, qui penserait la loi comme venant seulement départager des objets préalablement définis avant elle et en dehors d'elle, en oubliant que la loi procède d'abord à une catégorisation, à une qualification des sujets et des actes. Catégorisation dont le statut est instituant, parce qu'il revient à conférer à ces sujets et à ces actes des propriétés qu'ils n'ont pas naturellement – par exemple, la responsabilité est inséparable de l'imputation qu'opère la règle juridique ; de même, la distinction entre choses et personnes est inséparable de la manière dont le droit fait jouer cette dualité, etc. c) Serait réductionniste, enfin, une théorie qui manquerait l'autonomie du droit, la consistance que sa systématicité lui confère et qui en fait une sphère distincte vis-à-vis des conflits sociaux et des jeux de pouvoir : le fait, en d'autres termes, que les normes juridiques doivent être resituées dans le jeu de renvois mutuels qui, les rapportant les unes aux autres, les autonomise partiellement des contextes de leur élaboration ou de leur mise en œuvre.

Pour rassembler ces trois critères, serait réductionniste une théorie qui manquerait la différence entre l'ordre des règles juridiques et l'ensemble des régularités sociales observables. C'est là le reproche communément adressé à Foucault : celui d'ignorer le symbolique, de sous-estimer l'instance de la règle. En bref, Foucault se comporterait vaguement en sociologue, et au plus loin de toute philosophie du droit sérieuse. Or, ce reproche porte à faux : non seulement Foucault ne tombe frontalement, malgré les apparences, sous aucun de ces reproches, mais il pourrait bien, par sa démarche, rejoindre certaines des questions laissées en jachère par la philosophie du droit dite « sérieuse ».

Partons du plus paradoxal : la question de l'idéalité. A priori, l'enquête que Foucault mène à propos du droit se situe certes aux antipodes de tout idéalisme juridique : il s'agit de déceler derrière les catégories juridiques des dispositifs concrets, et de rapporter l'universalité apparente du droit à une série de contingences historiques. Pour Foucault, le droit doit être compris à partir des mécanismes qui, en lui assurant une prise effective sur le corps social, en infléchissent aussi les contenus ; bien évidemment, la production des normes juridiques n'est pas rapportée chez lui au seul lien logique qu'elles entretiennent avec les normes de degré supérieur dont elles procèdent. Pour contredire la célèbre formule de Kelsen, chez Foucault ce n'est pas « le droit » qui « produit le droit », mais les excès du vin ou du sexe, les petites, les infimes matérialités.

Pour autant, on ne saurait reprocher à Foucault d'avoir rabattu l'idéalité du juridique sur la matérialité des instruments du pouvoir, sans s'être préalablement interrogé sur le type de « matérialité » à laquelle Foucault renvoie dans ses réflexions sur le discours et le pouvoir ; sans se souvenir que le matérialisme de Foucault est tout à fait curieux (*l'Ordre du discours* revendiquait à ce propos un « matérialisme de l'incorporel »). Ainsi, lorsque Foucault introduit, dans *Surveiller et punir,* l'articulation entre droit et disciplines, il ne se contente pas de nier l'idéalité des normes juridiques au nom d'une matérialité « brute » en n'y voyant que la traduction ou l'occultation d'états de faits étroitement empiriques[9]. Pour reprendre, de manière évidemment un peu acrobatique, l'opposition proposée par Kelsen, disons que l'approche de Foucault revient à découpler l'opposition entre *sollen* et *sein*, de l'opposition entre juridique et non-juridique. Il s'agit, dans un premier temps, de montrer que les normes du droit ne prennent sens que de s'inscrire dans un ensemble d'agencements matériels, lesquels ne forment pas seulement leur contexte extérieur (contexte dont la théorie du droit n'aurait pas à tenir compte, qu'elle pourrait déléguer à une sociologie), mais contribuent à leur conférer une signification ; en bref, pas de normativité qui ne dépende d'une matérialité, d'un ensemble d'agencements concrets lui conférant une applicabilité minimale. Par parenthèse, Kelsen remarquait déjà cette solidarité qui vient limiter l'extériorité réciproque de l'ordre des faits et de l'ordre des règles : « Un ordre normatif n'est supposé avoir de validité normative que si le comportement réel des hommes, qui se réfère à cet ordre, correspond jusqu'à un certain degré à son contenu[10]. » Pas de droit, donc, qui n'exige pour être un droit de s'inscrire, au moins minimalement, dans les faits. Mais cela veut dire aussi que, sur ce trajet, le droit va rencontrer d'autres types de normativité, d'autres systèmes de prescription – technologiques, stratégiques, scientifiques –, idéalités « concurrentes », en quelque sorte, mais dont dépend la capacité du droit à rencontrer les faits. Pour s'en tenir au schéma esquissé dans *Surveiller et punir* : pas de loi sans discipline, comme mise en ordre des corps ; mais pas de discipline sans « diagramme de pouvoir », comme « programmation » politique jamais totalement réalisée dans les faits, comme position d'un devoir-être concurrent des règles juridiques. En bref, Foucault ne réduit pas les règles juridiques « idéales » aux faits sociaux « matériels » : il situe son enquête dans cette zone grise où la règle de droit apparaît solidaire de faits, faits traversés et investis par d'autres types de règles, de sorte que l'opposition de l'idéal et du réel vient en quelque sorte couper, transversalement, celle du juridique et de l'extra-juridique. Ou, pour le dire dans les termes de la Table Ronde du 20 mai 1978 : « Programmes, technologies, dispositifs : rien de tout cela n'est l'« idéal type ». J'essaie de voir le jeu et le développement de réalités diverses qui s'articulent les unes sur les autres : un programme, le lien qui l'explique, la loi qui lui donne valeur contraignante, etc., sont tout autant des réalités (quoique sur un autre mode) que les institutions qui lui donnent corps ou les comportements qui s'y ajustent plus ou moins fidèlement[11]. »

Constitution juridique, mise en ordre politique

Deuxième reproche. Foucault dénie-t-il au droit tout caractère constituant, méconnaît-il la puissance propre à la catégorisation juridique ? À un niveau superficiel, l'impression que Foucault minore cette dimension est sans doute liée à deux facteurs : d'une part, la focalisation d'une grande partie de ses recherches sur le droit pénal, au point que juridique et judiciaire tendent parfois à se confondre – au détriment, notamment, du droit constitutionnel, dans lequel la valeur instituante prime explicitement sur la forme de l'obligation et de l'interdiction, laquelle tend dans le droit pénal à occulter le fait que la règle juridique elle aussi qualifie, impute, catégorise, etc. D'autre part, l'insistance mise dans la théorie du pouvoir sur la nécessité d'une conception positive et productive des normes (étayée sur les paradigmes biologique, technologique, etc.) tend, par contraste, à repousser le juridique du côté de la seule interdiction, de la répression ou du partage d'une réalité pré donnée. Pour autant, on ne peut affirmer que Foucault ignore la dimension constituante de la loi : rappelons simplement, de ce point de vue, qu'il distingue nettement, dans *La Volonté de savoir* et à propos de la psychanalyse, entre une théorie qu'il appelle théorie de la « répression des instincts », et une théorie de la « loi constitutive du désir ». Certes, l'objet de cette discussion n'est pas directement la loi juridique, mais la manière dont la psychanalyse fait jouer le modèle du droit dans son domaine propre. Reste qu'une telle discussion montre bien que Foucault n'oppose pas simplement l'interdit légal et la production bio-politique, comme si cette dernière seule était dotée d'une capacité d'instituer positivement les réalités sur lesquelles la loi viendrait ensuite s'exercer.

Si donc l'ordre juridique, le code, est bel et bien doté par Foucault d'une capacité instituante, quel rapport entretient-il avec l'ordre micro-politique, avec la sphère des disciplines ou des technologies du pouvoir ? De ce point de vue, la réflexion de Foucault porte sur la façon dont la constitution, par le droit, de la société comme ordre juridique, suppose une mise en ordre préalable des corps et des comportements ; mise en ordre dont le droit a besoin, mais qu'il ne peut intégralement gouverner. Autrement dit : Foucault ne nie pas que la loi ait une valeur constituante ou déterminante – encore faut-il que le réel social ne soit pas un pur chaos, qu'il soit *déterminable* ou encodable. Et cette déterminabilité du divers social, la loi en tant que telle (en tant qu'abstraite et générale) ne peut l'accomplir, ce qui l'expose à l'intervention de modes de rationalité non-juridiques, et lui confère une historicité, une contingence qui entament son caractère systématique. Les mécanismes « menus, quotidiens et physiques[12] » longuements décrits dans *Surveiller et punir* ne s'opposent pas à la loi comme le réel à une illusion inconsistante ; ils s'articulent à elle comme les conditions de son applicabilité – conditions qui, ironiquement, n'en permettent toutefois l'application qu'en en biaisant constamment le caractère universel et égalitaire.

Il devient alors difficile d'opposer benoîtement à Foucault l'ordre des principes et la nécessité de l'universel. Car en s'interrogeant sur la manière dont les comportements sont ordonnés pour pouvoir être subsumés sous la règle juridique, Foucault soulève une question que le rationaliste lui-même ne peut éluder, lorsqu'il se demande comment faire le pont entre la règle générale et la poussière des comportements singuliers. Il est ainsi frappant de retrouver, chez Alain Renaut (contempteur régulier de « l'oubli du droit » par Foucault), une inquiétude où l'on peut reconnaître le point d'insertion de la problématique foucaldienne : « un concept inapplicable au particulier (en termes kantiens, un concept non « schématisable ») demeure irreprésentable, et il reste vide ou incompréhensible. (...) À des titres divers, et avec des difficultés plus ou moins redoutables, l'embryon, l'enfant, le prisonnier, le malade mental, le malade en état de coma dépassé, le drogué, d'autres encore, posent ainsi dans le cadre de l'État de droit, la question de déterminer quel type de sujet de droit ils constituent. Que certes il y ait des réponses juridiques, dans chacune des législations établies par nos États, ce n'est pas douteux, du moins dans certains cas évoqués ; reste que les juges confrontés par exemple au problème de la toxicomanie le savent fort bien, la mise en œuvre de ces réponses elles-mêmes, quand elles existent, n'est pas simple (…) Bref, faute de l'indication d'un tel critère, c'est bien la pensabilité même de la notion de sujet de droit qui tendrait à s'estomper, si tant est qu'un concept inapplicable est bien près d'être une chimère[13]. »

Qu'Alain Renaut, mettant au jour ce moment problématique de l'application, souligne à quel point le concept même de sujet de droit s'en trouve affecté, puis y retrouve la figure du malade mental, du prisonnier ou du toxicomane, ne peut manquer de frapper le lecteur de Foucault ; on peut savoir gré à ce dernier d'avoir poussé l'enquête, et d'avoir mis au jour dans cet espace intermédiaire un ordre spécifique aux relations de pouvoir – plutôt que de s'en remettre, comme le fait Renaut, à la sagesse soucieuse des magistrats.

Logique de la loi, logique de la norme

Dernier critère auquel, me semble-t-il, devrait se mesurer le supposé « réductionnisme » de Foucault : celui de l'autonomie du droit. Foucault méconnaît-il le fait que les normes juridiques, par les relations qu'elles entretiennent, constituent un domaine doté d'une forte indépendance à l'égard des autres types de phénomènes historiques et sociaux ? Question qui, dans les termes de Foucault, pourrait être reformulée ainsi : Foucault dissout-il la spécificité du *légal* dans une analyse générale du *normatif*, qui insèrerait les règles juridiques dans toute une série de régulations faisant jouer d'autres catégorisations (normal/anormal, vrai/faux, etc.), et opérant d'autres distributions (graduelles et inclusives, plutôt que binaires et exclusives) ?

À lire vite, à s'arrêter aussi sur des formules que Foucault peut avoir dans un certain nombre d'entretiens, on peut avoir l'impression d'une sorte de jeu de vases communicants – de moins en moins de structuration juridique, de plus en plus de régulation normative –, jeu où la normalisation comme « pouvoir sur la vie » se détacherait, à terme, du type de pouvoir fondé sur la loi.

C'est cette vision qui, par-delà leurs oppositions, alimente dans une large mesure les lectures contemporaines du concept de « biopolitique » : soit qu'elles y voient, comme Toni Negri, une politique intégralement calquée sur la normativité du vivant, contre toute référence au vieux « pouvoir de mort » sur lequel reposait l'ordre légal ; soit, au contraire, comme Giorgio Agamben, qu'elles reprochent à Foucault d'avoir manqué la dimension juridique du problème, faisant alors remonter la biopolitique jusqu'au droit romain.

Cette extériorité réciproque entre la logique de la loi et celle de la norme correspond-elle vraiment à la thèse de Foucault ? On trouve bel et bien, en particulier dans le dernier chapitre de *La Volonté de savoir*, l'esquisse d'un tel schéma temporel – schéma dans lequel la polarité entre la logique de la souveraineté et celle de la biopolitique finirait, à la limite, par émanciper radicalement la seconde de la première. Toute la question, toutefois, réside dans le sens que l'on donne à ce « à la limite », et dans le fait que Foucault se soit toujours contenté de présenter cette émancipation comme un horizon-limite. En effet, contrairement à un préjugé tenace, Foucault n'a jamais cessé de faire jouer, de manière solidaire et concurrente, dans ses analyses historiques, les deux registres ou les deux modèles : celui du partage et de l'exclusion, celui de l'intégration et de la norme, registres qu'incarnaient, dans l'*Histoire de la folie*, l'opposition entre l'exclusion de la déraison et la production de la folie. Pas plus qu'on ne peut lire dans les premières œuvres une simple dénonciation de l'exclusion des fous, on ne peut lire dans les textes qui suivent une analyse strictement immanente et intégratrice, le tableau d'un « pouvoir sans dehors[14] » dans laquelle la délimitation ne jouerait plus aucun rôle. Les deux modèles sont tout au long présents chez Foucault, avec certes des inflexions différentes : dans l'*Histoire de la folie*, il s'agit de souligner l'exclusion contre les prétentions intégratrices de la psychiatrie moderne ; dans les textes politiques, il s'agit de faire valoir l'intégration normalisatrice contre le modèle de l'institution juridique du social. Mais ce déplacement ne vaut pas substitution : ainsi, si, à mon sens, l'opposition entre « société disciplinaire » et « société de contrôle » ne peut fonctionner dans la pensée de Foucault, c'est que la société disciplinaire est traversée dès le départ, dès le XVIIe siècle, par un projet de contrôle intégrateur et normalisateur ; mais que la mise en œuvre d'un tel projet suppose et requiert tout au long, c'est-à-dire jusqu'à aujourd'hui, la mise en œuvre d'une série de partages et d'exclusions, partages et exclusions qui repoussent indéfiniment le rêve d'une société intégralement transparente à elle-même[15]. Autrement dit, et c'est à mon avis la force tant de l'*Histoire de la folie* que de *Surveiller et punir*, Foucault ne cesse de diagnostiquer la présence, dans la modernité, de deux modes de rationalité à la fois contemporains, indissociables, et incompatibles.

Ce double rapport apparaît nettement dans certains des textes les plus précis que Foucault consacre aux relations entre l'ordre du droit et les nouvelles formes de savoir-pouvoir modernes : par exemple, dans un article intitulé « l'évolution de la notion d'individu dangereux dans la médecine légale du XIXe siècle[16] ». Texte tout à fait décisif, parce que Foucault y introduit, entre la rationalité juridique et le savoir médico-psychologique, non pas le jeu d'un remplacement progressif, mais (au travers de tout le chassé-croisé par lequel les deux types de rationalité se cherchent au long du XIXe siècle) une double relation de complémentarité fonctionnelle et d'in-compatibilité fondamentale. Tout se passe comme si le droit pénal moderne, de façon constante quoique sous des formes diverses, appelait *et* résistait à l'intervention du discours médical. Foucault peut ainsi décrire la convergence de l'ordre juridique avec le savoir médical autour de notions comme la « monomanie homicide », tout en soulignant l'opposition que ce rapprochement a simultanément suscitée : « dans leur grande majorité, les magistrats ont refusé de reconnaître cette notion qui permettrait de faire d'un criminel un fou qui n'avait pour maladie que de commettre des crimes. Avec beaucoup d'acharnement, et, on peut le dire, avec un certain bon sens, ils ont tout fait pour tenir à l'écart cette notion que les médecins leur proposaient et dont les avocats se ser-vaient spontanément pour défendre leurs clients. Et pourtant, à travers cette discussion sur les crimes mons-trueux, l'idée d'une parenté possible entre folie et délin-quance s'est trouvée peu à peu acclimatée à l'intérieur même de l'institution judiciaire[17]. »

Se trouve ici mise au jour, non une simple évolution historique, mais une relation fondamentalement ambiva-lente et instable qui, d'aucun de ses côtés, ne suppose la pure et simple dissolution du droit. Foucault ne dit pas : « la norme remplace le droit » ; il dit « le droit exclut *et* appelle la norme ».

Résumons-nous. S'agissant, en général, du supposé « réductionnisme » de Foucault, on peut dire en gros ceci. a) Penser le droit avec Foucault, ce n'est pas rabat-tre l'ordre normatif qu'il définit sur une simple transpo-sition des rapports de force matériels qui traversent la société : c'est approcher le point où, dans la nécessité où elle se trouve d'entrer dans les faits, la règle juridique

227

voit sa signification déterminée, non seulement par la hiérarchie des normes qui lui confère sa portée obligatoire, mais par son articulation à d'autres types de normativité – ce que Foucault nomme les « programmations », elles aussi irréductibles aux faits qui en procèdent. b) Plus précisément, dès lors que le droit requiert, dans le moment de son application, une régularité de l'espace social qu'il ne peut tout entier accomplir, il s'agit de se demander comment les particularités et le jeu d'inégalités induites par cette mise en ordre préalable refluent sur le domaine juridique lui-même. Son universalité se voit ainsi compromise par un ensemble de procédures singulières, lesquelles ouvrent un espace de contestations et de remises en question possibles. c) Dire que ces pratiques « refluent » sur l'ordre juridique, c'est dire qu'elles ne s'identifient pas spontanément à lui, ni dans leurs origines historiques, ni dans leurs catégories directrices. Comme le dit *Surveiller et punir* : la justice a adopté une prison « qui n'avait point pourtant été la fille de ses pensées ». Cette spécificité du juridique ne doit pourtant pas être comprise comme l'espoir d'une opposition résolue du droit vis-à-vis de la normalisation disciplinaire : elle permet, au contraire, d'expliquer que cette normalisation ait pu s'exercer, puisque le droit l'appelle depuis ses préoccupations propres. On ne saurait pour autant oublier, et Foucault y insiste régulièrement, que cet appel est lancé depuis une hétérogénéité foncière entre les deux genres de rationalité, dont il ne faut pas négliger les effets.

Le droit, à quel sujet ?

L'interstice de ces logiques contradictoires délimite, on le pressent, un espace critique – c'est en ce point qu'il faut situer ce que Foucault appelle fréquemment « la bataille ». La question est toutefois de savoir *qui* peut occuper un tel espace ; autrement dit, ce qu'il en est ici du sujet de droit, auquel – c'est l'objection la plus couramment rencontrée – Foucault aurait dénié toute autonomie et toute consistance. Est-ce réellement le cas ?

Il faut d'abord corriger, en fonction de ce qu'on a dit de « l'anti-juridisme » de Foucault : ce que ce dernier refuse, ce n'est pas le sujet de droit, mais l'obligation de penser le sujet dans les termes du droit, *i.e.* comme origine ou corrélat d'une loi générale. De là le souci de rechercher le sujet en deçà du moment du code, et précisément du côté des procédures qui en permettent l'application. Ce déplacement du moment de la subjectivité vers l'amont de la loi était déjà présent dans l'*Histoire de la folie* (où Foucault recherchait l'émergence de la figure du fou « derrière la chronique de la législation[18] ») ; il marque explicitement, non seulement les textes sur l'assujettissement, mais encore les textes sur la subjectivation éthique. On se souvient en effet que, dans l'*Usage des plaisirs*, Foucault définit l'éthique comme l'ensemble des procédures par lesquelles le sujet se constitue à la fois pour la règle morale et sous celle-ci (de sorte que l'examen de la règle elle-même ne dit pas quelle figure empruntera la subjectivité qui s'y réfère). À ce moment, Foucault précise que, suivant les époques et les cultures, le code peut avoir une importance plus ou moins grande dans le processus par lequel le sujet se constitue : il dis-

tingue les cas où « la subjectivation se fait, pour l'essentiel, dans une forme quasi-juridique » (faisant référence à
l'organisation du système pénitentiel au XIIIᵉ siècle), et
ceux où « l'élément fort et dynamique est à chercher du
côté des formes de subjectivation et des pratiques de soi »
– et c'est au second cas qu'il s'intéresse, en tout cas dans
les tomes publiés de l'*Histoire de la sexualité*.

Cette mise à l'écart du code signifie-t-elle pour autant
que celui-ci ne puisse devenir un instrument de subjectivation intellectuelle et politique ? On peut, à cet égard,
distinguer deux séries d'énoncés. D'un côté, il faut
d'abord faire une place à tout ce qui concerne le droit
passé : ce droit dont Foucault ne cesse de dire qu'il est
obsolète et que sa sacralisation bloque la possibilité d'une
compréhension des mécanismes de pouvoir actuel, mais
dont il ne cesse aussi de se servir comme d'une contre-
épreuve, permettant de mesurer par contraste les évolutions modernes. Un droit, donc, pratiquement stérile et
stérilisant, mais théoriquement indispensable comme
point fixe contre lequel les devenirs se trouvent assignés.
Ainsi, la référence à Beccaria, et au modèle pur d'un droit
qui ne sanctionnerait que les actes, intervient-elle régulièrement pour faire apparaître ce qu'a de singulier et
d'exorbitant un droit penché sur ce que sont les individus, leur personnalité, leurs motivations, etc.

À l'autre extrémité, il faudrait situer toutes les évoca-
tions ou les appels à un « droit à venir[19] », qui serait enfin
en prise avec ces pouvoirs d'un genre nouveau, qui ne
fonctionnent pas à la répression, qui ne font référence à
aucun foyer unique et prennent la vie pour objet. Droit
qui, dans l'économie du discours de Foucault, occupe en
quelque sorte une place symétrique de l'autre : Foucault
le juge pratiquement nécessaire, mais il ne trouve dans

son œuvre aucune forme théoriquement aboutie. Se disposent ainsi, de part et d'autre du diagnostic porté sur le présent, deux références au droit. Ainsi peut-on lire, à peu d'intervalle, dans le cours intitulé « Il faut défendre la société » : « Nous nous trouvons actuellement dans une situation telle que le seul recours existant, apparemment solide, que nous ayons, c'est précisément le recours ou le retour à un droit organisé autour de la souveraineté, articulé sur ce vieux principe (...). Et je crois qu'on est là dans une espèce de goulot d'étranglement, que l'on ne peut pas continuer à faire fonctionner indéfiniment de cette manière-là. (…) Pour lutter contre les disciplines, ou plutôt contre le pouvoir disciplinaire, dans la recherche d'un pouvoir non disciplinaire, ce vers quoi il faudrait aller ce n'est pas l'ancien droit de la souveraineté, ce serait dans la direction d'un nouveau droit qui serait anti-disciplinaire, mais qui serait en même temps affranchi du principe de souveraineté[20]. »

Dans cette double référence, perpétuellement reconduite, on ne verra pas un signe d'inachèvement (comme si Foucault n'avait eu le temps de concrétiser son projet de « nouveaux droits de l'homme ») ou de faiblesse théorique (comme si Foucault s'était contenté de superposer une invocation romantique d'un « avenir tout-autre » à une référence implicite aux principes du passé), mais une stratégie et l'indice d'une conjoncture. D'une part, remarquons que ces deux références au droit permettent finalement à Foucault de n'en absolutiser aucune – et, du même coup, de mobiliser des segments de droit, des fragments d'énoncés juridiques, sans que ceux-ci puissent renvoyer à autre chose qu'un bricolage, entre « pas encore » et « déjà plus ». Le dédoublement de la référence au droit fonctionne, chez

Foucault, comme la condition d'une émancipation pratique vis-à-vis de toute référence à un droit-fondement, sans avoir pourtant à renoncer à la rhétorique du droit comme instrument de lutte. D'autre part et surtout, ce dédoublement entre droit-passé et droit-à-venir vient déployer sur l'axe temporel le double rapport de corrélation-résistance entre le juridique et le normatif que nous avons déjà remarqué. Impossible de compter sur le droit, dès lors que celui-ci est entré dans un ensemble de transformations qui le portent à appeler, de l'intérieur, une mise en ordre des corps par les formes modernes de savoir-pouvoir. Mais impossible de se passer du droit, impossible de ne pas reconduire le « vieux mot de droit » y compris pour qualifier ce qui viendra après lui, ce droit à venir qui reste à construire – parce que, du fond de leur corrélation, la rationalité juridique et la rationalité normative continuent d'être antinomiques : comme « le citron et le lait », pour reprendre une formule renvoyant, dans les *Dits et Écrits*, aux rapports entre la loi et l'ordre. Situer son propos entre un droit passé et un droit à venir, c'est surtout s'installer au point où la rationalité juridique et la rationalité normative se rencontrent et s'affrontent, au lieu même où le droit, d'un même trait, passe à l'extérieur de lui-même et résiste à ce passage – ce que Foucault appellerait « un point de problématisation ».

Mathieu Potte-Bonneville

Notes

1. Benoît Frydman, « Le droit privé de contenu », *in Refaire la politique*, Paris, Syllepse, 2001

2. *Surveiller et punir, op. cit.*, p. 310.

3. Cf. *Il faut défendre la société*, cours au Collège de France 1976, Paris, Gallimard-Seuil, coll. « Hautes études »,1997, premiers cours : « le droit » y désigne tantôt « la loi et l'ensemble des appareils, institutions, réglements qui appliquent le droit » (p. 24), tantôt « la pensée juridique » (p. 23), tantôt « la théorie juridico-politique de la souveraineté » (p. 31).

4. *ibid.*, p.31.

5. *ibid.*, p.33.

6. *ibid.*, p.25.

7. *ibid.*, p.25.

8. *Dits et Écrits*, t. III, *op. cit.*, p. 424.

9. Sur le « matérialisme » de Surveiller et punir, cf. supra, pp. 111-118, chapitre « Écrire ».

10. Hans Kelsen, « L'essence de l'État », trad. fcse *Cahiers de philosophie politique et juridique*, Presses universitaires de Caen, 1990, n° 17.

11. « Table Ronde du 20 mai 1978 », *Dits et Écrits*, t. III, *op. cit.*, p. 28.

12. *Surveiller et punir, op. cit.*, p. 224.

13. Alain Renaut, « État de droit et sujet de droit », *Cahiers de philosophie politique et juridique*, 1993, n° 24, pp. 61 et 66.

14. Pour reprendre l'expression de François Ewald, « un pouvoir sans dehors », *in Michel Foucault philosophe. Rencontre internationale 9, 10, 11 janvier 1988*, Le Seuil, coll. « Des travaux », 1989, pp. 196-202.

15. Cf infra, « Contrôle », p. 245.

16. *Dits et Écrits*, t. III, *op. cit.*, p. 443.

17. *art. cit.*, p. 451.

18. *Histoire de la folie à l'âge classique, op. cit.*, p. 446.

19. « Face aux gouvernements, les droits de l'homme », *Dits et Écrits*, t. IV, *op. cit.*, pp. 707-708.

20. *Il faut défendre la société, op. cit.*, p. 35.

Soulèvement

Histoire des prisons : où l'on suivra l'émergence d'une force politique inédite.

Une violente mutinerie éclate à la prison Charles-III à Nancy le 15 janvier 1972 ; ce mouvement intervient un mois jour pour jour après la révolte des prisonniers de la centrale de Ney, à Toul[1], et au lendemain de la remise du rapport Schlmek, rapport consécutif à cette révolte et qui pour la première fois reconnaissait la rigueur excessive avec laquelle, dans certains établissements, le régime pénitentiaire était appliqué.

La mutinerie de Nancy présente les mêmes caractéristiques que bien des mouvements contemporains dans les prisons françaises – plus d'une trentaine au cours de cet hiver 1971-1972 à commencer par les revendications des mutins :

« Réclamation de la population pénale de la maison d'arrêt de Nancy.

Nous demandons une justice équitable à l'intérieur de la prison de la part des surveillants et de l'encadrement. Les détenus réclament une justice honorable, ainsi que la suppression de la tutelle pénale, de l'interdiction de séjour.

Les lundi, mardi et mercredi, les détenus passant devant le tribunal correctionnel de Nancy se voient infliger des peines beaucoup trop lourdes par rapport

aux détenus passant devant le tribunal les autres jours.
Pourquoi ?
Nous réclamons l'amélioration de l'ordinaire en nour-
riture, que la cantine soit améliorée. Nous réclamons que
les journaux ne soient plus censurés. Nous réclamons une
hygiène décente, du chauffage dans les dortoirs. Nous
réclamons que les détenus ne soient plus roués de coups
par les surveillants à la suite de légères infractions. »

Cette mutinerie, qui intervient au moment même où l'esquisse d'une réforme se fait jour du côté de la chancellerie, est durement réprimée. Bon nombre des mutins, comme c'est alors souvent le cas, sont transférés dans d'autres établissements ; mais, surtout, six d'entre eux sont inculpés dans le cadre de la loi anticasseurs. Leur procès a lieu le 8 juin 1972 devant le tribunal correctionnel de Nancy, où ils sont condamnés à des peines allant de 5 à 8 mois de prison.

Cet épilogue judiciaire eut pour conséquence la production d'un certain nombre de pièces – procès-verbaux, interrogatoires, confrontations… – qui renseignent remarquablement sur cet événement que Foucault qualifie de « véritable soulèvement ». En effet, le juge Hardy, à qui est confiée l'instruction, entend au cours du printemps 1972 de nombreux détenus afin d'« identifier des meneurs ».

À partir de ces archives judiciaires de la mutinerie, il s'agit de tenter d'analyser la manière dont se déroule précisément ce moment de subjectivation collectif. On ne perdra pas de vue que ces archives, par leur nature, donnent à lire des discours extrêmement construits, relevant de stratégies individuelles particulières et passés au crible de l'enquête policière. Il ne s'agit pas de la parole brute des mutins – en existe-t-il seulement ? –, mais bien des traces de leur face-à-face avec le pouvoir.

Soulignons ici que les prisonniers de la maison d'arrêt de Nancy sont à l'époque majoritairement de jeunes ouvriers de moins de trente ans, en rien comparables aux militants maoïstes qui ont fait la grève de la faim une année plus tôt.

Quels motifs les mutins avancent-ils pour expliquer au juge d'instruction leur action ?

En premier lieu, plusieurs détenus ont une série de récriminations à l'égard de l'administration pénitentiaire en matière de vie quotidienne. Charles H., 19 ans, explique ainsi : « Si j'ai participé à cette mutinerie, c'est que j'estimais que l'administration ne faisait pas son possible pour améliorer la nourriture, le chauffage. Par ailleurs, il y avait un abus de punitions et j'ai personnellement été frappé plusieurs fois pour des motifs futiles, c'étaient des gifles et des coups de poing qui ne laissaient pas de traces. » Ce sont des situations ordinaires qui sont pointées par les détenus, comme Jean-Claude D., 26 ans, qui déclare : « Nous avons en effet à nous plaindre du manque de chauffage, de la nourriture et de brimades telles que le déshabillage complet pour la fouille. » La dureté de la discipline et le manque d'hygiène sont mis en avant par Daniel J. : « J'estime que ce qui ne va pas à Charles-III, c'est que pour un oui ou pour un non on a un rapport de surveillant contre nous et ensuite on prend une raclée des surveillants. On ne peut pas s'expliquer ni voir le directeur. Au point de vue de l'hygiène cela laisse à désirer. Nous n'avons qu'un lavabo, plus exactement deux, pour soixante hommes, et un seul

WC. En une heure de temps le matin, il n'est pas possible de faire sa toilette et de satisfaire ses besoins. La cantine est maigre aussi. »

Certains mutins ont une connaissance des autres établissements pénitentiaires et sont donc en mesure d'évaluer la situation spécifique de Nancy. Ainsi, Ryszard S., 33 ans, juge la situation dans la prison inacceptable et explique : « depuis que j'étais à Nancy, on trouvait la prison vraiment en retard sur les autres. Personnellement, moi qui ai été dans différentes prisons de France, à Strasbourg, Colmar, Savene, Briey, Fresnes, La Santé, Clairvaux, je puis vous dire qu'effectivement la prison de Nancy était vraiment une des plus mauvaises que j'ai connues. »

La mutinerie ne s'explique pas seulement pour les mutins par les problèmes de vie quotidienne, la discipline et le savoir que les détenus ont des autres établissements, elle est aussi selon eux la conséquence des difficultés rencontrées par les détenus pour défendre leur droit en matière de peine. Ainsi un détenu estime-t-il que « la direction ne prête pas attention à [leurs] demandes, même justifiées. Par exemple, on m'a refusé quatre fois d'écrire à mon avocat auquel je voulais demander une confusion de peine et une mesure de semi-liberté. On m'a refusé de travailler à l'atelier au rez-de-chaussée qui payait mieux. »

La révolte n'a pas de portée révolutionnaire – il ne s'agit pas de réclamer la suppression de la prison ; elle est le fruit d'une situation matérielle critique doublée d'arbitraire. Mais si la mutinerie a lieu c'est aussi en raison de la connaissance qu'ont certains détenus de la survenue de révoltes dans d'autres prisons : « Mes collègues de détention ainsi que moi-même sommes au courant des révoltes qui ont eu lieu dans différentes régions de France. (...) Nous avons appris cela aussi bien en allant au parloir qu'en lisant certaines lignes non censurées, de même que par l'arrivée d'ex-détenus de la centrale de Toul », indique Lucien G., 28 ans. Il existe, semble-t-il, un savoir partagé entre plusieurs détenus sur les actions militantes en détention. Ce savoir est toujours silencieux ; aussi est-ce la thèse du spontanéisme du soulèvement qui est mise en avant : « Nous avons d'abord hésité à les suivre mais nous avons bientôt été emportés par le mouvement de révolte », déclare Jean-Marie L., 19 ans ; « Je n'ai pas pu distinguer non plus s'il y avait des meneurs », explique Lucien G., 28 ans, tout comme Bernard G., 23 ans, qui dit avoir « été surpris par le caractère soudain de la révolte ». Si nombre d'entre eux, comme Jean-Claude D., n'ont « fait que suivre le mouvement », certains indiquent au juge avoir été fortement sensibilisés à ces modes d'actions par les autres révoltes. « Je dois vous dire qu'une certaine tension régnait parmi les détenus depuis les événements de Toul dont nous avions eu connaissance », dit ainsi Gérard L., 24 ans. « Je n'ai pas été étonné par le déclenchement de ce mouvement de révolte du 15 janvier : ce n'est que la suite logique de ceux qui se sont passés dans d'autres prisons de France, événements que nous avons appris malgré la rigueur de la censure », souligne Henri A., 34 ans. Pour certains, cette circulation des savoirs se fait directement ; ainsi Jean-Marie L. raconte-t-il : « transféré à la centrale de Toul le 11 novembre 1971, j'y ai vécu la mutinerie qui s'est déclenchée le 9 décembre. »

Il y a donc en ce début des années 1970 dans les prisons françaises un fort désir de se faire entendre chez les détenus ; ce désir n'est pas un désir d'évasion – « pas un instant ne m'est venue l'idée de m'évader », dit Jean-Pierre G., 22 ans –, mais d'obtention d'une série de droits et de transmission de la réalité de la prison au dehors.

À quels types d'action les mutins ont-ils recours pour réaliser leurs objectifs ?

Par son architecture, on le sait, la prison est un lieu de clôture où l'enfermement est redoublé par une série de murs et de portes. En prison, disait Foucault, les murs ne séparent pas seulement les détenus de la population, ils les privent de vie commune. La prison produit de l'enfermement et cet enfermement doit être éprouvé à chaque instant : les détenus sont dans des cellules, qui sont dans des couloirs, qui appartiennent à des divisions. La première action des mutins n'est pas de chercher à détruire ces obstacles à leur liberté mais, à l'inverse, de construire une nouvelle barrière. Une barrière dont ils seraient les maîtres, un mur qu'ils auraient édifié, une interdiction de passer qu'ils auraient eux-mêmes décidée et qu'ils imposeraient aux gardiens, retournant en somme le dispositif. « Attention ! Ce n'est plus nous qui sommes enfermés, c'est vous messieurs les surveillants ! » semble signifier la barricade. Mais elle est aussi une barrière qui réinscrit les mutins dans une dimension historique. Faire une barricade c'est en effet participer de l'histoire, de celle du XIXe siècle mais aussi du mois de mai 68. Il n'est pas de symbole plus fort en France que la barricade pour manifester : c'est, dans le répertoire des actions collectives de protestation, le plus historiquement chargé. Que l'on songe dans cette perspective des imaginaires révolutionnaires au tableau de Delacroix ou aux scènes de barricades chez Victor Hugo.

« Nous avons alors tout jeté dans l'escalier, bancs et tables, car nous voulions faire une barricade afin d'amener la direction à négocier avec nous », déclare Charles H. « Je suis descendu au rez-de-chaussée pour dresser une barricade avec les meubles que mes camarades avaient jetés dans l'escalier », indique Gilbert V., 25 ans.

Le journal maoïste *La Cause du peuple* insiste sur la construction de la barricade comme symbole révolutionnaire et publie notamment au moment de la révolte de Toul une immense photographie. Tout se passe comme si les mutins transformaient la prison en une imposante barricade, une barricade en plein centre de la ville de Nancy ou de Toul.

L'une des caractéristiques de la mutinerie de Nancy, comme de toutes celles de l'hiver 1971-1972, est l'absence de violence faite aux personnels de surveillance. On n'assiste à aucune prise d'otage. Ainsi, à Charles-III, « un camarade, je ne sais plus lequel, a parlé de prendre deux surveillants en otage. Cette idée a été repoussée », indique Charles H.

Comment expliquer ce refus dans de telles situations, alors même que l'un des motifs des mutins est le mauvais traitement et les passages à tabac dont ils sont l'objet ? On ne peut pas véritablement comprendre ce refus sans évoquer le contexte de cette révolte. Le mouvement dans les établissements français intervient au lendemain et en réaction de la circulaire du ministre de la Justice, René Pleven, supprimant les colis de Noël, ce droit des détenus à bénéficier d'un colis de vivres pour les fêtes de fin d'année[2]. Or, cette mesure avait été prise en novembre 1971 pour satisfaire les syndicats de surveillants, très inquiets après une vague d'évasions avec prise d'otages au cours de l'été précédent. Il faut ainsi rappeler que l'actualité a été marquée en septembre par l'affaire de Clairvaux, du nom de la prison centrale dont ont tenté de s'évader en tuant deux personnes deux détenus, Buffet et Bontemps. Cette affaire, au moment où le regard de l'opinion publique commençait à changer sur les prisonniers, grâce notamment aux actions du GIP, vient alimenter un discours contre toute réforme des prisons et renforcer le fossé entre le dedans et le dehors. Le drame de Clairvaux n'est pas isolé en 1971 : au cours de l'été, à Lyon et à Marseille, deux surveillants sont morts lors de tentatives d'évasion.

Pour les mutins, ne pas prendre d'otage, c'est donc d'abord se distinguer radicalement des actions individuelles visant à s'évader, mais c'est aussi laisser le monopole de la violence aux forces de l'ordre. Si les tuiles du toit servent de projectiles, c'est moins pour blesser que pour témoigner de la détermination des mutins.

Les mutins de Nancy – et c'est en cela qu'il s'agit, selon Foucault, d'un soulèvement – produisent une série de revendications et les diffusent en s'emparant des outils d'écriture et de reproduction. Ainsi, Jean J., 26 ans, déclare-t-il : « ils m'ont obligé à rédiger, ou plus exactement à taper à la machine, un tract sous la dictée. Tous les détenus présents émettaient des idées et c'est le nommé A. qui les mettait en forme et me les dictait. J'ai d'abord dactylographié six tracts à l'aide de carbone, puis ils ont pensé au duplicateur et m'ont obligé à tirer une quarantaine d'exemplaires sur cet appareil, à l'aide d'une baudruche. »

Citons ici longuement le discours des mutins qui tous insistent sur cette prise d'écriture et son importance dans l'émeute. Prendre la machine à écrire, prendre l'écrit, c'est symboliquement ne plus être objet de discours mais, pour la première fois sans doute, sujet et producteur de discours. Un discours collectif : « Il a été décidé de taper la liste de nos revendications à la machine pour la faire parvenir au procureur de la République et à la population qui se trouvait dans la rue. (…) C'est moi qui ai dicté le texte à partir d'idées émises par les détenus », dit Henri A.

La réalisation de la banderole semble témoigner non plus seulement de la réappropriation de l'écrit par les mutins, mais de la rupture du silence d'avec le dehors. Les prisonniers s'adressent aux gens qui sont devant la prison, dans la rue. Ils ne disent pas uniquement « Nous sommes là ! », mais surtout « Nous voulons parler avec vous ».

« Je reconnais que sur le toit j'étais monté avec un drap qui devait nous servir de banderole revendicative. J'avais un pinceau et de la peinture noire, mais je ne suis pas arrivé à peindre une inscription sur ce drap. En effet, le drap ne s'y prêtait pas et le pinceau restait collé après le drap », raconte Charles H.

« Je n'étais pas sur le toit quand y a été déployée une banderole, portant ces mots « On a faim ». Je sais seulement que c'est le nommé P. qui a monté la peinture noire sur le toit. »

« Mon action s'est limitée au transport d'un pot de peinture noire sur le toit, où il avait été décidé de confectionner une banderole réclamant l'amélioration de la justice. J'ai d'ailleurs commencé à tracer le slogan sur un drap apporté par H., mais la surface de ce drap était insuffisante, j'y ai renoncé. Par la suite, d'autres détenus ont écrit autre chose », relate Bernard P., 19 ans.

Dans la gamme des actions que mènent les détenus lors de la mutinerie, l'occupation du toit est sans nul doute l'une des plus marquantes, et il suffit d'évoquer ces événements avec des contemporains pour que le souvenir des prisonniers sur le toit soit mentionné.

Pourquoi cette prise des toits, comme la prise d'écriture, est-elle stratégique ?

En prenant la partie supérieure des bâtiments, les mutins se placent là où la population, au dehors, peut les voir. Ils rompent un ordre du paysage urbain qui les excluait. D'ordinaire, on ne voit pas les détenus, on les entend éventuellement, mais les murs cachent leur silhouettes. Soudain, donc, les voilà exposés – exactement comme au pilori – sans l'accord des autorités. Ils constituent le toit en scène sur laquelle ils vont jouer leur propre théâtre judiciaire : le procès de la prison.

Le toit n'est pas seulement un espace en hauteur, il est aussi en surplomb par rapport à la rue et aux forces de l'ordre. Il est au-dessus des miradors, comme si les mutins avaient pris le contrôle de la prison, comme si c'était eux qui en assuraient dorénavant la surveillance.

Cette situation stratégique est aussi tactique : il est en effet difficile pour les forces de l'ordre de les en déloger et périlleux de les attaquer sans risquer des pertes. Pour se faire photographier, diffuser des tracts, c'est en revanche l'endroit idéal : « je reconnais également avoir balancé dans la rue, depuis les toits, cinq ou six tracts lestés d'une pierre retenue par un caoutchouc » raconte Henri A.

« Il m'est arrivé de monter sur les toits à deux ou trois reprises. J'y ai dansé, chanté, hurlé et il est possible que j'ai balancé quelques tuiles dans la rue. Je m'en souviens pas très bien car j'étais passablement ivre. » Pierre A.

« J'ai jeté quelques tuiles dans la cour et dans la rue. J'ai d'ailleurs causé depuis le toit avec mon frère. » Charles H.

« Je suis monté sur le toit pour me rendre compte de la situation ; j'en ai profité pour crier quelques slogans à la foule qui s'était rassemblée à l'extérieur de la prison : « plus de justice ; une réforme pénitentiaire ; on a faim ; on a froid ». » Bernard G.

« Je me suis rendu sur les toits. J'ai regardé les gens à l'extérieur. » Raymond C., 19 ans.

« Je l'ai vu causer avec sa sœur qui était en pleurs dans la foule. » Jean-Claude D.

« J'ai vu les journalistes qui ramassaient les feuilles dans la rue. » Michel M.

« Je suis bien en photo sur le toit de la prison sur le journal du *Républicain lorrain* du 16 janvier 1972 que vous me présentez. » Charles H.

Pour les prisonniers, la mutinerie est l'occasion d'une sorte de charivari social : « j'ai vu des camarades qui s'étaient coiffés de casquettes de surveillant », indique Mohamed D., 33 ans.

Ainsi, les déclassés qu'ils sont s'emparent des uniformes de ceux qui les enferment. Ils prennent leur place, mais, surtout, leurs clés, et ouvrent les portes des cellules. Lorsque les mutins n'ont pas ces clés, ils brisent les serrures : « j'ai pu gagner le 1er étage de ce quartier [cellulaire] et, à l'aide d'un marteau dont j'étais en possession, j'ai réussi à ouvrir quelques cellules », indique Jacques D. « J'ai gagné le quartier cellulaire par une brèche et j'ai ouvert quelques cellules avec mon marteau, je brisais les serrures, j'en ai ouvert trois ou quatre », ajoute Daniel J.

On pourrait bien sûr gloser sur ces destructions de serrures, mais le plus important tient sans doute à l'atmosphère générale de la mutinerie : celle d'une fête, alimentée par exemple par la découverte d'un stock de bières offrant aux mutins la possibilité de boire un peu d'alcool. La mutinerie n'est donc pas l'occasion d'un saccage, ni d'une beuverie, mais un moment où les prisonniers se pensent et revendiquent collectivement. Que les modalités d'action et l'esprit général de ces actions soient très transgressifs par rapport à l'ordre pénitentiaire est certain : il y a un plaisir à se constituer en force politique inédite que les mutins éprouvent et donnent à voir.

Dans ces émeutes de l'hiver 1971-1972, Foucault ne voit pas les détenus sur les toits comme des révolutionnaires, mais il lit leurs gestes comme des subjectivations, c'est-à-dire des actes par lesquels des individus se constituent en sujet. Il reviendra de ses deux voyages en Iran, en 1978 et 1979, en s'étant forgé la même analyse. Ce qui intéresse le philosophe, c'est le surgissement d'une force inédite qui prend la forme d'un mouvement collectif. On aurait tort de penser que Foucault adhère au mouvement de soulèvement iranien, qu'il le soutient ; il y est simplement attentif car, précisément, il fait événement dans la mesure où, comme le font les mutins dans les prisons françaises, il rompt un ordre ; dans la mesure où il s'y invente quelque chose de nouveau qui relève de l'en deçà de l'histoire. Cette attention infinie aux idées qui émergent, aux modes de vie qui s'inventent, aux savoirs les plus fragiles, relève pour Foucault du travail des intellectuels.

Philippe Artières

Notes

1. Comité-Vérité-Toul, *La Révolte de la Centrale Ney*, Paris, Gallimard, « La France Sauvage », 1973.
2. Circulaire du 12 novembre 1971.

Contrôle

Question de périodisation : où l'on se demandera pourquoi les prisons survivent à leur mort annoncée, et ce qui survit de discipline dans les sociétés de contrôle.

Il y aurait tout lieu de s'étonner que se dressent encore, dans le paysage contemporain, les hauts murs des prisons. Comment comprendre, en effet, qu'à l'heure des technologies de l'information, la mise au secret constitue toujours le mode privilégié par lequel la société sanctionne ses infracteurs, relègue ses indésirables ? Comment expliquer cette persistance de l'enfermement, comme enkysté dans une politique vouée, du côté de l'État comme de celui des entreprises, à la gestion de la mobilité et à l'exigence de flexibilité ? Pourquoi la mise en réseaux, accomplie ailleurs, des institutions sociales, sanitaires, pédagogiques, etc., échoue-t-elle si souvent à forcer les portes de la geôle ? La prison paraît opposer, aux plus actuelles techniques de gestion des individus et des populations, une réticence obstinée : des parois de béton dans une cité de verre.

L'hypothèse vient alors que cela ne durera pas. Soit que, comme l'annoncent régulièrement les politiques, la prison constitue un archaïsme, univers d'un autre âge survivant seulement de sa propre inertie ou de la frilosité administrative et ministérielle : il faudra réformer, et cela va venir. Soit que, comme le suggèrent certains analystes, la prison soit déjà insidieusement investie par d'autres modalités d'exercice du pouvoir, vouées à terme à en effacer la clôture : déjà, la télévision s'avère plus efficace que le mitard. Déjà, les prisonniers envisagent leur détention comme le moment d'un parcours qui part de la rue et y reconduit, et où l'opposition du dedans et du dehors perd de sa pertinence. Viendra bien le moment où le mur ne s'imposera plus – ne parle-t-on pas, déjà, de prison à domicile ?

Risquons ici un constat : la prison, pour un anachronisme, pour une survivance inutile et indue, se porte plutôt bien. Elle ne cesse de survivre à son effondrement programmé, trouve une vigueur nouvelle dans une surpopulation toujours accentuée. Non qu'elle ne change pas : mais elle se relève de ses crises avec une insolente santé. Comprendre ce fait simple (les murs se lézardent, mais ils tiennent debout) suppose peut-être de remettre en question une certaine lecture de l'histoire – lecture suivant laquelle la prison, inventée au XIXe siècle, serait une forme sur le déclin, bientôt remplacée par des techniques de punition plus efficientes et plus actuelles. La prison est peut-être, au contraire, notre plus moderne archaïsme.

Crise de l'enfermement ?

« Nous sommes dans une crise généralisée de tous les milieux d'enfermement, prison, hôpital, usine, école, famille. » Le diagnostic, posé par Gilles Deleuze dans un fameux « post-scriptum[1] », a connu depuis lors un succès certain, tant il recoupe l'impression que la prison va disparaître, doit disparaître[2]. Le schéma proposé par Deleuze est simple : à la discipline, technique de pouvoir fondée sur la concentration des individus en corps dans des espaces clos et analogues (prison, usine, etc.), sur l'analyse minutieuse de leurs actes opérée de manière à en recomposer la séquence pour en tirer une productivité maximale, se substituerait peu à peu le contrôle, gestion des populations en milieu ouvert. Deux principes définiraient la logique de ce pouvoir nouveau : premièrement, une modulation des prestations et des sanctions, s'adaptant continûment aux milieux qu'elle traverse : « De même que l'entreprise remplace l'usine, la formation permanente tend à remplacer l'école, et le contrôle continu remplacer l'examen. » Deuxièmement, une communication de chaque institution avec toutes les autres, qui rend obsolète leur distinction stricte : « Dans les sociétés de contrôle, on n'en finit jamais avec rien, l'entreprise, la formation, le service étant les états métastables et coexistants d'une même modulation. »

Cette distinction est sans doute, dans de nombreux cas, éclairante – au risque d'être aveuglante, par la généralité excessive avec laquelle elle se donne. Si ce texte de Deleuze constitue une formidable provocation à penser, sa minceur l'oblige aussi à concentrer certains des traits les plus séduisants et les moins heureux de l'écriture deleuzienne : un certain usage combiné de la métaphore, de l'exemple illustratif et de la distinction pédagogique. Le problème tient davantage, dans ce fameux post-scriptum, à la manière dont se font écho une opposition et un évitement. D'un côté, Deleuze trace, entre discipline et contrôle, la double frontière d'une alternative logique et d'une succession chronologique : l'un n'est pas l'autre, l'un suivra l'autre. De l'autre, il contourne soigneusement, dans les exemples qu'il propose, le cas de la prison, lors même qu'il prétend puiser l'inspiration de son texte chez Michel Foucault, dont on sait que la description de la société disciplinaire est pourtant adossée, dans *Surveiller et punir*, à l'histoire du carcéral.

Cette quasi-omission n'est pas un hasard. Parce que la prison tient le coup, que sa mort annoncée tarde à venir, perturbant le schéma deleuzien. Parce que, surtout, l'analyse que Foucault propose, à partir des prisons, des techniques de pouvoir initiées au XIXe siècle, établit, entre discipline et contrôle, des rapports beaucoup plus complexes que l'opposition proposée par Deleuze. Là où celui-ci donne, de l'histoire du pouvoir, une description linéaire, celui-là établit, au contraire, un jeu de corrélations et de différences, où le secret et la transparence, l'enfermement et l'ouverture, s'entrelacent plutôt que de se succéder. Précisons.

1. *Surveiller et punir* réserve au lecteur qui l'aborderait à partir des analyses de Deleuze une surprise de taille. Loin d'opposer discipline et contrôle, Foucault fait de ce dernier l'innovation centrale qui préside, au XIXe siècle, à la mise en place des règlements d'ateliers, de la nouvelle architecture hospitalière et de la prison comme pièce essentielle du dispositif pénal. En d'autres termes, les disciplines ont pour différence spécifique, vis-à-vis des régimes antérieurs de pouvoir, l'usage généralisé du contrôle.

Il ne s'agit pas seulement, ici, d'un flou terminologique : le contrôle décrit par Foucault à propos des institutions du siècle dernier correspond bel et bien, sur de nombreux points, à cette « modulation » dont parle

Deleuze. Il combine en effet une exigence de visibilité constante de ceux qui lui sont assujettis (visibilité, non de surplomb, mais intégrée à l'accomplissement de leurs activités productives – ainsi le maître surveille-t-il tout en enseignant), avec le jeu d'une normalisation qui introduit, dans le jugement et la sanction, « tout le dégradé des différences individuelles[3] ». On cesse d'opposer le dedans au dehors pour mesurer les écarts entre les conduites, différencier les degrés dans la docilité, l'apprentissage ou la productivité de chacun, et distribuer les tâches ou les punitions à proportion de ce que requièrent la nature, le niveau, la virtualité des individus. La discipline, telle que Foucault l'entend et telle qu'elle s'exerce dans l'espace institutionnel du XIXe siècle, est hantée, non par la rigidité d'un ordre dans des frontières strictes, mais par cet idéal d'une norme flexible dont l'extension indéfinie, susceptible d'intégrer tous les cas, ne laisserait subsister aucun dehors.

2. Pour autant, la discipline ne se réduit pas tout entière à l'exigence de contrôle. Celle-ci, pour en constituer la nouveauté principale, ne fonctionne pas toutefois sans s'adjoindre les services d'une logique plus ancienne, qu'elle intègre à son jeu et dont elle bouleverse la forme et la fonction. Cette logique est celle du partage et de l'exclusion, de la discrimination stricte des cas et des espaces – logique des anciennes léproseries, logique du mur. « Toutes les instances de contrôle individuel fonctionnent sous un double mode : celui du partage binaire et du marquage (fou-non fou, dangereux-inoffensif, normal-anormal) ; et celui de l'assignation coercitive, de la répartition différentielle (qui il est ; où il doit être ; par quoi le caractériser, comment le reconnaître ; comment exercer sur lui une surveillance constante, etc.)[4] »

Ce que Foucault appelle « discipline », c'est une technologie politique qui combine la norme intégratrice et
le partage excluant : combinaison en laquelle on ne
verra pas la rencontre contingente de deux procédures
contradictoires, ou le croisement éphémère d'une nouveauté et d'une survivance, mais bien une corrélation
fonctionnelle et stable. Entre le contrôle et le mur, entre
la visibilité et le secret, s'opère un jeu de renvois :
contrôler permet d'exclure, de soumettre le partage à
des critères rigoureux. Exclure permet de mieux
contrôler, dans des milieux que la clôture rend disponibles à la mesure et au regard.

3. Dans cette synthèse, le contrôle constitue, on l'a
dit, l'élément novateur. Du même coup, l'histoire des
disciplines est parcourue, selon Foucault, par une tension. À mesure, en effet, que l'on assigne aux disciplines
une fonction positive – en d'autres termes, qu'on les
charge d'organiser la production plutôt que de prévenir
le désordre –, l'élément normatif tend à prendre le pas
sur les contraintes du partage. « À une extrémité, la
discipline-blocus, l'institution close, établie dans des
marges, et toute tournée vers des fonctions négatives :
arrêter le mal, rompre les communications, suspendre
le temps. À l'autre extrémité (...) on a la discipline-mécanisme : un dispositif fonctionnel qui doit améliorer
l'exercice du pouvoir en le rendant plus rapide, plus
léger, plus efficace, un dessin des coercitions subtiles
pour une société à venir[5]. »

Même si elle désigne, de loin, la « société à venir »,
cette distinction est loin de recouper l'opposition deleuzienne entre discipline et contrôle. Pour deux raisons.
D'une part, parce que l'évolution qu'elle décrit s'accom-
plit, pour Foucault, dès le XIXe siècle : elle marque, non

l'obsolescence actuelle des disciplines, mais la constitution d'une société disciplinaire achevée. D'autre part, si le contrôle occupe une place prépondérante à mesure que la société se discipline, nulle part il n'est dit que cette normalisation puisse s'exercer seule, à ciel ouvert ou hors les murs. Elle essaime, sans doute, dans tout le corps social – mais toujours, soit à partir d'appareils fermés développant une marge de contrôles latéraux, soit depuis des foyers locaux, progressivement intégrés dans l'appareil de police[6]. Surtout, Foucault insiste sur le fait que le rêve d'un appareil de normalisation coextensif au corps social s'ordonne encore et toujours, et tout au long de son histoire, à un schéma de visibilité forgé pour la prison : celui du panoptique de Bentham. Or ce schéma, sorte d'« œuf de Colomb dans l'ordre de la politique », diagramme abstrait ordonnant la distribution des corps et des regards, modèle transposable d'une institution à l'autre, a encore, pour condition de possibilité, le découpage d'un domaine ouvert au contrôle, sa délimitation vis-à-vis de la multiplicité sociale prise dans son ensemble. En d'autres termes : aussi loin que puisse s'étendre la technologie normalisatrice, quelque intégrée que puisse être la surveillance des individus à l'exercice de leurs activités propres, elles emportent avec elle, à titre de réquisit et de limite indéfiniment repoussée, la nécessité d'un partage et d'une clôture, d'une exclusion constitutive du domaine à contrôler. La discipline-mécanisme, le contrôle sans partage peuvent bien être la tendance, le devenir de la grande entreprise de normalisation moderne : ils ne cessent pourtant de repousser un peu plus loin les murs, d'étirer à l'extrême, sans pouvoir s'en défaire, la vieille logique de la discipline-blocus. De cette histoire, peut-être ne sommes nous pas sortis.

Nous sommes encore disciplinés

Une lecture attentive de *Surveiller et punir* amène donc à conférer à ce que Deleuze nomme « contrôle » un triple statut, à l'intérieur de la société disciplinaire plutôt qu'au-delà d'elle. Loin d'être alternative au fonctionnement des institutions mises en place au XIXᵉ siècle, la double exigence d'une visibilité transparente et d'une normalisation continue constitue : 1. Le noyau central du projet disciplinaire, sa « modernité » spécifique. 2. L'un des moments du fonctionnement disciplinaire, moment corrélatif d'une opération, non moins nécessaire, d'exclusion ou de partage binaire. 3. La tendance propre à la dynamique disciplinaire, même si celle-ci, telle que Foucault la conçoit et la décrit, ne peut jamais qu'être asymptotique à sa propre exigence, et se voit perpétuellement reconduite à la tâche d'exclure pour normaliser, de normaliser pour exclure.

Peut-être comprend-on mieux, alors, pourquoi la prison peut aujourd'hui, tout à la fois, être en crise et se bien porter, absorber avec plus ou moins de difficulté les mutations de la technologie politique et opposer, aux projets de réforme comme aux rêves de mobilité, la sérénité têtue d'une institution hors du temps. La lecture de Foucault contient, de ce point de vue, quelques enseignements historiques et quelques indications politiques, sur la prison et au-delà.

Elle nous enseigne d'abord la modestie – quitte à s'avouer moins « postmodernes » qu'on ne le croit ordinairement. Une certaine fascination pour le lexique de la mobilité, de la flexibilité et de la fluidité nous ferait croire qu'il s'agit là d'inventions récentes, repoussant dans un passé lointain le sévère ordonnancement des ateliers, des écoles, des cellules. Or Foucault montre que, dès le début du XIXe siècle, il s'agit là d'exigences à la fois convergentes et concurrentes, en tout cas indissociables. Cela signifie que l'image d'une société fonctionnant en réseau, articulant des segments mobiles, organisant la polyvalence, substituant à la surveillance hiérarchique les formes souples d'une autodiscipline, dessinait déjà l'horizon dans lequel le siècle dernier prévoyait l'extension indéfinie du pouvoir. Mais cela signifie, à l'inverse, que la raideur des murs, la violence de l'exclusion ou la brutalité de la sanction forment l'envers de cette technologie politique, le cauchemar enveloppé dans ce rêve – cauchemar dont on ne peut s'étonner qu'il soit, à ce titre, encore actuel.

La prison n'est donc pas un fossile promis à la réforme – ce qui ne signifie pas qu'elle ne se transforme pas. Dans la mesure où elle recueille la tension constitutive du pouvoir disciplinaire (tension d'une visibilité qui requiert les murs mais se rêve sans eux, d'une normalisation qui exige le partage mais tend à le réintégrer dans son propre jeu), il est logique qu'elle soit le lieu privilégié où contrôle et exclusion s'affrontent, se relancent, opèrent des échanges et des captures réciproques, avec d'autant plus de violence qu'au dehors, on se veut souple et fluide, on prétend davantage s'émanciper des murs. Logique que le projet d'une réforme de la prison soit, comme le rappelle opportunément Foucault, aussi ancien que la prison elle-même, en une « technologie bavarde », qui double son fonctionnement constant. Logique que des parloirs intimes, dont on prétend moduler l'utilisation suivant les besoins des personnes, puissent devenir motifs de récompense ou de sanction, suivant la vieille logique binaire de la carotte et du bâton[7]. Logique que les formes les plus archaïques de la médication (la potion, héritée en droite ligne des léproseries) y cohabitent avec des laboratoires où s'articulent le carcéral et le médical (l'hôpital de Fresnes). Cette logique n'est pas celle du lent effacement d'une barbarie désuète, mais d'un conflit actuel et intérieur – conflit dont la description reste à faire, mais qui serait sans doute instructif pour ressaisir ce qui se passe, justement, à l'école, dans l'entreprise, etc.

La description de cette logique pourrait bien avoir quelques implications quant à la possibilité d'une contestation politique de la prison, quant à l'angle d'attaque. L'alternative de la discipline et du contrôle, telle qu'elle est posée par Deleuze, risque de conduire à deux simplifications. D'abord, elle suggère que la prison, ce n'est plus le problème – tout au plus une survivance, dont il faut hâter le déclin. Dépérissement de la prison ? La formule en rappelle une autre, à propos d'une instance dont on ne sache pas qu'elle ait péri là où on l'attendait. Ensuite, elle amène à soupçonner toute transformation apportée au régime carcéral de n'être, en réalité, qu'un progrès insidieux du contrôle, que l'irruption d'une liberté préparant de nouvelles servitudes – un peu plus de verre dans le béton, un pouvoir nouveau remplaçant l'ancien.

Cela ne signifie pas, évidemment, qu'il faille éviter de s'interroger sur les détournements, sur la captation que l'institution peut opérer des plus légitimes revendications (ainsi, celle des parloirs intimes). Cela signifie encore moins qu'il faille hésiter à dénoncer l'archaïsme des prisons, leur décalage face aux normes actuelles d'une vie décente. Mais ce qu'il s'agit de dénoncer, et ce qui offre prise à la contestation, c'est peut-être cet enve-

loppement de l'archaïque dans la plus urgente actualité :
cette manière dont la prison est et n'est pas « moderne »,
actuelle, parce qu'y affleure la contradiction d'une
modernité en elle-même divisée. Il n'y a guère à se figer
dans l'attentisme, redoutant que le rêve d'une prison
sans murs soit pire que les geôles actuelles : ils se com-
plètent et se répondent, sans cesser pour autant de se
contredire. De même que la fluidité des marchés et les
exigences d'un actionnariat diffus contredisent et appellent la brutalité patronale la plus archaïque, de même
que les exigences de l'information financière font et
défont le vieux silence de l'usine, quelque chose du présent se lit sur les murs gris de la prison – ces murs que
la transparence du contrôle social voudrait oublier, mais
dont elle ne peut se passer, comme un secret visible
offert à notre colère.

Mathieu Potte-Bonneville

Notes

1. Gilles Deleuze, « Post-scriptum sur les sociétés de contrôle », *Pourparlers*, Paris, Minuit, 1990, p. 240 *sq.*
2. Cf. par ex. Michael Hardt, « La société mondiale de contrôle », *in Gilles Deleuze. Une vie philosophique*, Paris, Les empêcheurs de penser en rond, 1998, p. 359 *sq.*
3. *Surveiller et punir, op. cit.*, p. 186.
4. *ibid.*, p. 201.
5. *ibid.*, p. 211.
6. *ibid.*, pp. 213-214.
7. *ibid.*, p. 236.

Mémoire

Histoire des sans-voix : où l'on verra toute l'importance d'en tenir la chronique.

La formation en février 1971 par Michel Foucault, Jean-Marie Domenach et Pierre Vidal-Naquet du Groupe d'information sur les prisons (GIP[1]) constitue une rupture dans l'histoire des luttes de l'après-guerre et même de 1968[2]. Certes, la naissance du groupe s'inscrit dans une double continuité : celle des tribunaux populaires, celui de Fouquière-les-Lens, où les médecins du travail témoignent contre les Houillères, et celle des luttes des maoïstes qui, emprisonnés, réclament par une série de grèves de la faim un statut de prisonniers politiques. Mais cet événement fait rupture : d'une part, il fait pour la première fois de la prison un lieu de luttes, et des prisonniers de droit commun des acteurs de ces luttes ; jusqu'à présent les droits communs étaient considérés comme un sous-prolétariat non politisé et parfois réactionnaire. D'autre part, le GIP se démarque radicalement de la démarche des « établis », ces militants qui se font engager comme ouvriers dans les usines pour y mener des luttes. Il ne s'agit pas de se mettre à la place des prisonniers – aucun de ses membres ne cherchera à se faire incarcérer ; l'objectif est de faire sortir l'information sur la détention en menant une série d'enquêtes au sein des établissements pénitentiaires français, en puisant les informations à leur source. Pour ce faire, le groupe, dont le fonctionnement est très souple et non hiérarchisé, est pensé comme transversal, selon la formule de Gilles Deleuze : journalistes, avocats, intellectuels et anciens détenus s'y retrouvent. Enfin, l'objectif du GIP est de permettre l'émergence d'un discours propre aux détenus pour mener une lutte locale. Et de fait, l'action du GIP correspond à un vaste mouvement de révoltes dans les prisons qui amène à la création du Comité d'action des prisonniers[3] ; au cours de l'hiver 1971-1972, à la suite notamment de la circulaire de René Pleven supprimant les colis de Noël, pas moins de quarante révoltes ont lieu dans les établissements pénitentiaires, dont la centrale Ney à Toul en décembre 1971[4], la prison Charles-III à Nancy en janvier 1972, qui est suivie d'une mobilisation sans précédent à l'extérieur comme à l'intérieur des prisons[5].

À plus d'un titre, on le voit, l'action de Michel Foucault et du GIP[6] marque considérablement l'histoire des prisons, et plus généralement celle des mouvements sociaux des années 1970, par la nouveauté de sa démarche. Trente ans plus tard, que reste-t-il de cette expérience ? Le temps du GIP est-il révolu, ou faut-il voir dans un certain nombre de mouvements sociaux actuels l'ombre des prisonniers montés sur le toit de leur prison pendant l'hiver 1971-1972 ?

Le trou de mémoire

En janvier 2000, le médecin-chef de la prison de la Santé, le docteur Vasseur, témoigne de la situation critique des détenus dans son établissement[7]. Son livre, chronique de sept années d'activité, dont de longs extraits sont d'abord rendus publics par le quotidien *Le Monde*, connaît un succès important et suscite dans l'opinion une vague d'indignation « sans précédent », dit-on, qui amène notamment les assemblées à enquêter sur l'état des prisons françaises. La presse se livre dans le sillage du Dr Vasseur à la publication de nombreux reportages dans les établissements du pays. Un groupe de cols blancs ayant connu la détention (dont plusieurs anciens ministres ou députés) publie à son tour dans les colonnes du *Nouvel Observateur* un témoignage indigné[8]. La France de la fin des années 1990 « découvre » le froid carcéral[9]. Brusquement, journalistes, commentateurs et hommes politiques s'intéressent à la réalité derrière les murs. S'ensuivent colloques, publications et émissions de radio[10].

En décembre 1971, un autre médecin avait élevé la voix, il s'agissait aussi d'une femme, Édith Rose, psychiatre à la centrale Ney de Toul. Elle avait auparavant publié dans *La Cause du Peuple* une lettre ouverte dénonçant une série de faits particulièrement intolérables à ses yeux[11]. Michel Foucault s'était fait l'écho de cette parole dans « le discours de Toul[12] ». La prise de parole du Dr Rose s'inscrivait dans un vaste mouvement, non de demande de réformes des prisons, mais de contestation de l'existence de l'enfermement. La prison était entrée depuis presque une année dans le champ des luttes, elle avait été reconnue comme « intolérable » : « …sont intolérables les écoles, les asiles, les casernes, les prisons[13]… » Le discours du médecin venait ainsi rejoindre ceux d'autres acteurs : des détenus, mais également des assistantes sociales, comme Mme D'Escrivain[14], ou encore des avocats. Il participait donc d'une parole collective, fruit des savoirs individuels. Foucault et le GIP sont parvenus à faire sortir l'information des lieux de détention grâce à une série d'enquêtes et à faire entrer la prison dans le champ de l'actualité. Au cours des années 1970-1973, les enquêtes et articles sur la détention paraissaient par centaines dans la presse. Des personnalités aussi diverses que Jean-Marie Domenach, Claude Mauriac ou Gilles Deleuze participaient à ce mouvement. Foucault, dans le manifeste du GIP, caractérisait la prison comme l'une des « régions cachées », une case noire de notre société qu'il était nécessaire de mettre au jour. Or, il apparaît à la lecture du livre du Dr Vasseur comme des commentaires qu'il suscita, que trente années plus tard, la prison demeure une case noire.

Et pourtant, l'un des apports majeurs de *Surveiller et punir,* publié en 1975, est de mettre en lumière l'historicité de cet objet. Avec sa *Naissance de la prison,* Foucault a initié chez les historiens toute une série de travaux particulièrement riches depuis trente ans. Michelle Perrot, Robert Badinter, puis Jacques-Guy Petit sont les principaux maîtres d'œuvre du développement de ce champ historiographique[15]. La prison a une histoire et cette histoire, les historiens depuis trente ans l'ont écrite. Sans doute la contestation de la prison, et surtout l'histoire des révoltes, est-elle le domaine le moins bien connu, mais le récit historique ne fait plus défaut quant à la vie quotidienne en détention. On sait ainsi qu'avant le GIP d'autres luttes eurent lieu, notamment après la Libération. Lors du conflit algérien, plusieurs révoltes éclatèrent, comme en 1957 à la Santé. La présence au sein de la mobilisation des années 1970 de personnalités émanant des luttes anti-colonialistes, et notamment pro-FLN[16], autorise à penser que cette mémoire était présente.

Or, trente ans plus tard, alors que bon nombre de ceux qui découvrent la prison furent les contemporains du GIP, la prison semble être devenue une forteresse ancestrale, étrangère à la société. Les luttes de prisonniers, qu'il s'agisse de celles de la fin du XIXe siècle au cours desquelles les mutins dénonçaient leurs mauvaises conditions de travail[17], de celles des détenus appartenant au FLN algérien qui luttèrent pour l'obtention du statut de prisonniers politiques, ou encore de celles des mutins de Nancy qui réclamaient l'arrêt des brimades corporelles, toutes ces luttes ont aujourd'hui été oubliées. La prison est en effet sortie du champ politique, seuls les syndicats de surveillants se font entendre. Nul n'en conteste plus l'existence. Si tel ou tel, par la proximité qu'il entretient avec la détention, la sort épisodiquement de l'ombre, on doit reconnaître que la situation des prisonniers ne mobilise plus guère. Un petit groupe travaillant dans l'ombre fait exception : créé au début des années 1990, l'Observatoire international des prisons[18] poursuit en quelque sorte le travail du GIP. Constitué comme lui en un groupe transversal, il tente de suivre au jour le jour la vie à l'intérieur des établissements. Dans chaque prison, des informateurs enquêtent ; produisant rapports et petits guides à l'intention des détenus sur leurs droits, ils essayent de lutter contre cette amnésie sociale. Il en est de même du Groupe multiprofessionnel sur les prisons qui n'a cessé de se réunir depuis sa création au début des années 1970[19]. En somme, il faut lire l'étonnement et la surprise actuels face à la prison comme résultant d'un défaut de mémoire de nos sociétés. La prison se révèle être un des lieux les plus soumis à l'amnésie sociale. En ce sens, on peut dire qu'elle est un trou de mémoire. De même qu'un ancien détenu doit toujours masquer ses années d'incarcération sur son curriculum vitae, de même faisons-nous en sorte de gommer le plus possible le problème des prisons de la vie sociale. Ce n'est pas un hasard si les établissements construits depuis quinze ans le furent majoritairement loin des centres urbains[20], sans d'ailleurs qu'à aucun moment les difficultés de transport pour les familles ne soient prises en compte.

Ce que révèle l'événement éditorial du livre de Véronique Vasseur, ce n'est pas la situation dans nos prisons, les données étaient connues, mais bien l'amnésie dont elle est l'objet. L'expérience du GIP ne fait pas ici exception et la trace de ce que Michel Foucault et Daniel Defert tentèrent est, elle aussi, de moins en moins lisible. Paradoxalement, l'expérience du GIP a rayonné au-delà de la prison, et s'il existe un héritage de cette action, il est particulièrement sensible dans d'autres lieux. Foucault, commentant quelques années après la fin du GIP son engagement[21], notait que la prison, dans cet immédiat après-68, avait été l'objet d'un formidable effort de *faire-savoir*. C'est précisément ce « faire-savoir » qui nous semble opérant dans un certain nombre de luttes actuelles.

Toujours l'information !

Dans les mois qui suivirent la création du GIP, d'autres groupes se constituèrent sur le même modèle. Refusant de ne rassembler que des individus issus d'un même secteur, ces groupes tentèrent de mener d'autres luttes locales : le Groupe d'information asile (GIA), le

Groupe d'information des travailleurs sociaux, ou encore le Groupe d'information santé (animé notamment par les docteurs Zitoun et Carpentier). Contrairement à ce qui est dit, le Groupe d'information et de soutien des Travailleurs immigrés ne relevait pas de cette filiation ; regroupant des hauts fonctionnaires, juristes sortis de l'ENA, il n'avait de commun avec le GIP que son intitulé[22]. Les GIA, GIST, GIS mirent au premier plan la question de l'information.

Pour Foucault, la lutte autour des prisons passait d'abord et surtout par la capacité du groupe à produire une information objective de la situation. Il ne s'agissait nullement de dresser un tableau approximatif de l'incarcération, mais de disposer de données émanant du plus grand nombre de personnes et d'établissements. L'enquête était pensée par Foucault et ses camarades non pas comme un préalable, mais comme une lutte : Le GIP plaçait ainsi les luttes pour l'information au centre de son action en développant à partir de sa création une série d'enquêtes dites « enquêtes-intolérances ». Fondées sur le modèle des enquêtes faites au XIXᵉ siècle sur la condition ouvrière par les ouvriers eux-mêmes[23], « ces enquêtes (...) [étaient] destinées à attaquer le pouvoir oppressif là où il s'exerce sous un autre nom – celui de la justice, de la technique, du savoir, de l'objectivité. Chacune [devait] donc être *un acte politique.* Elles [visaient] des cibles précises, des institutions qui ont un nom et un lieu, des gestionnaires, des responsables, des dirigeants – qui font des victimes, aussi, et qui suscitent des révoltes, même chez ceux qui les ont en charge. Chacune [devait] donc être le premier épisode d'une lutte. »

Ainsi, pour le GIP, comme le dit l'un de ses principaux artisans, Daniel Defert, l'information était une lutte[24] : « L'enquête elle-même est une lutte. C'est ainsi que les détenus la perçoivent quand ils font circuler les feuilles du questionnaire dans les cellules comme des tracts, en dépit des menaces ou des punitions. Ainsi l'entendent ceux qui prennent de gros risques en faisant entrer et sortir les questionnaires. » De même à l'extérieur : « Se mêler à la file d'attente, discuter, donner des questionnaires, ne pas parler de soi. Ce n'est pas de la sociologie. La police est là, qui serre la file de près : les jeunes sont vite perçus comme des gauchistes, le souvenir de la grève de la faim n'est pas effacé. Inversement, accepter le questionnaire, parler à haute voix de la prison, avant ou après la visite, participer aux réunions, ce n'est pas un acte simple pour les familles des détenus : c'est accepter un regroupement avec des gens qui n'ont pas de proche en prison (...), c'est l'accepter sur une base politique : c'est un acte politique[25]. »

C'est selon ce principe que les semaines qui suivirent la mutinerie de Nancy, et de manière plus active encore à la suite de l'inculpation des six mutins, le GIP enquêta sur ce qui s'était réellement passé le 15 janvier. Le GIP ne cherchait pas dans l'affaire de Nancy à juger l'action des détenus : « Le GIP n'est pas un tribunal intellectuel qui jugerait du bien-fondé de ces actions. (...) Les prisonniers sont assez grands[26]. » Cette enquête était donc celle des détenus eux-mêmes, le GIP n'en assurant que la coordination. Il est utile ici de souligner que le GIP n'était pas une organisation structurée et hiérarchisée ; autour d'un noyau dur (Daniel Defert, Michel Foucault, Jean-Marie Domenach, Claude Mauriac, Danièle Rancière, Jacques Donzelot), y intervenaient ponctuellement des personnalités venues d'horizons très différents (de Jean Genet à Jean Gattégno). Le groupe, d'abord créé à Paris, s'est ensuite développé dans certaines villes de province ; des groupes quasi autonomes se formaient ici ou là et enquêtaient, produisant des rapports extrêmement bien documentés. Trois enquêtes nationales furent imaginées : l'une auprès des détenus dont rendait compte le premier numéro d'*Intolérable* sous le titre *Enquête dans 20 prisons*, mais également une enquête auprès des familles et une autre destinée aux avocats. Par la suite, le GIP s'intéressa particulièrement à un établissement, la nouvelle prison de Fleury-Mérogis, et à une pratique, le suicide des détenus[27]. Mais l'information ne provenait pas seulement de ces enquêtes, elle résultait aussi de l'envoi de documents : le dossier sur le suicide se basait en particulier sur la correspondance d'un détenu qui s'était donné la mort. Des autobiographies, des journaux parvenaient également au groupe.

Une fois cette information recueillie, le rôle du GIP consistait à servir de relais ; il fallait que ces données pussent être transmises et diffusées le plus rapidement possible. La création contemporaine de l'Agence de presse Libération (APL) par Maurice Clavel y contribuait. Mais surtout, ses premières enquêtes ayant devancé de quelques semaines les révoltes, et ses constats ayant été validés (notamment par le rapport officiel de l'avocat général Schlmek), le GIP devint en quelques semaines pour l'ensemble des médias un moyen d'obtenir des informations sérieuses sur les prisons. Le GIP réussit ainsi à faire entrer la prison dans l'actualité et, plus encore, à attirer l'attention des médias et des pouvoirs publics sur des objets jusque-là totalement ignorés : « Il fallait faire entrer la prison dans l'actualité, non sous forme de problème moral, ou de problème de gestion générale, mais comme un lieu où il se passe de l'histoire, du quotidien, de la vie, des événements du même ordre qu'une grève dans un atelier, un mouvement de revendication dans un quartier, etc.[28] » Par son travail d'informateur, de « passeur », en faisant exister les choses les plus quotidiennes, le groupe les constituaient en objet de lutte : « Cette vie grouillante de la prison, dit Foucault, qui n'existait littéralement pas, même pour ceux qui avaient écrit de très bonnes choses sur les prisons, on a essayé de la faire connaître au jour le jour[29]. »

Faire de l'information le centre de son action apparaît comme l'un des héritages actuels de l'expérience du GIP. Cet héritage est particulièrement sensible dans l'émergence, depuis le début des années 1980, d'observatoires, d'organisations dont la fonction principale est d'enquêter pour être en mesure de produire à tout moment un tableau le plus exhaustif possible d'une situation : dans le domaine des droits de l'homme, ces organisations se sont multipliées ; à la pétition ou même à la manifestation, on préfère, comme au GIP, la publication d'un rapport documenté. Certes, ce développement tient à l'essor considérable des moyens de communication (et notamment de l'Internet), mais on y retrouve les principes édictés par le GIP. Une dérive s'opère néanmoins : pour le GIP, l'enquête a une fonction dénonciatrice ; il ne s'agit pas de proposer des réformes : « La notion de réforme est bête et hypocrite. Ou bien la réforme est élaborée par des gens qui se prétendent représentatifs et qui font profession de parler pour les autres, au nom des autres, et c'est un aménagement de pouvoir, une distribution de pouvoir qui se double d'une répression accrue ; ou bien c'est une réforme réclamée, exigée par ceux qu'elle concerne, et elle cesse d'être une réforme, c'est une action qui du fond de son caractère partiel est déterminée à mettre en question la totalité du pouvoir et de sa hiérarchie[30]. » La dérive actuelle tient précisément à l'institutionnalisation de ces observatoires et à la position de neutralité qu'ils adoptent.

Faire de l'information un objet de lutte fut également l'une des visées de mouvements tels que ceux de la lutte contre le sida. Ainsi, lorsque Daniel Defert créa l'association AIDES en 1986, il reprit ce principe[31]. Il s'agissait, à partir de la somme des savoirs individuels, de produire un savoir collectif. C'est ainsi que dès la mise en place de l'aide à domicile, il fut demandé aux volontaires de l'association de tenir un journal dont chaque entrée était envoyée à l'organisation afin qu'elle pût évaluer les problèmes, mais aussi se faire le relais auprès de la presse des difficultés que les personnes atteintes par le VIH rencontraient au jour le jour. AIDES ne cessera de mener des enquêtes auprès des malades ; ainsi en 1997-1998, une enquête sur le vécu des traitements est mise en place : « Pour aider les personnes, défendre leurs droits, porter une parole forte pour leur reconnaissance, il est nécessaire de connaître leurs besoins. L'enquête sur les mille et une façons de vivre son traitement fait partie intégrante de ce travail d'objectivation des informations qui supporte l'action de AIDES. Par cette voie, il peut évaluer, à partir de la parole des personnes atteintes, la pertinence des activités et de ses combats politiques », écrit l'un des responsables en préface du livre que l'association en tira. Et de fait, depuis le début de l'épidémie de VIH en France, les associations, et notamment AIDES, ont disposé de données de terrain que n'avaient ni les pouvoirs publics ni les journalistes. Ce sont elles qui les informèrent de l'évolution des problèmes sociaux liés à l'épidémie. Que l'on songe en ce sens aux slogans d'Act-Up : « Silence=death » ou « knwoledge is a weapon ».

Mais la production d'information, à AIDES comme au GIP, n'avait pas pour premier destinataire la presse : la publication de brochures d'information devait servir la lutte et en premier lieu ses acteurs ; l'enquête avait une fonction interne : offrir à chacun les moyens de lutter en l'informant de ses droits mais également des luttes menées ailleurs et par d'autres. Il s'agissait autant d'informer que de s'informer en constituant un réseau de circulation d'information efficace et rapide. Dans le cas de la lutte contre le sida, cet impératif était central : la priorité, et ce sera la première action de AIDES dès le lendemain de sa création, était de produire des brochures de prévention.

On retrouverait ce même souci de « faire-savoir », entendu comme lutte pour produire de l'information et la diffuser, dans d'autres mouvements sociaux actuels. Songeons par exemple aux collectifs contre les expulsions de personnes « sans papiers » qui sont parvenus à faire de l'expulsion d'un individu un événement, alors que ce fut longtemps passé sous silence.

Mais sans doute l'héritage du GIP ne se limite pas à la reprise de cette lutte pour l'information : si l'expérience du GIP est probablement importante dans l'histoire des mouvement sociaux, c'est dans le rapport qu'elle choisit d'établir avec les individus concernés par cette lutte.

« L'indignité de parler pour les autres »

Comme le note très lumineusement Gilles Deleuze, l'un des apports majeurs de Foucault à travers son engament au GIP fut de « nous apprendre l'un des premiers l'indignité de parler pour les autres ». En effet, l'un des principes de l'action du GIP consistait à donner la parole aux détenus : « Il s'agit de transférer aux détenus le droit et la possibilité de parler des prisons. Il s'agit de ce que les détenus veulent faire savoir eux-mêmes, en le disant eux-mêmes. De dire ce qu'ils sont seuls à pouvoir dire[32]. » Pour Foucault, rien ne devait être ajouté à la parole des détenus, et c'est en ce sens que le dossier sur le suicide en prison en 1972 fut entièrement constitué par des correspondances de prisonniers. « Les masses n'ont pas besoin des intellectuels pour savoir, écrit Foucault, elles savent parfaitement, clairement, beaucoup mieux qu'eux, et elles le disent fort et bien. Mais il existe un système de pouvoir qui barre, interdit, invalide ce discours et ce savoir[33]. » Cet attachement à la parole des sujets relevait chez Foucault du même questionnement qui l'amena à entreprendre l'histoire de la folie : « qu'est-ce que parler ? » Ce qui frappa Foucault dans les bouleversements de l'après-68, ce fut la prise de parole qui s'y opérait. Soudain, estima-t-il, « des gens qui avaient été, depuis des générations et des générations, exclus non seulement du pouvoir politique mais aussi du droit de parler, se sont d'une part redécouvert la possibilité de parler et en redécouvrant la possibilité de parler, voilà qu'ils ont découvert que le pouvoir était en quelque sorte lié au droit à la parole[34]. »

Avec le GIP, Foucault a poussé à l'extrême cette expérience de la prise de parole car il prenait conscience qu'elle ébranlait le pouvoir. L'objectif du GIP, auquel Daniel Defert et Michel Foucault furent très attachés, aurait en somme pu se résumer en une image, celle des détenus sur le toit d'une prison : celle, à la maison d'arrêt Charles-III à Nancy, le 15 janvier 1972, des mutins brandissant une banderole sur laquelle on pouvait lire « On a faim », celle des prisonniers qui lançaient par dessus les murs des tracts présentant leurs revendications. Si l'action de ces jeunes détenus fut exemplaire de ce moment foucaldien, c'est à plusieurs titres. D'abord, par la position qu'ils ont décidé d'occuper : le toit, le seul lieu de la détention d'où on peut être vu et d'où on peut voir. Ensuite, par ce qu'ils firent : ils prenaient pour la première fois la parole et s'adressaient à ceux qui étaient au dehors. L'exemplarité de cette scène tient aussi à la manière dont cette prise de parole s'est opérée : on ne leur donnait pas la parole, ils la prenaient ; en cela cette prise de parole fut bien différente de celles, contemporaines, des ouvriers. C'est, enfin, par le contenu de leur discours : ils firent de l'acte le plus quotidien – manger – l'objet d'une action politique.

L'ombre des prisonniers sur le toit nous semble peser sur un certain nombre de mouvements sociaux actuels : le refus de parler à la place de l'autre dont le GIP se fit une règle est notamment présent dans l'émergence des mouvements des « Sans ». Le cas du mouvement des sans-papiers de l'église Saint-Bernard en 1998 en est l'un des exemples. En dépit du fait que ce sont des organisations telles que le GISTI qui sont présentes, c'est toujours la parole des sans-papiers qui est mise en avant ; le groupe a ses porte-paroles et personne ne les représente.

Mais le GIP fut aussi l'expérience d'une parole singulière ; ce souci apparaît remarquablement dans les mouvements sociaux, de trois manières : l'émergence d'associations d'usagers, le développement des permanences téléphoniques et la tenue d'états-généraux. Au GIP, il y eut toujours une attention portée au particulier, au cas singulier – comme les archives du groupe le montrent. La situation dans chaque établissement, mais également la situation de chaque détenu, était prise dans sa spécificité. Dans les mouvements d'usagers – ceux des patients dans les hôpitaux, ceux des malades sous traitement, ceux des usagers de stupéfiants – qui émergent depuis plusieurs années, on retrouve ce même souci du singulier. Mais ce qui témoigne le plus de cet héritage du GIP comme valorisation de la parole est le développement des permanences téléphoniques (celles de AIDES puis de Sida-info-service, tout comme celle destinée aux usagers de produits stupéfiants). Le parcours de Pierre Kneip, figure de la lutte contre le sida, est de ce point de vue exemplaire. Longtemps professeur de lettres, ayant participé à la prise de parole des années 1970, Pierre Kneip, décédé en 1995, entra comme volontaire à AIDES à la fin des années 1980 et fut l'un de ceux qui fit de la parole des personnes atteintes le centre de la lutte. Pierre Kneip développa d'abord au sein de AIDES une permanence téléphonique où les personnes touchées pouvaient appeler pour témoigner ou pour trouver conseil et information[35]. À la fin de sa vie, alors que Sida-info-service, dont il était le directeur, était devenu un élément central du dispositif de prévention mis en place par les pouvoirs publics, Pierre Kneip luttait pour l'ouverture d'une ligne « de vie » réservée aux seules personnes atteintes. Ce militant, atteint lui-même du VIH, fut par ailleurs l'un des premiers à témoigner en décidant avec Frank Arnal de tenir une rubrique au sein de *Gai-Pied* :

« les années sida ». Il s'agissait d'un journal collectif qui, pendant deux ans, publia, outre les témoignages des deux auteurs, les lettres ou entrées de journal d'autres personnes atteintes. Enfin, Pierre Kneip fut l'un des artisans des premiers états-généraux des personnes atteintes qui se réunirent au Bataclan, à Paris, les 17 et 18 mars 1990. Ces rencontres, organisées sous forme d'ateliers thématiques, visaient à constituer un livre blanc. Il s'agissait de « ne pas pactiser avec le silence, la honte, la dissimulation, c'est-à-dire de se respecter et de se faire respecter. Il suffit de mesurer l'importance, écrit alors Pierre Kneip, du « dire ou ne pas dire » dans l'ensemble du livre blanc pour saisir l'enjeu éthique (pour ne pas dire politique) de cette prise de parole[36]. »

L'ombre du GIP, et des pratiques qu'il a initiées, porte, on le voit, sur les mouvements sociaux contemporains. On pourrait objecter que cette filiation tient beaucoup à la place que Daniel Defert occupa au GIP et occupe dans la lutte contre le sida depuis les années 1980. Il n'en demeure pas moins qu'au-delà des personnes, l'inventivité de ce groupe a profondément influencé les mouvements sociaux en proposant de nouvelles pratiques militantes, mais aussi un nouveau rapport entre théorie et pratique. C'est pourquoi la constitution des archives de ces différentes luttes nous semble essentielle. Celle des archives du GIP sont ainsi en cours et un livre les présentant a été publié[37]. S'agissant de la lutte contre le sida, l'association Sida-mémoires a entrepris de collecter l'ensemble des écrits autobiographiques des personnes atteintes, reprenant en cela l'idée de Foucault en 1973 lors de la création du quotidien *Libération*. « Il existe dans la tête des ouvriers des expériences fondamentales, issues des grandes luttes. (...) Il serait intéressant, autour du jour-

nal, de regrouper tous ces souvenirs, pour les raconter
et surtout pour pouvoir s'en servir et définir à partir de
là des instruments de luttes possibles

Philippe Artières

Notes

1. L'histoire de la création de ce groupe est bien connue aujourd'hui (voir notamment le chapitre que lui consacre Didier Eribon dans sa biographie de Michel Foucault).

2. Sur ce point, lire le bel article de Michelle Perrot, « La leçon des ténèbres », in *Actes, Cahiers d'action juridique*, été 1986.

3. Au cours de l'année 1972, à l'initiative de Serge Livrozet et d'anciens détenus, le CAP voit le jour.

4. Cf. Comité Vérité-Toul, *La Révolte de la centrale Ney*, Paris, Gallimard, « La France sauvage », 1973. Voir également l'étude générale de Claude Faugeron, in *Histoire des bagnes et prisons*, Toulouse, Privat, 1991.

5. Voir le chapitre « Soulèvement » dans le présent volume, p. 231. La mutinerie de la prison Charles-III à Nancy fut suivie de l'inculpation de six prisonniers ; dans plusieurs prisons, notamment à Melun et Grenoble, des prisonniers manifestèrent leur solidarité ; à Nancy, un comité rassemblant notamment d'anciens résistants, des personnes incarcérées pour leur soutien au FLN pendant la guerre d'Algérie, se constitua et publia un Livre noir sur les événements de Charles-III.

6. Les archives du GIP sont aujourd'hui consultables au sein des collections de l'IMEC : Fonds Foucault/GIP-IMEC (IMEC, Abbaye d'Ardenne, Caen).

7. Véronique Vasseur, *Médecin-chef à la prison de la Santé*, Paris, éditions du Cherche-Midi, 2000.

8. Il s'agit du groupe Mialet.

9. Selon la formule de Simone Buffard (*Le froid pénitentiaire. L'impossible réforme des prisons*, Paris, Le Seuil, 1973).

10. C'est ainsi qu'à l'automne 2000, France Culture consacra une semaine à ce thème.

11. Son témoignage sera repris dans la brochure publiée par le GIP, intitulée *Cahiers des revendications sorties des prisons*, 1972.

12. Texte repris dans *Dits et Écrits*, t. II, *op. cit.*

13. Cf. la quatrième de couverture des brochures *Intolérable*.

14. Assistante sociale à la prison de Fresnes, Mme D'Escrivain fut licenciée après les déclarations qu'elle fit à propos du mauvais traitement d'un détenu. Son rapport fut republié dans les *Cahiers de revendications...*

15. Le séminaire de Robert Badinter et Michelle Perrot à l'EHESS en est un exemple ; les nombreux travaux du département d'histoire de l'université Denis-Diderot-Paris VII, un autre. Voir aussi le travail à Angers de J.-G. Petit, *Ces Peines obscures*, Paris, Fayard, 1990.

16. Il faut regretter qu'aucune recherche n'ait été menée sur cette période pourtant probablement essentielle dans l'histoire des révoltes en détention.

17. Cf. Jacques-Guy Petit, *Ces Peines obscures, op. cit.,* pp. 494-495.

18. L'OIP (association loi 1901, rue d'Hauteville, 75010 Paris) publie, outre une revue *(Dedans dehors)*, différents guides pratiques pour les détenus.

19. Le GMP est notamment animé par Antoine Lazarus et continue de se réunir une fois par semaine, le mercredi soir, à la Maison des Sciences de l'Homme, Boulevard Raspail à Paris.

20. C'est le cas notamment en Martinique où la prison de Fort-de-france, située dans le centre-ville a été fermée au profit d'une prison moderne en périphérie, à Ducos.

21. Cf. « Les luttes dans les prisons », La Table ronde, 1979, repris in *Dits et Écrits*, t. III, *op. cit.*

22. Pour son trentième anniversaire, le GISTI publia un historique de son action dans un numéro hors série de sa revue *Plein-Droit.*

23. Cf. *Enquête dans 20 prisons*, Paris, Champ libre, mai 1971.

24. Cf. « Quand l'information est une lutte », *La Cause du peuple*, 24 mai 1971.

25. Cf. *La Cause du peuple,* 24 mai 1971, p. 6.

26. Cf. « Je voudrais au nom du GIP dissiper un malentendu », document dactylographié ; fonds GIP/IMEC.

27. Cf. la brochure *Intolérable*, « Suicides de prison », Paris, Gallimard, 1973.

28. Cf. Michel Foucault, *Dits et Écrits*, t. III, *op. cit.*, p. 809.

29. *Ibid.*

30. Cf. Michel Foucault, *Dits et Écrits*, t. II, *op. cit.*, p. 309.

31. Cf. les entretiens avec D. Defert dans *AIDES solidaire*, Paris, Le Cerf.

32. Cf. « Quand l'information est une lutte », *La Cause du peuple/J'accuse*, mai 1971.

33. *Dits et Écrits*, t. II, *op. cit.*, p. 308.

34. Propos tenus lors d'un entretien à Radio-Canada, avril 1971.

35. Cette permanence sera reprise ensuite au sein de Sida-info-service.

36. Cf. « Présentation » in *Le Livre blanc des États-Généraux du sida*, Paris, Le Cerf, 1990.

37. Cf. Philippe Artières, Laurent Quéro et Michelle Zancarini, *Le Groupe d'Information sur les prisons. Archives d'une lutte, 1970-1972*

Éthique

Question de croisements : où l'on proposera de chercher des enjeux de pouvoir au cœur du souci de soi, et d'exposer la politique aux ébranlements de l'éthique.

L'année 2007 fut celle d'un anniversaire silencieux : bien peu s'émurent, ou se souvinrent, du fait que trente ans plus tôt circulait, à Prague puis dans toute l'Europe centrale, un manifeste des droits de l'homme bientôt baptisé « Charte 77 », texte autour duquel allait se fédérer un mouvement dont les figures centrales se nommaient Václav Havel ou Jan Patocka. On n'a guère commémoré l'événement. Sans doute faut-il imputer, en partie, ce silence au peu de cas que l'Europe réunifiée fait, en général, du souvenir et des leçons des luttes politiques qui eurent lieu de l'autre côté du Rideau de fer : « insoutenable légèreté de l'Ouest », selon la belle expression d'Alexandra Laignel-Lavastine, pour qui l'Union européenne demeure incapable de reconnaître le « trésor sans prix », philosophique et politique, laissé par les intellectuels tchèques, polonais ou hongrois[1]. Mais il y a aussi, à cet oubli, des causes historiques, liées à la façon dont les anciens dissidents ont, dans leur grande majorité, peiné à faire perdurer dans l'espace post-soviétique la dynamique qui avait été la leur avant 1989. L'espoir n'aura pas survécu, d'une invention démocratique basée sur l'engagement citoyen et la participation de la société civile, plutôt que sur le jeu traditionnel des partis et la démagogie électorale. Jacques Rupnik peut ainsi évoquer, au titre des raisons d'un tel échec, « le passage de la phase de participation citoyenne à celle de l'institutionnalisation partisane, de l'antipolitique fondée sur le primat des valeurs éthiques à la logique du pouvoir avec ses contraintes gestionnaires[2] ».

Cette remarque met l'accent sur un point important : que reste-t-il, aujourd'hui, de la manière dont la dissidence centre-européenne prétendait renouveler la critique politique en faisant valoir des exigences délibérément décalées vis-à-vis du terrain idéologique et institutionnel, en invoquant le respect des droits fondamentaux et en se revendiquant de valeurs éthiques ? À l'aune d'un tel déplacement, notre époque apparaîtrait plutôt comme celle du retour à l'ordre : s'il était urgent, il y a un quart de siècle, de se demander dans quelle mesure les droits de l'homme constituent une politique et ce qu'apportait de neuf l'irruption de la morale sur la scène du pouvoir[3], il semble aujourd'hui beaucoup plus commun, de tous côtés, de dénoncer la confusion entre ces deux sphères : symptôme pour les uns d'un « droit-de-l'hommisme » aveugle aux contingences qu'un gouvernement se doit d'assumer sans faiblesse ; rêverie pour les autres d'une unanimité bêlante et sentimentale élidant la nécessité des luttes ; prétention indue pour les troisièmes d'imposer un corps de valeurs incompatibles avec la liberté de conscience de chacun. En bref, de salubre qu'elle était dans l'horizon totalitaire, la référence à l'éthique dans le champ politique serait devenue au mieux angélique, au pire émolliente ou tyrannique. D'où une question générale : doit-on vraiment, désormais, renoncer à créditer la réflexion morale d'une portée *critique* ? Et que faire alors de ceux qui, tel Foucault au tournant des années 1980, semblèrent délibérément parcourir le chemin qui va de l'analyse du pouvoir à l'examen de l'éthique ?

Le déclin du politique : démoralisation...

Commençons par examiner de près les raisons qui, au-delà de l'unanimité de façade consistant à saluer de loin « la morale » et « les valeurs », peuvent aujourd'hui justifier une certaine défiance envers la rationalité éthique, et soupçonner celle-ci d'une action secrètement dissolvante, participant à sa façon au déclin de la politique[4]. En première analyse, cette suspicion peut prendre corps dans deux types d'arguments.

- Le premier consiste à regretter la manière dont le point de vue moral récuse par principe toute légitimité et toute autonomie à l'exercice du pouvoir, au nom de droits posés comme inconditionnels, étayés sur les formes les plus immédiates de l'indignation ou de la compassion. Un tel discours, regrette-t-on, détourne de plus en plus l'attention des individus vers des formes de mobilisation consensuelles et privées (charitables ou humanitaires), cependant qu'il conduit le débat public à s'énoncer en termes de valeurs et de grands principes plutôt que de propositions alternatives, occultant la dimension pragmatique et agonistique de l'activité politique.

- Le second argument consiste au contraire à lire, dans le désintérêt croissant des citoyens envers les affaires publiques, l'un des versants d'une crise dont la conscience morale est, de son côté, tout autant victime ;

crise qui, en posant comme également acceptables toute opinion et tout choix de vie, décourage de plus en plus les individus de prendre position au-delà d'eux-mêmes et les dissuade de s'engager publiquement sur la signification et les normes de leur conduite. Ce n'est pas, dira-t-on alors, qu'il y ait concurrence entre les rationalités politique et morale ; en réalité, celles-ci sont érodées ensemble par les progrès du relativisme, lequel, en élevant n'importe quel caprice individuel au rang de choix respectable, désamorce toute confrontation et invite du coup chacun à ne se mêler que de ses propres affaires.

Ces deux reproches apparaissent également répandus ; entre les deux, toutefois, un problème se fait jour. Les difficultés de la politique viennent-elles de l'hypertrophie de la conscience morale (de son refus des médiations comme du dissensus), ou au contraire du rabattement de celle-ci sur un éloge des goûts privés qui la dénature entièrement, en même temps qu'il rend impossible toute décision relative au vrai et au faux, au juste et à l'injuste, dans l'espace public ? Pour le dire brutalement : trop de morale, ou pas assez ? Un bon exemple de cette hésitation peut être décelé au travers des analyses proposées, au début des années 1990, par le philosophe canadien Charles Taylor dans *Le Malaise de la modernité*[5]. À mesure, en effet, que s'égrènent au fil des pages de cet ouvrage les diverses causes auxquelles imputer le « malaise », s'approfondit discrètement la différence qui les sépare, au point que Taylor en vient à formuler, vis-à-vis de notre modernité, deux diagnostics assez profondément contradictoires.

Sans doute les trois raisons principales du vertige moderne, telles que Taylor les énonce dès le départ, n'ont-elles rien de très surprenant : premièrement, l'expansion de l'individualisme susciterait la disparition des idéaux transcendants, entraînant un nivellement et une perte d'orientation de la signification que les individus accordent à leur conduite et à leur vie. Deuxièmement, l'expansion de la raison instrumentale conduirait à une généralisation indue de l'analyse en termes de moyens et de fins, laquelle enserrerait désormais la totalité de la vie dans cette « cage de fer » rapace et calculatrice que déplorait déjà Max Weber. Troisièmement, nous assisterions à un déclin de la liberté politique, sous l'effet conjugué des deux évolutions précédentes : parce qu'un « despotisme doux » à la manière de Tocqueville vient décalquer dans l'ordre des structures politiques les critères de la rationalité instrumentale, mettant la puissance publique au service d'une société elle-même de part en part technicienne ; parce que, dans le même temps, le repli individualiste de chacun sur sa sphère privée interdit de développer une culture politique et une participation citoyenne à même de faire contrepoids.

Rien de très nouveau, jusque là, dans cette manière d'imputer l'éclipse de la politique à l'alliance de l'individu-roi et du calcul universel. Dans ce tableau, l'intérêt principal de la démarche de Taylor, l'hésitation aussi qui la traverse, concerne l'analyse originale de l'individualisme, clef de la démonstration. Sur ce point, l'analyse paraît en effet se diffracter en deux lignes d'argumentation à la fois complémentaires et divergentes.

Sur un premier axe (et dans le contexte d'une discussion avec les intellectuels conservateurs qui vitupèrent l'immoralité de leurs contemporains[6]), l'argumentation de Taylor consiste à soutenir que l'individualisme contemporain est bel et bien une morale, mais une morale qui s'ignore et oublie sa propre provenance, dans une forme d'auto-aveuglement dévastateur qui la coupe de ses fondements. Derrière l'égocentrisme (« seule compte ma réussite, ma carrière… ») et le relativisme (« mon choix de vie ne saurait être comparé à aucun autre »), il faudrait reconnaître le lointain avatar d'un idéal d'authenticité, dont Taylor retrace l'émergence chez Rousseau et Herder – idéal qui fait de la fidélité à soi-même, à ses propres nature et vocation intérieures, la valeur cardinale à laquelle chacun doit mesurer ses actions, et ordonner sa conduite. Or, dit Taylor, non seulement cet idéal d'authenticité est bel et bien un idéal moral mais, correctement compris, il implique ce que l'égocentrisme relativiste exclut – savoir, un rapport constitutif de soi aux autres (parce que notre identité la plus intime se constitue dialogiquement), et l'existence de valeurs transcendant la subjectivité, au regard desquelles prend sens la « réalisation authentique de soi » que les individus se proposent. En bref, ce ne serait pas l'individualisme en soi qui ruinerait la politique en incitant chacun à ne se préoccuper que de lui-même ; cette tendance au repli ne serait causée que par un individualisme devenu aveugle à ses propres sources morales, et aux implications intersubjectives et collectives de celles-ci. « Sauver » la politique passerait alors par une sorte d'élucidation de l'idéal d'authenticité, qui permettrait de reconnaître combien ce dernier, correctement compris, requiert à la fois d'avoir souci des autres et de pouvoir confronter avec eux ses propres choix de vie. Il deviendrait alors possible de justifier, au nom même de l'authenticité et de l'épanouissement de soi, l'existence de médiations collectives et d'un débat rationnel sur les principes, autrement dit la nécessité de la politique.

...ou excès de morale ?

La fin de l'ouvrage dresse toutefois, du même problème, un tableau quelque peu différent. Taylor y effectue le chemin en sens inverse : il ne cherche plus à déduire, du relativisme affiché par les individus, les conséquences politiques dévastatrices, mais à remonter, au contraire d'une certaine conjoncture politique – celle des États-Unis au début des années 1990 –, aux causes générales susceptibles d'en rendre compte. Curieusement alors, notre auteur va imputer la situation critique qu'il décrit, non à la manière dont les individus récusent toute prise de position sur les valeurs, refusent de voir leurs choix privés portés à la discussion dans la sphère publique, mais à la façon dont, au contraire, ces valeurs et ces choix investissent directement l'espace de la discussion. D'une part, remarque-t-il, l'expansion de la raison instrumentale, qui menace la politique en escamotant les projets collectifs dont celle-ci doit s'alimenter, s'alimente en partie de sentiments moraux : la tyrannie de l'efficacité, la tendance à faire primer l'amélioration des moyens sur la détermination des fins, sont de lointains rejetons de « l'affirmation de la vie ordinaire » et d'une « bienveillance active et universelle » identifiant l'amélioration de la condition humaine à l'augmentation des biens de consommation et au soulagement de la souffrance[7]. D'autre part et surtout, on assiste d'après lui à une véritable fragmentation de la communauté politique – non pas, toutefois (comme ses analyses initiales le laissaient pressentir) en individus isolés et repliés sur leurs existences singulières ; mais en minorités actives et mobilisées autour de la défense d'une cause (« les gens se lancent dans des campagnes autour d'une seule question précise, et ils travaillent frénétiquement à la cause qu'ils ont choisie. Le débat sur l'avortement en offre un bon exemple[8] »). Ce que Taylor déplore ici, on le voit, ce n'est pas la manière dont le relativisme, en imposant le silence sur les choix moraux, dispense les individus de toute participation collective ; c'est plutôt la façon dont la constitution de groupes minoritaires, organisés autour d'options et de positions communes, tendrait à fragmenter le corps social et à interdire la formation de majorités soucieuses de l'intérêt général.

Sur cette ligne, le diagnostic posé par Taylor s'oriente dans une direction passablement différente de la précédente. D'une part, le motif de la « fragmentation » y joue en un sens presque opposé : la critique du relativisme pointait tantôt vers un émiettement de la société en individus ; l'inquiétude envers les mobilisations minoritaires déplore plutôt ici sa division en groupes d'appartenance, groupes où l'individu se confond avec ceux qui partagent ses choix et ses modes de vie, s'identifie à un ensemble de conduites ou de coutumes partagées. De ce point de vue, la lecture de Taylor paraît rejoindre la cohorte de ceux qui imputent d'un même souffle la crise de la modernité à l'individualisme et au communautarisme, reprochant aux luttes minoritaires de favoriser l'un et l'autre sans bien voir que ces deux objections sont, en toute rigueur, contradictoires[9]. D'autre part et surtout, lorsqu'il traite du rôle joué par les minorités actives, Taylor semble rapporter la crise du politique à l'existence d'aspirations et d'horizons moraux, de « causes » valant d'être « frénétiquement » défendues, tous engagements dont il déplorait au départ que les individus ne sachent plus les reconnaître, obsédés qu'ils étaient par le souci qu'ils se prêtent à eux-mêmes. Car qu'est-ce, somme toute, que la question de la licéité de l'avortement, sinon une question dont les résonances sont au moins partiellement morales ? Et qu'est-ce que l'identification à une communauté, sinon l'identification de soi à travers la reconnaissance de ce que sa vie authentique se constitue au-delà de soi-même, dans un dialogue ininterrompu avec certains « autres qui comptent[10] » ?

La faute à Foucault ?

Résumons. L'ouvrage de Taylor dresse de la crise de la politique un portrait ambigu – mais dont l'ambiguïté même doit être prise au sérieux, tant elle traverse, bien au-delà de cet auteur, l'espace des discours contemporains. D'un côté, la politique y verse dans le « despotisme doux » par défaut de morale – ou plutôt, par le travestissement de la quête d'authenticité (qui pour Taylor est une véritable morale) en un égocentrisme et un relativisme absurdes. De l'autre côté, la politique paraît au contraire souffrir d'un excès de morale, dévoyant le souci du bien commun en un idéal de bien-être confié à la raison instrumentale, et fragmentant l'espace public en un nuage de minorités, faites d'individus arc-boutés sur les liens qui les unissent et obsédés par la défense de leurs droits et de leurs valeurs.

Étrangement, à l'extrémité de ces deux lignes de réflexion divergentes, c'est la même ombre qui se profile dans l'argumentation de Taylor : cette ombre inquiétante, c'est celle de Michel Foucault. Via une référence

directe, d'abord : analysant le « dérapage du subjec-
tivisme », Taylor constate que le glissement de l'idéal
d'épanouissement de soi vers l'amoralité pure et simple
prend la forme, à la fois, de l'égocentrisme et de la négation de tout horizon de sens transcendant. Or Foucault,
remarque-t-il, est directement impliqué dans ce double
dérapage, en laissant « à l'agent, en dépit de ses doutes
sur la catégorie du « moi », le sentiment d'un pouvoir et
d'une liberté sans entraves face à un monde qui n'impose aucune règle, prêt à jouir du "libre jeu" ou à céder
à une esthétisation du moi[11] ». Passant « de la grande
culture à la culture populaire » (Taylor songe ici à l'influence de Foucault sur les campus américains), l'esthétique de soi foucaldienne serait ainsi le chaînon manquant entre morale de l'authenticité et narcissisme,
parant les « déviations égocentriques » de « la patine
d'une justification philosophique profonde[12] », et justi-
fiant la clôture de l'individu sur soi au nom du caractère
autotélique de la vie pensée comme œuvre d'art. Mais
d'un autre côté, l'influence délétère de Michel Foucault
se laisse tout autant reconnaître derrière ces mobilisations fragmentaires auxquelles Taylor reproche d'avoir
morcelé l'espace politique américain : parce que les
travaux de Foucault, en irriguant les *gender studies* et les
cultural studies, ont abondamment inspiré certaines de
ces mobilisations ; parce que, plus généralement, les
deux points communs à ces mouvements, leur caractère
minoritaire et centré sur une cause, rejoint la définition
la plus « canonique » de la politique telle que Foucault
l'entend : celle d'une politique des minorités et d'une
critique spécifique, dont il fait régulièrement le guide de
ses propres travaux[13]. De ce point de vue, Foucault apparaît sous la plume et dans la perspective de Taylor

comme celui qui, tantôt, prône un immoralisme néga-
teur de toute inscription collective, et tantôt exhorte à
une forme particulière d'engagement moral, au sens
où ce dernier fait valoir des exigences propres à une
manière spécifique de considérer le monde et d'évaluer
les conduites, exigences qui débordent et érodent les
spécificités de la sphère politique telle qu'on l'entend
ordinairement.

Cette double mise en accusation ne laisse guère
ouvertes que deux attitudes. On peut y voir une bonne
description de la posture politique et intellectuelle de
Foucault – mais il faudra alors expliquer pourquoi ce
dernier aurait cédé, simultanément ou successivement,
à des sirènes aussi contradictoires. À cette question,
la réponse dépendra alors du degré de sympathie des
biographes – les uns vitupérant son mélange de dan-
dysme et d'aveuglement politique ; les autres faisant de
l'esthétique de soi du « dernier Foucault » le signe d'une
relative déception vis-à-vis des idéaux révolutionnaires et
de l'intervention dans la sphère publique. Mais on peut
aussi prendre les choses à rebours, et se demander si ce
double reproche ne serait pas l'indice, plutôt que d'une
incohérence de l'accusé, d'une confusion chez l'accu-
sateur et dans l'acte d'accusation : le problème ne vien-
drait-il pas en effet de la façon dont Taylor prétend lire,
dans le monde contemporain, les rapports entre éthique
et politique sous le double signe d'un repli individualiste,
et d'une « moralisation » indue du débat public par les
minorités ? Si un même auteur – Foucault – peut se voir
reprocher d'avoir favorisé des tendances aussi nettement contradictoires, n'est-ce pas la qualification de cette
contradiction même qu'il faut réévaluer ? Mieux vaudrait, peut-être, rechercher ce qui unit par-delà leur

apparente opposition le renforcement de la préoccupation éthique pour l'individu et le surgissement des mobilisations minoritaires. On ne devrait pas alors lire Foucault comme le symptôme ou le fauteur d'une « démoralisation » individualiste, et d'une « surmoralisation » communautariste de l'ordre politique. On devrait plutôt l'aborder comme un auteur qui trace entre ces deux mouvements une continuité souterraine : comme un philosophe qui permet de comprendre, d'une part, en quel sens le souci de soi se détourne moins de l'ordre politique qu'il ne s'y enroule, comme l'un des lieux centraux de son nouage et de sa mise en cause ; d'autre part, pourquoi ce « pli » subjectif fait aujourd'hui retour vers l'espace public à travers des problématisations et des préoccupations apparemment étrangères à son ordre, brandissant la sexualité, la folie ou la maladie comme autant de façons de « poser des questions à la politique ».

Soyons plus explicites. Deux thèses, chez Foucault, nous paraissent répondre point par point au diagnostic énoncé par Taylor. 1. L'émergence du souci de soi n'est pas à comprendre comme un repli hors du politique, motivé (au mieux) par une exigence morale d'authenticité, ou (au pire) par le renoncement à tout horizon, qu'il soit moral ou politique. Cette émergence répond à une transformation rigoureusement politique, qui a amené à faire de l'espace des conduites individuelles le lieu d'une bataille majeure. Non pas, donc : l'individualisme comme pauvre morale, contre l'engagement ; mais l'individualité et les normes de la conduite comme lieu de confrontation politique, conférant à la réflexion morale une signification nouvelle. 2. Du même coup, l'émergence de mobilisations qu'on pourrait dire « morales » (en ce qu'elles se réfèrent à des exigences et à des communautés de valeurs hétérogènes, vis-à-vis de la politique dans sa définition traditionnelle) n'est pas à comprendre comme une confusion des registres, mais comme l'élaboration d'un nouveau mode d'inscription dans l'ordre politique. Non pas : la morale, au lieu de la politique, mais la morale comme rapport avec la politique. La question n'est pas alors de statuer sur la contradiction entre un individualisme amoral et un communautarisme moralisateur ; elle est de repérer à quel moment l'interrogation morale cesse de relayer l'investissement politique des subjectivités, pour en problématiser l'exercice.

Le gouvernement des conduites

Lire chez Foucault les linéaments d'une articulation entre morale et politique suppose quelques prudences. On rappellera d'abord la distinction cardinale qu'il opère entre morale et éthique, définissant spécifiquement cette dernière comme l'ensemble des manières selon lesquelles l'individu élabore sa propre conduite entre les normes générales du code moral auquel il se soumet, et la multiplicité des comportements qu'il est amené à adopter. L'éthique désigne ainsi, chez Foucault, cet espace problématique et intermédiaire, espace dans lequel le sujet est commis à se définir lui-même s'il veut assurer effectivement la médiation entre les règles qu'il respecte et les actions qu'il effectue, mais espace que les lois morales ne quadrillent pas tout entier et qui constitue un lieu d'inventivité, où prennent place des pratiques et des modèles justiciables en cela d'une histoire autonome. D'autre part, on se souviendra que l'approche que Foucault propose de la politique refuse explicitement toute subsomption de l'analyse du pouvoir à une norme de la vie bonne : l'un des traits les plus constants de sa méthode consiste à écarter l'examen des justifications rationnelles de l'autorité, au profit d'une étude gouvernée par la fameuse question « le pouvoir, comment s'exerce-t-il ? ». C'est ce que l'on pourrait appeler le « moment machiavélien » de la généalogie : comme Machiavel, Foucault souligne que la pratique du pouvoir est sous-déterminée par les raisons que celui-ci invoque ; comme lui, il se propose de se tourner vers la « vérité effective de la chose », vérité dont l'effectivité est justement gagée sur le fait de ne pouvoir se décalquer d'aucun modèle et de ne renvoyer à aucune essence fixe – quand bien même, bien entendu, une telle opération suppose chez Foucault non d'exalter la figure du Prince, mais de « penser le pouvoir sans le roi[14] » et de contourner toute référence à la souveraineté. Du fait de cette mise à l'écart délibérée de toute considération des valeurs, beaucoup de lecteurs de Foucault ont d'ailleurs lu dans l'émergence chez lui d'une réflexion éthique l'indice d'un renoncement, comme s'il s'agissait d'en « rabattre » sur la séparation initiale des deux ordres. Il y a pourtant une autre manière de voir, et il suffit pour cela de prolonger l'analogie avec Machiavel : de même que, chez l'auteur du *Prince*, la morale est exclue des principes auxquels la politique doit se subordonner, mais revient du côté des instruments dont elle peut user et des apparences dont elle doit se préoccuper ; de même, chez Foucault, le motif éthique va s'introduire non au-dessus, mais à l'intérieur de l'histoire des formes d'exercice du pouvoir.

Les cours intitulés « Sécurité, territoire, population »
et « Naissance de la biopolitique » permettent de repérer ce
déplacement. Au point de départ de l'analyse, on trouve
la nécessité de compliquer le modèle « microphysique »
développé à partir de *Surveiller et punir*, et qui organisait
la lecture du pouvoir autour du couple souveraineté/dis-
ciplines, opposant l'une à l'autre comme la transcen-
dance à l'immanence, ou la loi à la norme. Or, cherchant
à rendre compte de la façon dont le pouvoir peut exercer
une action positive, d'incitation et de renforcement plutôt
que de limitation, Foucault est bientôt conduit à déplacer
le terrain historique et le cadre philosophique de son
enquête : le « pouvoir sur la vie », dont *La Volonté
de savoir* esquisse une première caractérisation, prend
corps selon d'autres scansions et s'exerce d'une tout
autre manière que le pouvoir disciplinaire. Alors que
Surveiller et punir prétendait encore analyser, à travers
la notion de discipline, la façon dont on peut accroître
la docilité et l'efficacité des multiplicités humaines, les
premières séances de « Sécurité, territoire, population »
introduisent une typologie des formes de pouvoir plus
complexe et tripartite : désormais, Foucault oppose à
la souveraineté, non seulement la « normation » disciplinaire, imposition d'une grille distinguant et distribuant,
au regard d'une norme préalable, le normal et l'anormal,
mais la « normalisation », stratégie dans laquelle le pouvoir se préoccupe d'équilibrer *ex post* les diverses régularités émergeant spontanément des phénomènes dont il
a la charge. Ainsi tâche-t-on, par exemple, dans le cas des
épidémies de variole, non de circonscrire la contagion
par la mise en place d'un quadrillage rigoureux, mais de
ramener la mortalité infantile à un taux dont l'écart vis-à-
vis de la mortalité générale ne soit pas excessif[15].

La mise au jour d'un telle stratégie gestionnaire redéfinit entièrement le rapport du pouvoir à la liberté. Le pouvoir ne se contente plus de présupposer la liberté de ceux qu'il gouverne, comme ce qu'il s'agit de faire plier ; il s'exerce à travers le jeu de celle-ci. Il ne s'agit plus d'interdire, ni de limiter autoritairement, mais de laisser jouer la liberté de telle sorte qu'elle conduise d'elle-même aux effets attendus. Un cas exemplaire de cette manière dont la liberté des individus peut jouer au profit et dans la perspective attendue par le pouvoir est fourni, dans le cours, par la réflexion sur la meilleure manière de gérer la disette.

« On obtient le freinage de la disette par un certain « laisser-faire », un certain « laisser-passer » (…). On va laisser se créer ce phénomène de cherté-rareté sur tel ou tel marché, dans toute une série de marchés et c'est cela, cette réalité même à laquelle on a donné liberté de se développer, c'est ce phénomène-là qui va entraîner justement son auto-freinage et son autorégulation. De sorte qu'il n'y aura plus de disette en général, à condition qu'il y ait pour toute une série de gens, dans toute une série de marchés, une certaine rareté, une certaine cherté, une certaine difficulté à acheter du blé, une certaine faim par conséquent, et après tout il se peut bien que les gens meurent de faim. Mais c'est en laissant ces gens-là mourir de faim que l'on pourra faire de la disette une chimère[16]… »

En quel sens tout ceci nous ramène-t-il à l'éthique ? Précisément en ce que, dans une telle perspective, la manière dont l'individu va donner forme à son activité libre va devenir le point d'investissement des technologies politiques : dans le nouveau régime politique que Foucault identifie finalement au libéralisme, la normalité de la population se trouve produite, non d'en haut par une autorité législatrice et souveraine, ou d'avance par une prescription et un quadrillage disciplinaires, mais de l'intérieur par l'invitation faite aux individus à exercer leur liberté plutôt dans tel sens que dans tel autre, sans pour autant que cette incitation fasse disparaître la marge d'initiative qui leur est laissée. Car il ne faut pas s'y tromper : cet « investissement » politique de l'activité individuelle, ce souci politique nouveau envers les usages singuliers de la liberté, n'est pas à comprendre comme une sorte de ruse, qui réduirait l'initiative à une apparence illusoire et exercerait sa maîtrise totale dans le dos des acteurs : lorsque le pouvoir compte sur la liberté pour aller dans son sens, il prend aussi le risque de voir l'individu user de sa liberté pour contester, modifier ou faire bifurquer ce sens. Le réformateur du XVIIIe siècle, sur le texte duquel Foucault appuie son analyse de la gestion libérale de la disette, remarque ainsi que l'on ne peut absolument écarter, devant la cherté du blé, les risques d'accaparement ou de révolte[17]… Autrement dit, l'espace des comportements individuels devient le lieu d'un affrontement et d'un déséquilibre, irréductible à l'opposition entre soumission à un pouvoir extérieur et libre détermination de soi par soi, entre hétéronomie politique et autonomie morale. Dans le régime de gouvernementalité libérale, le pouvoir s'adresse à la liberté des sujets mais enveloppe par là un moment d'autonomie qui est aussi le lieu d'une contestation possible.

L'espace de dissidence

Cet enveloppement est particulièrement lisible dans le cours du 1er mars 1978. Cherchant à démontrer comment les techniques de normalisation des populations trouvent leur origine dans la pastorale chrétienne et la direction de conscience, Foucault y tente de caractériser le registre propre sur lequel intervient une telle rationalité politique. Comment circonscrire et nommer cet espace ambigu, où la prescription extérieure vient se couler dans l'activité de l'individu lui-même, s'efforçant non de contraindre, mais de faire en sorte que l'acteur reprenne à son compte l'injonction qui lui est faite, la redouble pour lui-même jusqu'à en faire la norme de son comportement ? Bonheur de langage : Foucault découvre alors que le mot français de « conduite » possède précisément l'ambiguïté nécessaire à caractériser une telle médiation ; selon les cas et les usages, parler de conduite peut renvoyer à l'activité de conduire (en tant qu'elle peut s'exercer de l'extérieur du sujet), ou à l'effet de cette activité (en tant qu'il témoigne de l'initiative et de la responsabilité du sujet agissant).

« La conduite, c'est bien l'activité qui consiste à conduire, la conduction si vous voulez, mais c'est également la manière dont on se conduit, la manière dont on se laisse conduire, la manière dont on est conduit et dont, finalement, on se trouve se comporter sous l'effet d'une conduite qui serait acte de conduite ou de conduction[18]. »

Est ici très significative la manière dont Foucault procède dans cette phrase par « tuilage », ajointant une série d'expressions quasiment synonymes mais dont les légers décalages successifs finissent par déplacer l'attention, de l'intervention extérieure d'un conducteur à l'allure adoptée par l'activité d'un individu se conduisant lui-même. Tout se passe comme si le mot de « conduite » permettait de situer ces deux pôles dans un double rapport de continuité et de décrochage : continuité, parce que la « conduction » prétend s'exercer à travers la forme que l'individu va donner à sa propre conduite ; mais décrochage, parce qu'une telle reprise ne laisse pas d'ouvrir un écart, tant le conducteur ne peut faire autrement, si loin qu'il scrute l'activité de celui qu'il conduit, de s'en remettre tôt où tard à la liberté de ce dernier, au risque de le voir emprunter une direction différente[19].

C'est précisément dans cet écart que Foucault va situer ce qu'il nomme les « contre-conduites » : soit, dans le corpus religieux qu'il examine alors, un ensemble de mouvements spirituels ayant en commun, d'une part, de contester les modalités de la pastorale qui prétend les encadrer ; mais d'autre part, de la contester *par* l'élaboration d'une conduite, à la manière par exemple dont le zèle de l'ascète subvertit les prescriptions de la direction de conscience. Foucault développe longuement ce cas : là où le pastorat requiert et vise « une obéissance permanente, une renonciation à la volonté et à la volonté seulement, et un déploiement de la conduite de l'individu dans le monde[20] », l'ascète met en œuvre les préceptes de la direction de conscience de telle sorte qu'y percent une maîtrise de soi, un renoncement au corps et un échappement du monde qui en subvertissent les exigences : « l'ascétisme étouffe l'obéissance par l'excès des prescriptions et des défis que l'individu se lance à lui-même. » Là où le mot de « conduite » semblait nouer, entre le berger et son troupeau, une intimité heureuse où la direction de l'un se glissait comme d'elle-même dans le comportement de l'autre, l'existence de telles « contre-conduites » complique ces noces : elle indique comment la manière dont on est dirigé peut être, en soi, un objet d'opposition, et la manière aussi dont cette opposition peut passer par l'élaboration de comportements alternatifs, donc sur le terrain même où le pouvoir s'exerce.

Une telle analyse n'est pas exempte, au moment où Foucault écrit, d'arrière-pensées : derrière l'examen des formes de résistance au pastorat chrétien, c'est l'esquisse d'une analyse de la dissidence qui se profile, analyse qu'en 1978, l'actualité rend urgente, mais que Foucault préfère cependant aborder de biais, contournant la seule considération du présent et ne mentionnant qu'incidemment ce type de rapprochement[22]. C'est qu'il ne s'agit pas de rejoindre la cohorte de ceux qui exaltent l'héroïsme d'une telle attitude, mais de discerner en quel sens on a affaire, avec la dissidence alors active dans les pays de l'Est et en Union Soviétique, à une forme de résistance spécifique, tant par son objet que par la stratégie qu'elle emprunte : résistance non au pouvoir ou à l'exploitation en général, mais à la « manière d'être gouvernés », aux « procédés mis en œuvre pour conduire les autres » ; stratégie non de désobéissance, au sens où cette dernière suggère une attitude essentiellement négative, lorsque la dissidence implique « une productivité, des formes d'existence, d'organisation, une consistance et une solidité[23] », en bref une détermination positive que n'épuise pas le simple fait d'un écart à la norme.

Si l'on se souvient de l'importance que *L'Usage des plaisirs* et *Le Souci de soi* accorderont, quelques années plus tard, à l'ascèse (c'est-à-dire, au sens étymologique d'*askesis*, à « l'exercice de soi »), on perçoit assez vite l'importance du lien établi, en 1978, entre ascétisme, contre-conduites et dissidence. À travers ce lien, c'est déjà la question de l'éthique qui se dégage, si par éthique on entend la manière dont l'individu entreprend de se transformer lui-même pour faire sienne une règle de conduite donnée ; mais on voit aussi qu'une telle question n'émerge qu'au creux d'une interrogation politique et d'une généalogie des formes modernes d'exercice du pouvoir. Nul renoncement, donc, à traiter du politique dans la mise en avant du domaine de l'éthique. Mais on peut dire davantage : au-delà même de la question de l'unité interne à la démarche foucaldienne, la relation ainsi établie jette une lumière nouvelle sur l'expérience contemporaine, bouleversant entièrement la représentation qui associe, d'habitude, la montée de l'individualisme et le déclin de la politique selon un jeu de vases communicants. De la démonstration proposée par Foucault, deux thèses générales s'ensuivent : premièrement, l'espace des conduites individuelles n'est pas l'autre de la politique mais le point d'investissement de techniques de pouvoir précises, parce que l'unification des communautés est solidaire, dans la modernité, d'une attention minutieuse au singulier – ce pourquoi la formule « *omnes et singulatim* » paraît pour Foucault résumer la rationalité politique qu'il cherche à décrire[24]. Deuxièmement, on ne concevra pas pour autant ce rapport comme une sorte de manipulation sans recours, où l'individu serait déterminé à agir par une structure sociale qui le surplombe, et se trouverait d'autant plus conduit qu'il croit se conduire lui-même. Dans la mesure où la normalisation bio-politique en appelle *réellement* aux individus, elle s'expose à la dimension de liberté enveloppée dans ce mouvement, et peut voir contester ses stratégies et ses prescriptions. Il ne s'agit pas seulement de déceler, sous le narcissisme d'individus essentiellement préoccupés d'eux-mêmes, la présence d'un gouvernement par l'individualisation ; il s'agit tout autant de faire voir comment les modes d'individualisation « dissidente » peuvent mettre en crise le régime de gouvernement.

Du soi et de l'Empire

Dans quelle mesure, toutefois, peut-on accorder à de telles contre-conduites une portée réelle et y voir autre chose qu'un renoncement politiquement encouragé, comme si nous devions nous contenter de tracer des figures contournées dans le pauvre espace que le pouvoir nous laisse ? Après tout, on pourrait remarquer que les exemples sur lesquels Foucault s'appuie – tel celui des rapports entre pastorat et ascétisme – ont pour particularité de se jouer « au plus proche », dans une configuration resserrée limitant au maximum la différence d'échelle entre l'action que l'individu peut effectuer sur lui-même, et l'ampleur des déterminations sociales où il se trouve pris. Or, l'une des objections que nous avons reconnues chez Taylor consistait au contraire à souligner le fossé entre mobilisations locales et questions politiques d'ensemble, à déplorer que les mobilisations minoritaires, se formant autour d'une seule question, interdisent *de facto* la formation de majorités à la hauteur des défis qu'affronte la société en son entier. Que répondre à une telle remarque ?

Cette préoccupation ne nous semble pas absente des tomes II et III de *L'Histoire de la sexualité*. Ceux-ci, en effet, ne se contentent pas de montrer que toute morale, si rigoureuse soit-elle, laisse toujours un écart au sein duquel le sujet peut élaborer sa liberté et se constituer comme sujet. Il s'agit tout autant de montrer qu'un tel écart n'est jamais rupture, retraite ou repli ; autrement dit, que la relation de soi à soi que le sujet explore n'est jamais décrochée d'une attention au contexte politique dans lequel cette relation s'institue. L'espace de l'éthique, d'être ménagé au creux des règles morales et sociales, n'est pas pour autant à penser comme une « niche » où nous pourrions cesser de nous préoccuper du monde qui nous entoure et penser enfin à nous-mêmes : si les pratiques de soi s'exceptent en partie du jeu des pouvoirs, elles ne cessent dans le même temps d'en procéder, d'y retourner et d'y trouver ultimement leur sens. C'est assez clair pour l'enquête sur la Grèce classique : Deleuze a suffisamment insisté sur le fait que, pour Foucault, la problématique du gouvernement de soi s'y entretisse intimement avec celle du gouvernement des autres, le citoyen libre devant être maître de lui-même pour exercer son pouvoir au-dehors. Mais c'est tout aussi clair, et en un sens beaucoup plus frappant, pour une période dans laquelle le rapport éthique à soi-même et le rapport aux structures politiques semblent entretenir une distance maximale : la période hellénistique et romaine, à laquelle Foucault consacre un chapitre du *Souci de soi*.

Parcourons rapidement le texte. Dans le chapitre « le jeu politique[25] », Foucault se propose de montrer que l'austérité accrue des mœurs en matière sexuelle, durant la période hellénistique, n'est pas liée à l'instau-

ration de nouveaux interdits moraux, mais au développement d'une « culture de soi » où le motif de l'*épimeleia
héautou*, le mot d'ordre « prends soin de toi-même »
trouve une signification nouvelle. Il s'agit donc d'examiner l'émergence d'une éthique dans laquelle le rapport
entre soi et soi-même paraît se déployer dans l'intériorité
d'un souci plutôt que dans l'extériorité d'un usage (*chre-
sis*) : l'attention du sujet s'y déplace vers ses représentations plutôt que vers ses actes, cependant que s'accen-
tuent les références à la volonté et à la préférence
raisonnée (*proairesis*). En bref, il s'agit de retracer l'émergence d'une éthique de l'intériorité, où les individus semblent se détourner de l'existence sociale pour se préoccuper davantage d'eux même.

Pourquoi une telle modification ? À cette question,
les historiens invoquent ordinairement un lien entre l'accent mis sur l'intériorité et les transformations politiques
voyant le pouvoir des Cités-États décliner au profit de
la monarchie macédonienne puis de l'Empire, l'ancien
espace civil se muant peu à peu, selon l'expression de
l'historien Moses Finley, en une « *polis* de théâtre ». Le
recul de l'implication des citoyens dans la vie politique ne
permettant plus d'identifier la liberté à la participation aux
décisions prises dans l'espace public, le thème de la
liberté intérieure trouverait son sens dans une sorte de
prise de relais. Thèse, d'ailleurs, tout autant philosophique
qu'historique, renvoyant en tout cas à une lecture philosophique de l'histoire : on se souvient de la manière dont
Hegel fait du stoïcisme l'un des moments dans le processus de formation de la conscience « servante » ; dans le
parcours retracé par la *Phénoménologie de l'Esprit*, si la
liberté intérieure apparaît en un sens comme l'*Aufhebung*
de la participation citoyenne à la totalité grecque, il faut

bien avouer qu'elle apparaît aussi comme une liberté d'esclave[26].

Tout le propos de Foucault vise à déconstruire cette interprétation. Politiquement d'abord : contre la thèse d'un déclin pur et simple des Cités-États, Foucault souligne qu'on assiste plutôt à leur « municipalisation », c'est-à-dire à leur réintégration dans un ensemble plus vaste, où leur rôle se trouve redéfini mais où leur nécessité demeure. Que les Cités aient cessé d'être autonomes signe, non leur disparition, mais leur requalification comme médiatrices dans le jeu du pouvoir – l'univers impérial apparaissant alors comme peuplé d'intermédiaires, monde dans lequel l'existence d'un principe de décision extérieur et supérieur ne réduit pas l'échelon local à une fonction d'exécution mécanique, mais aurait plutôt tendance à compliquer le rôle que chacun a à y jouer[27]. Cette réinterprétation de l'activité politique « locale », replacée sur le fond d'un système qui la conditionne mais la requiert, permet alors de lire autrement l'émergence de la culture de soi. S'il faut, dans l'horizon de la monarchie macédonienne ou de l'Empire romain se soucier de soi-même, ce n'est pas parce qu'on n'aurait plus de rôle politique à jouer, mais au contraire parce que le rôle politique que l'on a effectivement à jouer requiert un approfondissement de la subjectivité. De nouveaux problèmes surgissent, qui s'imposent du dehors à l'individu mais exigent sa transformation intérieure : ainsi, la place qu'il occupe doit-elle être appréhendée dans une forme de neutralité, comme l'obtention extérieure d'un statut, ou requiert-elle au contraire son implication volontaire ? D'autre part, comment peut-il être, non tantôt gouvernant et tantôt gouverné (c'était après tout la définition grecque de la démocratie), mais simultanément l'un et

l'autre – position qui est tout sauf simple, tant le rôle de
« courroie de transmission » implique d'avoir l'autorité
nécessaire pour commander et se faire respecter, tout en
manifestant la souplesse et la docilité de l'exécutant
obéissant ? Autre exemple du même type de dilemme,
dont Foucault décèle cette fois la trace chez Marc-
Aurèle[28] : pour le citoyen de la Grèce classique, sa vertu
propre faisait corps avec celle de la Cité tout entière, dans
une relation circulaire où la vertu de chacun se soutenait
de la vertu de l'ensemble, et réciproquement. Pour le
dirigeant de l'Empire, la situation est beaucoup plus com-
pliquée : vertueux, il doit l'être, notamment pour suppléer
aux carences et aux dérives du système anonyme où il
exerce ses fonctions, système qui ne témoigne en lui-
même d'aucune orientation morale ; mais pour cette raison même, le bon gouvernant ne peut attendre de sa participation à l'Empire aucun renforcement de sa disposition
à la vertu, aucun « soutien moral ». Il doit, en bref, être
vertueux « pour » l'Empire, en tous les sens du terme,
c'est-à-dire à son profit mais à sa place, commis à remédier
sans fin au peu de vertu d'un système sur lequel, pour
cette raison même, il ne peut jamais compter pour redres-
ser ses propres faiblesses.

On pourrait gloser longtemps sur les analogies que
de telles analyses font lever, entre cette description de
l'Antiquité et notre propre horizon pratique – cet univers
contemporain, peuplé d'intermédiaires embarrassés et
de dirigeants perpétuellement subalternes, où il nous
faut tâcher de nous faire sujets. On voit en tout cas ce
que peut avoir de court le diagnostic selon lequel une
« tentation individualiste » tournerait aujourd'hui les
hommes vers leur morale privée en les détournant des
problèmes politiques : *Le Souci de soi* montre qu'il n'y a

pas à choisir tant on peut déceler, sous d'apparents replis, autant de tentatives des hommes pour réarticuler leur rapport au pouvoir – c'est-à-dire, pour modifier le pouvoir lui-même, tant il est vrai que celui-ci n'existe pas (selon l'une des leçons les plus constantes de Foucault) en dehors ou au-dessus de la façon dont les hommes l'exercent.

Désoccuper la vie

Il est finalement possible de faire justice des deux reproches adressés par Taylor aux analyses de Foucault : d'un côté, celui-ci ne prône pas le repli individualiste contre l'engagement politique ; il montre que l'individualité et les conduites qui lui sont associées constituent un espace dans lequel se joue une part de nos sujétions et de nos libertés politiques effectives. D'un autre côté, Foucault est loin de confondre les questions morales que les individus se posent, et posent à la société quant à leurs comportements, leurs valeurs et leur identité, avec le registre sur lequel devrait se situer le débat politique : il montre que ces questions (qu'est-ce qu'être un intermédiaire ? mais aussi bien : qu'est-ce qu'être une femme, ou comment se conduire en tant qu'homosexuel… ?) viennent répliquer, jusque dans leur distance apparente, à une configuration politique qui en suscite l'émergence sans en prescrire la forme.

Cette réplique, Foucault l'a essentiellement analysée à bonne distance historique – fidèle en cela à la méthode archéologique. Cela ne veut pas dire qu'il en a cantonné la logique aux seuls mouvements chrétiens du Moyen

Âge ou au stoïcisme antique : elle constituait bel et bien selon lui une clef pour les analyses et les luttes de notre temps. C'est ainsi qu'au retour d'un voyage en Pologne, il propose en 1981, au lendemain de la décision de rendre illégal le syndicat Solidarnosc, un entretien au *Nouvel Observateur* intitulé « L'expérience sociale et morale des Polonais ne peut plus être effacée[29] ». En quelques lignes splendides, Foucault montre comment la « moralisation » revendiquée par Solidarnosc dans la vie publique polonaise peut être comprise, non comme une nouvelle subordination de la politique à la raison morale, mais comme une réponse à une stratégie d'individualisation précise, de la part du pouvoir – ce qu'il nomme ici « l'occupation ». « Trente-cinq ans du régime précédent avaient pu leur faire croire que, finalement, l'invention de nouvelles relations sociales étaient impossibles. Chacun, dans un État comme celui-là, peut être absorbé par les difficultés de sa propre existence. On est, en tous les sens du mot, « occupé ». Cette « occupation », c'est aussi la solitude, la dislocation d'une société[30]… »

Le mot « d'occupation » dit ici, mieux qu'aucune analyse, en quoi l'investissement des conduites prolonge et importe à l'établissement d'une situation politique et d'une domination d'ensemble ; peut-être faut-il alors rien moins qu'une éthique pour dénouer de telles sujétions. Peut-être faut-il inventer un nouveau souci de soi, qui interrompe nos occupations.

Mathieu Potte-Bonneville

Notes

1. Alexandra Laignel-Lavastine, *Esprits d'Europe. Autour de Czeslaw Milosz, Jan Patocka, Istvan Bibo*, Paris, Calmann-Lévy, 2005.

2. Jacques Rupnik, « Les fruits de la dissidence », *Libération,* jeudi 25 janvier 2007.

3. Cf. notamment Claude Lefort, « Droits de l'homme et politique », *in L'Invention démocratique*, Paris, Fayard, 1981, et la réponse de Marcel Gauchet, *in La Démocratie contre elle-même*, Paris, Gallimard, coll. « Tel », 2002.

4. Dans la philosophie française contemporaine, on trouvera l'expression d'un tel soupçon par exemple chez Alain Badiou, *L'Éthique. Essai sur la conscience du mal*, rééd., Paris, Nous, 1994, ou chez Jacques Rancière, *Malaise dans l'esthétique,* Paris, Galilée, 2004. Si la différence d'orientation de ces textes est forte, la défiance commune qui les traverse envers l'éthique n'en apparaît que plus frappante.

5. Charles Taylor, *Le Malaise de la modernité,* trad. fcse Paris, Cerf, coll. « Humanités », 1992.

6. *Le Malaise de la modernité* est écrit en réponse à l'ouvrage, central dans le débat américain de l'époque, d'Alan Bloom, *The Closing of American Man* (trad. fcse *L'Âme désarmée. Essai sur le déclin de la culture générale*, Paris, Juillard, 1987).

7. Charles Taylor, *Le Malaise de la modernité*, op. cit., p. 109.

8. *op. cit.*, p. 120.

9. Sur ce point, cf. Éric Fassin, « L'individu minoritaire », *in Vacarme*, n° 17, automne 2001.

10. Cf. la manière dont Taylor reprend la notion d'« *autres qui comptent* » à George Herbert Mead, *Le Malaise de la modernité, op. cit.*, p. 41.

11. *op. cit.*, p. 68.

12. *op. cit.*, p. 69.

13. Cf. infra, chapitre « Usages » sur les luttes spécifiques.

14. *Histoire de la sexualité, t. I. La Volonté de savoir, op. cit.*, p. 120.

15. *Sécurité, territoire, population, op. cit.*, pp. 58 *sq.* Sur cette distinction, cf. les précises analyses de Stéphane Legrand, *Les Normes chez Foucault*, Paris, PUF, coll. « Pratiques théoriques », 2007.

16. *Sécurité, territoire, population, op. cit.*, p. 43.

17. *ibid.*, p. 45.

18. *ibid.*, pp. 196-197.

19. Il faudrait ici sonder la logique d'une telle reprise, et le motif plus général des rapports entre discontinuité et continuité chez Foucault. Sur ce point, cf. l'excellent ouvrage de Daniel Liotta, *Qu'est-ce qu'une reprise ? Deux études sur Foucault*, Marseille, éditions Transbordeurs, 2007. L'articulation que propose l'auteur, à propos de la conception foucaldienne de l'histoire, entre « capture » et « brisure » pourrait aussi éclairer ce que nous appelons ici le jeu de continuité et de décrochage, inhérent au gouvernement des conduites.

20. *Sécurité, territoire, population, op. cit.*, p. 210.

21. *ibid.*, p. 211.

22. *ibid.*, p. 204. Sur la présence du mouvement de dissidence soviétique dans la réflexion de Foucault, cf. la « Situation du cours », pp. 384-385.

23. *ibid.*, p. 203.

24. « *Omnes et singulatim* : vers une critique de la raison politique », *Dits et Écrits*, t. IV, *op. cit.*, pp. 134 *sq.*

25. *Histoire de la sexualité, t. III. Le Souci de soi, op. cit.*, pp. 101 *sq.*

26. Cf. Hegel, *Phénoménologie de l'esprit*, t. I, IV, A, « Liberté de la conscience de soi : stoïcisme, scepticisme et la conscience malheureuse ».

27. Sur le détail de cette réinterprétation, cf. Mathieu Potte-Bonneville, *Michel Foucault, l'inquiétude de l'histoire*, Paris, PUF, 2004. pp. 223-225.

28. *Histoire de la sexualité, t. III. Le Souci de soi, op. cit.*, pp. 109-111.

29. *Dits et Écrits*, t. IV, *op. cit.*, p. 343 *sq.*

30. *art. cit.*, p. 346.

Programmes

« Ces programmes ne passent jamais intégralement dans les institutions ; on les simplifie, on en choisit certains et pas d'autres ; et ça ne se passe jamais comme c'était prévu. »

Écritures

Histoire d'écritures : où l'on analysera l'invention de nouvelles formes de contrôle.

Surveiller et punir porte une figure silencieuse qui intrigue et encourage : l'écriture ; cet objet en creux se manifeste d'abord par deux images ; deux images fortes que Foucault esquisse au début et à la fin du livre ; l'une concerne le supplice, l'autre la prison.

- Décrivant le cérémonial du supplice, Foucault explique qu'au moment de monter sur l'échafaud, le condamné s'adressait à l'assistance : « Le rite de l'exécution voulait donc que le condamné proclame lui-même sa culpabilité par l'amende honorable qu'il prononçait, par l'écriteau qu'il arborait, par les déclarations aussi qu'on le poussait sans doute à faire[1] » ; et Foucault de citer le cas de Marion Le Goff, chef de bande célèbre en Bretagne au milieu du XVIIIᵉ siècle, criant du haut de l'échafaud : « Père et mère qui m'entendez, gardez et enseignez bien vos enfants ; j'ai été dans mon enfance menteuse et fainéante ; j'ai commencé par voler un petit couteau de six liards… Après, j'ai volé des colporteurs, des marchands de bœufs ; enfin j'ai commandé une bande de voleurs et voici pourquoi je suis ici. Redites cela à vos enfants et que ceci au moins leur serve d'exemple[2]. »

- Au terme de son livre, Foucault, analysant le fonctionnement de la prison, évoque de manière moins explicite une autre scène. Le détenu, assis à une table dans sa cellule, écrit. Dans son dos, l'œil du surveillant veille. Il veille à ce que le détenu écrive conformément aux souhaits du directeur et du médecin de la prison, qu'il écrive non des poèmes, non des chansons, non des romans, mais ses impressions de prison[3].

Ces deux images qui mettent en scène le discours du condamné s'opposent. Dans un cas, il s'agit d'une déclaration orale, dans l'autre de la rédaction d'un manuscrit. Si dans les deux cas le protagoniste est le condamné, les propos qu'il tient n'ont pas la même valeur. Le supplicié expie oralement ses fautes, le détenu relate son existence et les sentiments que la détention lui inspire. L'extraordinaire s'oppose ici au quotidien, l'héroïque à l'ordinaire, le discours perfor-matif à l'écriture documentaire.

Comment se fait-il qu'en un peu plus d'un siècle on soit ainsi passé de l'oral à l'écrit ? Quelle fonction a-t-on attribué à l'écrit pour en faire le vecteur du discours de l'homme ordinaire ?

L'objectif de *Surveiller et punir* était de faire, rappelons-le, une histoire corrélative de l'âme moderne et d'un nouveau pouvoir de juger, une généalogie de notre complexe scientifico-judiciaire où le pouvoir de punir prend ses appuis, reçoit ses justifications et ses règles, étend ses effets et masque son exorbitante singularité. Pour ce faire, Foucault se donnait quatre règles géné-rales : prendre la punition comme une fonction sociale complexe, prendre sur les châtiments la perspective de la tactique politique, placer la technologie du pouvoir au principe, et de l'humanisation de la pénalité, et de la connaissance de l'homme, et enfin essayer d'étudier la métamorphose des méthodes punitives à partir d'une technologie politique du corps où pourrait se lire une histoire commune des rapports de pouvoir et des relations d'objet[4].

À partir de ces quatre règles générales, Foucault se donne pour tâche d'étudier ce qu'il désigne comme la technologie politique du corps : un savoir du corps qui n'est pas exactement la science de son fonctionnement et une maîtrise de ses forces qui est plus que la capacité de les vaincre[5].

Dans cette perspective, Foucault distingue trois techniques politiques du corps : le supplice, la punition et la discipline. Or, chacune de ces techniques révèle non pas seulement une histoire des modalités selon lesquelles s'exerce le pouvoir de punir, mais également une histoire de la fonction politique de l'écrire, cette « pratique mythique moderne », selon la formule de Michel de Certeau.

En effet, écrit Foucault, à ces trois techniques ne correspondent pas seulement la cérémonie, la représentation et l'exercice, ou le corps qu'on supplicie, l'âme dont on manipule les représentations, le corps qu'on dresse, mais aussi la marque, le signe et la trace[6].

Ces trois termes renvoient explicitement à la question de l'écriture et l'on peut ainsi lire *Surveiller et punir*, non plus seulement comme le récit de la naissance de la prison, mais aussi comme celui de l'émergence de la pratique moderne de l'écriture dans nos sociétés.

Par cette relecture de *Surveiller et punir*, il s'agit de tenter, à partir d'un certain nombre de détails, parfois noyés dans le corps du texte, de restituer une partie de cette histoire que Foucault esquisse entre les lignes, et de montrer enfin un usage possible de l'œuvre du philosophe pour repenser une histoire de l'écriture.

La marque, le signe et la trace

La technique du supplice, rappelons-le schématiquement, est pour Foucault un cérémonial de souveraineté : la punition utilise les marques rituelles de la vengeance qu'elle applique sur le corps du condamné ; et elle déploie aux yeux des spectateurs un effet de terreur d'autant plus intense qu'est discontinue, irrégulière et toujours au-dessus de ses propres lois, la présence physique du souverain et de son pouvoir.

Dans ce dispositif, le condamné est privé d'écriture, le condamné est une voix, il est en quelque sorte une pure existence verbale, il n'a pas d'existence graphique : « le peuple parle » comme disait Certeau.

Cela ne signifie pas pour autant que l'écriture est absente du dispositif. Bien au contraire, l'écrit est le privilège du souverain. Non seulement il inscrit (le terme n'est pas neutre) sur le corps sa vengeance, mais il y ajoute un écriteau sur lequel est notée la sentence. Le corps du condamné est d'une certaine manière doublement écrit : dans un double alphabet, le roi écrit son châtiment.

Foucault relève en effet que dans ce dispositif le condamné reste en deçà du seuil du scripturaire. « Être regardé, observé, raconté dans le détail, suivi au jour le jour par une écriture ininterrompue était un privilège. La chronique d'un homme, le récit de sa vie, son historiographie rédigée au fil de son existence faisaient partie des rituels de sa puissance[7]. »

L'homme ordinaire n'a pas ce droit. Il demeure dans l'économie de l'oralité. Le cérémonial du supplice restitue parfaitement ce partage. En effet, le condamné compose un petit théâtre avec trois autres personnages (le public, le bourreau et le souverain) dont un seul, le roi, est doué de la faculté d'écrire. Foucault précise ainsi que lors de la cérémonie tout un jeu avec le public est organisé autour des lettres du bourreau : « La tradition voulait, paraît-il, quand on avait scellé les lettres du bourreau, qu'on ne les pose pas sur la table, mais qu'on les jette à terre[8]. » Autrement dit, on rappelle à chaque supplice que le condamné n'est pas le seul à être interdit d'écriture mais que le bourreau et le public le sont aussi. Il écrit encore : « Il avait beau, en un sens, être le glaive du roi, le bourreau partageait avec son adversaire son infamie[9]. » Le sens de l'improbable arrivée du messager apportant la lettre de grâce, la lettre au cachet de cire verte, est le même[10]. Lorsque la foule faisait croire que ce messager était en train d'arriver, il ne faisait que renforcer la force de ce partage en faisant semblant de braver un interdit. Le peuple, comme le bourreau et le condamné, est exclu de l'écriture.

L'inscription graphique du souverain sur le corps du condamné demeure bien après sa mort. Elle prend deux formes, explique Foucault : le chant du mort, qui réaffirme une fois encore, si besoin était, le condamné dans l'ordre de l'oralité, et les écrits apocryphes de condamnés, que l'on retrouve dans la littérature de colportage. Foucault montre ainsi comment « la justice avait besoin de ces apocryphes pour se fonder en vérité. Ses décisions étaient ainsi entourées de toutes ses "preuves" posthumes[11] ». Il explique aussi comment la diffusion de ces récits tendait à inscrire dans le temps le privilège du souverain, à rappeler que le peuple qui avait été le témoin du supplice pouvait aussi être la victime éventuelle et « éminente » de cette exécution[12].

Dans ce premier dispositif, on voit bien maintenant que l'écriture est une marque : une marque de distinction, une marque dont le support d'inscription est le corps de l'homme ordinaire.

Dans le second dispositif punitif imaginé par les juristes réformateurs, l'écriture a un autre statut. La punition, d'abord, est pensée autrement ; il s'agit d'une procédure pour requalifier les individus comme sujets de droit.

Dans l'ancien système, le corps des condamnés devenait la chose du roi, sur laquelle le souverain imprimait sa marque, sa signature pourrait-on dire, et abattait les effets de son pouvoir. Là, il sera plutôt un bien social. Alors que jusqu'à présent le support de l'exemple était la terreur, l'effroi, il est maintenant « la leçon, le discours, le signe déchiffrable[13] ».

L'écriture, si elle demeure un privilège, n'est plus entourée du même interdit. Au contraire, la loi doit jouir d'une grande publicité, d'une importante diffusion. Chacun doit donc la reproduire, la copier. La rédaction de la matrice appartient certes encore à quelques privilégiés, mais l'écriture doit se répandre, chacun des individus composant la société doit en être le relais. De ce fait, le support de l'écriture n'est plus limité à l'espace éclatant du corps du condamné mais à l'espace social. Foucault écrit : « Affiches, écriteaux, signes, symboles doivent être multipliés, pour que chacun puisse apprendre les significations. La publicité de la punition ne doit pas répandre un effet physique de terreur ; elle doit ouvrir un livre de lecture[14]. » Et Foucault de citer le projet de Le Peletier qui proposait qu'une fois par mois le peuple puisse visiter les condamnés dans leur cachot, sur la porte duquel on pourra lire, tracés en gros caractères, le nom du coupable, le crime et le jugement.

Foucault insiste longuement sur cette extension de l'espace graphique qui fait du champ social un « livre toujours ouvert » ; il imagine ainsi la cité punitive : « Au carrefour, dans les jardins, au bord des routes qu'on refait ou des ponts qu'on construit, dans les ateliers ouverts à tous, au fond des mines qu'on va visiter, mille petits théâtres de châtiments. À chaque crime, sa loi ; à chaque criminel, sa peine. Peine visible, peine bavarde qui dit tout, qui explique, se justifie, convainc : écriteaux, bonnets, affiches, placards, symboles, textes lus et imprimés, tout cela répète inlassablement le Code[15]. »

Aussi, alors que les récits de colportage pouvaient avoir tendance à conférer une gloire douteuse aux criminels, les récits de crimes qui circuleront ne tendront plus à une héroïsation de leur auteur ; le désir du crime y sera arrêté par la crainte calculée du châtiment. Foucault écrit : « La mécanique positive jouera à plein dans le langage de tous les jours, et celui-ci la fortifiera sans cesse par des récits nouveaux. Le discours deviendra le véhicule de la loi : principe constant du recodage universel. Les poètes du peuple rejoindront enfin ceux qui s'appellent eux-mêmes "les missionnaires de l'éternelle raison" ; ils se feront moralistes[16]. »

En somme, l'écriture accède alors au rang du signe ; un signe non que l'on trace (le privilège n'est pas levé) mais que l'on copie, que l'on reproduit à l'infini. On pourrait dire d'une certaine manière que l'écriture devient lisible par tous. L'efficacité du dispositif punitif tient en effet à l'extension non seulement de la visibilité mais aussi de cette lisibilité.

Dans le troisième dispositif décrit par Foucault – la discipline –, l'écriture a un statut plus important encore. Il s'agit en effet d'une technique de coercition des individus. Le contrôle et l'utilisation des hommes nécessitent une observation minutieuse du détail, et en même temps une prise en compte politique de ces petites choses ; avec elles, tout un ensemble de techniques, tout un corpus de procédés et de savoirs, de descriptions, de recettes et de données voient le jour. Au centre de ce dispositif est le corps ; non plus seulement le corps du condamné, mais celui de l'homme ordinaire.

Ici, ni souverain qui inscrit l'écrit sur le corps du condamné, ni juriste qui dicte la punition à l'homme commun pour qu'il l'affiche à sa porte, mais un apprentissage et un long exercice de l'écriture ; en quelque sorte une généralisation du privilège graphique à l'ensemble de la population en privilégiant surtout les populations les plus basses socialement, et en cela les plus « dangereuses ». Cette généralisation de l'acte graphique a plusieurs dimensions dans le dispositif disciplinaire. Elle est entendue d'une part comme une pratique, d'autre part comme un outil et enfin comme une production.

Émerge ainsi dans *Surveiller et punir* la figure de l'écolier. La discipline se veut en effet un contrôle de l'activité. Il s'agit outre du contrôle de l'emploi du temps, de l'élaboration temporelle de l'acte, de l'articulation corps-objet ou encore de l'utilisation exhaustive du temps, d'imposer la mise en corrélation du corps et du geste. Foucault écrit : « Le contrôle disciplinaire ne consiste pas simplement à enseigner ou à imposer une série de gestes définis ; il impose la relation la meilleure entre un geste et l'attitude globale du corps, qui en est la condition d'efficacité et de rapidité. Dans le bon emploi du corps qui permet un bon emploi du temps, rien ne doit rester oisif ou inutile : tout doit être appelé à former le support de l'acte requis. Un corps bien discipliné forme le contexte opératoire du moindre geste. Une bonne écriture par exemple suppose une gymnastique – toute une routine dont le code rigoureux investit le corps en son entier, de la pointe du pied au bout de l'index[17].» L'écriture est ainsi élevée au même niveau que la marche ; on fait de sa pratique un moyen de contrôle du corps. Par son exercice, on agit sur le corps tout entier. Mais ce contrôle sur l'écriture ne s'opère pas qu'au moment de l'apprentissage. Le châtiment disciplinaire, visant à réduire les écarts, étant essentiellement correctif, le système disciplinaire donne une grande place aux punitions qui sont de l'ordre de l'exercice. Foucault, citant J.-B. de La Salle, écrit : « à ceux par exemple "qui n'auront pas écrit tout ce qu'ils devaient faire, ou ne se sont pas appliqués à bien le faire, on pourra donner quelque pensum à écrire ou à apprendre par cœur". La punition disciplinaire est, pour une bonne part au moins, isomorphe à l'obligation elle-même ; elle est moins la vengeance de la loi outragée que sa répétition, son insistance redoublée. L'effet correctif est obtenu directement par la mécanique du dressage. Châtier, c'est exercer[18].»

Outil pour rendre dociles les corps et moyen de « bon dressement », l'écriture est aussi un objet particulièrement utile dans la procédure de classification et de hiérarchisation individuelle qu'est l'examen.

L'examen, rappelons-le, est, pour Foucault, « la technique par laquelle le pouvoir au lieu d'émettre les signes de sa puissance, au lieu d'imposer sa marque à ses sujets, capte ceux-ci dans un mécanisme d'objectivation[19] ». Or, l'examen fait à son tour entrer l'homme ordinaire dans le champ graphique. « L'examen, dit Foucault, qui place les individus dans le champ de la surveillance les situe également dans un réseau d'écriture[20]. » Ainsi, toute une mise en écriture de l'individu ordinaire s'opère : toute une série de codes d'individualité disciplinaire est formée. Le corps en est bien sûr l'objet, mais également l'écriture. D'autre part, on collectionne, on cumule des documents, on les organise en séries permettant non seulement le classement mais la comparaison. Et Foucault de dire que les hôpitaux du XVIIIe siècle ont été en particulier de grands laboratoires pour les méthodes scripturaires et documentaires[21].

Mais la fonction de l'écriture disciplinaire au sein de l'examen est plus importante encore : voulant faire de chaque individu un cas, entendu comme un objet de connaissance en même temps qu'une prise pour le pouvoir, on décrit l'individu dans les plus petits détails de son existence et, lorsque celle-ci est trop obscure, on lui demande de se décrire lui-même. « Les procédés disciplinaires (...) abaissent le seuil de l'individualité descriptible et font de cette description un moyen de contrôle et une méthode de domination. (...) Cette descriptibilité nouvelle est d'autant plus marquée que l'encadrement disciplinaire est strict : l'enfant, le malade, le fou, le condamné deviendront, de plus en plus facilement à partir du XVIIIe siècle et selon une pente qui est celle des mécanismes de discipline, l'objet de descriptions individuelles et de récits biographiques[22]. »

Pour Foucault, cette mise en écriture des existences réelles fonctionne comme procédure d'objectivation et d'assujettissement. Plus encore, cette vie soigneusement collationnée des malades mentaux ou des délinquants relève d'une certaine fonction politique de l'écriture[23]. Au sein de ce que Foucault nomme les institutions disciplinaires, ce pouvoir d'écriture est plus dense encore : elles concentrent les procédés d'apprentissage, de dressage et d'examen.

On voit ainsi comment dans le dispositif disciplinaire, l'écriture n'est plus une marque, ni un signe lisible mais véritablement une trace, une trace que l'on arrache à l'individu, individuelle et comparable. Écrire devient en quelque sorte la signature de sa maladie, de son crime, de ses fautes.

En somme, ces trois dispositifs décrits par Foucault révèlent trois fonctions politiques de l'écriture. Or, la dernière s'est finalement imposée en prenant dans l'univers carcéral des formes que Foucault décrit très précisément.

Pour un panoptique graphique

Des trois modèles, de ces trois techniques punitives, c'est le dernier qui a dominé en prenant la forme de la prison. La fonction politique de l'écriture que Foucault décrit dans les sociétés disciplinaires s'y est trouvée largement renforcée.

Il ne s'agit plus alors de l'écriture de l'homme commun, de celle du condamné ou de celle du souverain : la prison crée de toutes pièces un scripteur, et avec lui tout un corpus. Ce scripteur est le délinquant, ce corpus, la littérature des prisons. « Le délinquant devient individu à connaître, écrit Foucault. Cette exigence de savoir ne s'est pas insérée, en première instance, dans l'acte judiciaire lui-même, pour mieux fonder la sentence et pour déterminer en vérité la mesure de la culpabilité. C'est comme condamné, et à titre de point d'application pour des mécanismes punitifs que l'infracteur s'est constitué comme objet de savoir possible. (...) Ce personnage autre, que l'appareil pénitentiaire substitue à l'infracteur condamné, c'est le délinquant[24]. »

Au sein de l'espace pénitentiaire, on entreprend donc une zoologie des sous-espèces sociales, une ethnologie des civilisations de malfaiteurs avec leurs rites et leur langue, précise Foucault. De la prison naissent ainsi non seulement un argot, mais également de nouvelles formes d'alphabets graphiques. Et Foucault de citer deux d'entre elles : le tatouage et le graffiti.

Répondant à la sémiologie du crime, les détenus se mettent à arborer leur crime en les inscrivant à même leur peau. « À ce jeu, écrit Foucault, les condamnés répondent eux-mêmes, arborant leur crime et donnant la représentation de leurs méfaits : c'est une des fonctions du tatouage, vignette de leur exploit ou de leur destin : "ils en portent les insignes, soit en guillotine tatouée sur le bras gauche, soit sur la poitrine un poignard enfoncé dans un cœur sanglant"[25]. »

De même, la prison crée le graffiti. Sur le mur des cellules, sur ceux de la colonie pénitentiaire de Mettray, l'individu enfermé écrit ; Foucault cite ainsi ces mots tracés en lettres noires sur l'un d'entre eux : « Dieu vous voit[26]. »

Si Foucault cite ces deux exemples, c'est aussi pour montrer qu'ils sont résolument à l'opposé des deux fonctions politiques de l'écriture décrites précédemment. En effet, par le tatouage, le condamné inverse totalement le cérémonial du supplice. Son corps n'est pas l'objet d'une marque que le souverain aurait inscrite, mais le support de l'écriture de sa condition de détenu. Par le tatouage, le condamné transforme son corps en élément du panoptique. De même, en écrivant sur les murs de la prison le récit de ses crimes, il renverse le principe de la société punitive aux mille écritures qui rappelait la loi dans tout l'espace social. Il rend visible ce qui ne l'était pas.

Plus encore, non seulement on profite de la présence des condamnés pour rassembler un matériel nécessaire à la connaissance des individus, mais on exige également d'eux une participation voire une collaboration. Foucault explique ainsi qu'« on demandait aux disciplines, surtout à l'origine, de neutraliser des dangers, de fixer des populations inutiles ou agitées, d'éviter les inconvénients de rassemblements trop nombreux ; on leur demande désormais, car elles en deviennent capables, de jouer un rôle positif, faisant croître l'utilité possible des individus[27] ».

Pour connaître la prison, on demande aux détenus de l'écrire. Foucault évoque cette dimension de l'écriture pénitentiaire en soulignant qu'« il faudrait étudier comment la pratique de la biographie s'est diffusée à partir de la constitution de l'individu délinquant dans les mécanismes punitifs[28] ».

L'espace pénitentiaire va ainsi devenir non plus uniquement un lieu de recueil de traces mais aussi un vaste atelier d'écriture. Autrement dit l'écriture personnelle se substitue progressivement au panoptique, comme technique de surveillance. Nul besoin désormais de la tour centrale et des mille fenêtres, c'est l'écriture qui au sein de chaque cellule, auprès de chaque détenu, joue cette fonction. On demande donc à chaque détenu de faire le récit minute après minute de sa détention en tenant par exemple son journal intime ; on évalue l'impact de l'emprisonnement cellulaire à partir des récits de détention que chacun des pensionnaires rédige. Les exemples ici ne manquent pas ; que l'on pense aux palimpsestes des prisons de Lombroso ou encore au fonds Lacassagne qui rassemble de nombreuses autobiographies de criminels[29], des dictionnaires d'argot rédigés par les détenus, des dizaines de cahiers de chansons, de notes, de comptes, etc.

Dans ce dispositif, on va même jusqu'à proposer à certains détenus de faire le portrait de leurs codétenus. Ainsi, les *Archives d'Anthropologie criminelle* publie en 1893 un texte anonyme intitulé « Les Souvenirs et les impressions d'un condamné ». Dans ce document, l'auteur décrit en un tableau très précis les différents types de détenus qu'il côtoie ; plus encore, il rapporte leurs attitudes dans les ateliers, en promenade, etc.

Ainsi, le panoptique fonctionne de plus en plus sans sa lourde architecture ; on pourrait dire que ce panoptique « nouvelle manière » est en grande partie graphique : le papier remplaçant la pierre, le lecteur s'imposant devant le surveillant. Foucault cite en ce sens l'usage qu'Appert fit des autobiographies de condamnés dans son ouvrage sur les bagnes et les prisons paru en 1836. Dressant le tableau de l'état des prisons en France au début du XIXᵉ siècle, Appert, à propos de la prison alsacienne, laisse la parole à un détenu qui décrit très minutieusement l'état de l'établissement.

Avec la prison émergent une nouvelle manière de gouverner et une nouvelle fonction politique de l'écriture. Un quadrillage inédit, plus subtil, plus secret et probablement plus performant que le précédent voit ainsi le jour. Et il ne faut pas attendre bien longtemps pour voir ce panoptique graphique à l'œuvre hors des hauts murs des prisons.

Développement d'une police de l'écriture

« On a remarqué sur le pan coupé de la maison portant le n° 56 (rue d'Assas), à deux mètres du sol, l'inscription de "Vive le Roy" en lettres rouges de 10 cm de hauteur faites à la main avec de la craie.

« La même inscription se répète mais à 1 m 50 du sol seulement sur les immeubles portant les n° 58, 70, 78, 88, 90, 96 (maison Marimoni), 98, 100, 106, 108, 116, 120 et 128 (École Alsacienne Institut Lemonier) ainsi que sur les murs de la faculté de médecine et sur une porte latérale. Ces derniers sont faits au charbon.

« On trouve aussi l'inscription "Vive le Roy" à la craie rouge répétée 16 fois à deux mètres d'intervalle sur les murs de la faculté de médecine, avenue de l'Observatoire. Une de ces inscriptions est faite en rouge au pinceau. Elle figure également plusieurs fois sur l'école de pharmacie (même avenue) où l'on voit un dessin représentant les parties génitales d'un individu avec cette légende écrite au dessus : "testicules de Jules Grevy". Toutes ces inscriptions qui sont faites pour la plupart sur des immeubles habités par des familles aisées paraissent être de la même main.

« À 8 h du matin on a remarqué un enfant de 12 ans monté sur une chaise qui effaçait à l'aide d'une pierre ponce les inscriptions faites sur le mur de l'école de pharmacie (avenue de l'Observatoire). Il y a lieu de croire que cet enfant est le fils du concierge de ladite école[30]. »

Relevé d'écrits et de dessins qui met en relation des messages, la matérialité des inscriptions et leur situation dans l'espace urbain, ce document fait récit d'écritures éphémères. Ce rapport est celui d'un policier parisien en date du 17 décembre 1883 ; son regard sur des écrits tracés sur un mur paraît aujourd'hui banal tant la lutte contre le graffiti (« against Vandalism ») fait partie des impératifs urbains, des prérogatives policières[31]. Il n'en était rien il y a cent cinquante ans : ce constat d'écriture illicite constitue un événement aussi minuscule que considérable ; il inaugure un regard et sa pratique, il donne à voir véritablement l'exercice d'une *police de l'écriture*.

Pour parvenir à ses fins – capter l'ensemble des écrits produits dans l'espace public –, cette police s'exerce en mouvement ; l'agent n'attend pas que des citoyens viennent rapporter ce qu'ils ont lu, mais c'est au cours des rondes qu'il effectue avec un de ses collègues, à pied (par la suite ce sera aussi en bicyclette), qu'équipé d'un carnet et d'un crayon, il chemine à travers les rues en quête d'écrits. Le plus frappant dans cette transformation du policier en lecteur mobile est la compétence qu'il acquiert très vite pour repérer dans l'espace, sur les murs, dans le recoin d'une porte, au bas du socle d'une sculpture, des écritures qui ne sont pas monumentales et qui pour beaucoup d'entre elles ne mesurent que quelques centimètres de haut.

« Rapport, 5 août 1882. L'affiche manuscrite ci-jointe qui était épinglée contre un arbre de la place du Louvre. 25 à 30 personnes s'étaient arrêtées pour lire cette pièce et ne faisaient aucun commentaire.

« 28 avril 1882. Cette nuit on a placardé sur diverses maisons du quartier du Père Lachaise une vingtaine d'affiches toutes écrites de la même main et ainsi conçues : "Pour les loyers, Mort aux propriétaires". Je transmets une de ces affiches qui a été ramassée au bas d'un mur où elle était tombée.

« 5 septembre 1885, 9ᵉ arrondissement. À 5 h 45 du matin, les gardiens Wicart et Accoyer ont remarqué ces mots écrits à 5 endroits divers au charbon sur le mur du collège Rollin, Bd Rochechouard n° 49 et sur la maison n° 47 même boulevard : "Crève la République Française". Les agents ont lavé et fait disparaître entièrement ces mots séditeux. »

Ce qu'observent les agents ce n'est pas seulement la présence d'écrits. Le regard qu'ils portent sur le graffiti prend en compte le niveau de dérangement que celui-ci produit : combien de personnes s'arrêtent en passant devant lui ? Qui le lit ? Provoque-t-il un attroupement ? Génère-t-il des discussions sur la voie publique ? Autrement dit, il ne s'agit pas pour ces policiers de l'écrit de lutter contre le vandalisme ou une « pollution visuelle » que pourrait constituer ces écritures (ce qui est aujourd'hui le mobile principal des campagnes contre les graffitis[32]), mais de veiller à ce que les murs du quartier dont ils ont la charge ne soient pas recouverts d'écrits qui perturberaient le cours ordinaire de la collectivité. On attribue donc aux graffitis une force de désordre considérable, une capacité subversive qui par conséquent exige une répression aussi importante. L'écriture produit quelque chose dans l'espace public ; quelque chose de dangereux qui peut susciter d'autres actes et qui impose donc de la part des autorités d'y mettre fin.

« 6 février 1884, 3 h 55 soir, Le sous-brigadier Penot passant devant la rue Saint-Claude a remarqué sur le mur de la maison portant le n° 6, les mots "du pain ou du plomb" écrits à la craie. Il les a effacés aussitôt.

« 8 février 1884, ce matin à 5 h 40 le gardien Jacquet passant rue des Archives a remarqué sur le mur de la maison portant le n° 5 les mots "du pain ou du plomb"

écrits à la craie. Cet agent a effacé aussitôt cette inscription qui avait attiré l'attention d'une quinzaine de
personnes. »

« 8 février 1884, le gardien Cire vient d'effacer rue
Charlot n° 10 les mots "du pain ou du plomb" qui étaient
écrits à la craie. »

Ces agents lecteurs sont aussi, on le voit, des agents
effaceurs. C'est d'ailleurs cet acte d'effacement qui est
le plus souvent l'objet du rapport. Cet acte semble en
effet symboliser la restauration de l'ordre et être donc
aussi un acte d'écriture redoublé par la copie opérée.
Car après avoir été lus et avant d'être effacés, les graffitis font l'objet d'un autre acte déterminant : le constat[33].
Comment est-il effectué ?

L'agent est, répétons-le, équipé d'un petit carnet et
d'un crayon avec lesquels il réalise son relevé ; celui-ci
comprend le lieu de l'écrit (la rue et le numéro ou le nom
du bâtiment visé), le support (sur une palissade, un mur
de pierre, une porte, le trottoir), le siège (sa situation sur
le support : haut/bas/milieu, parfois la hauteur en centimètres), l'espacement entre les inscriptions lorsqu'elles
sont plurielles, l'heure de sa découverte (parfois une indication de l'heure à laquelle il a pu être fait), une transcription de l'écrit (généralement complète même lorsque le
texte est très long), sa couleur et l'ustensile qui a servi à
son inscription (craie, peinture, charbon) et sa taille (ce
qui suppose, étant donné la précision de certains relevés,
que les agents étaient peut-être équipés d'un mètre).
Constater l'écrit n'est pas une opération rapide ; il faut
ainsi se représenter le policier passer de longues minutes
à son établissement.

« 28 octobre 1882, à 5 h 45 matin, un placard manuscrit a été apposé pendant la nuit sur un entourage en

bois situé rue Vivienne, angle de la rue Colbert pour l'agrandissement de la Bibliothèque nationale, commençant par ces mots : "Avis Prolétaires ! Esclaves du travail" et finissant par ceux-ci : "Vive la Révolution sociale ! Les Révoltés de la société actuelle" »

« 5 octobre 1884, 8 h 30 soir. À 6 h 30 soir, il a été remarqué qu'on avait écrit au crayon sur les planches formant la cloture d'un terrain vague situé rue de la Tour d'Auvergne n° 33 ces mots : "Quand donc, le gouvernement se décidera-t-il à donner un million sur son commerce et son industrie, afin de donner de l'ouvrage à son peuple. Faut-il donc un 1793 pour vous réveiller, tous les sergents de ville sont la terreur. Signé : Le peuple malheureux Rowdzler, Demetz Ici l'abattoir des homes, l'oppression des citoyens, le meurtre des enfants de la France." »

Ce premier constat d'écriture est suivi, une fois de retour au commissariat, d'une mise au propre qui consiste aussi en une mise en relation de l'écrit constaté avec d'autres. Il s'agit donc, dans un second moment, de former une série entre plusieurs écrits relevés lors des rondes des différents agents de l'arrondissement : au constat succède le rapport, qui n'est pas seulement une description mais une analyse de ce qui a été vu dans la rue. Aussi semble-t-il que souvent ce ne soit pas l'agent qui en assure la rédaction, mais son supérieur, le commissaire du quartier. Il met ensemble, compare, distingue. À partir de ces différents constats, il compose des chaînes d'écriture qui parfois s'entremêlent.

« 10 février 1884, ce matin à 6 h, le gardien Barret a remarqué les mots "Vive le Roi" écrit à la craie, sur les points ci-après :

Rue beaubourg n° 10 ; rue Bailly sur la devanture du magasin de nouveauté "Au Moine St Martin" et dans les urinoirs établis rue Reaumur devant les n° 26 et 34. Il a effacé immédiatement ces inscriptions. »

Le commissaire ne décrit pas seulement l'écrit et ses lecteurs, il cherche aussi à rendre compte de l'acte qui l'a produit. Ainsi redessine-t-il le parcours du scripteur dans l'espace urbain ; à l'ordre de la lecture que suivait le constat de l'agent, il substitue celui de l'écriture, comme si, en suivant le tracé, des indices allaient apparaître. Cette reconstitution est donc faite avec l'espoir de découvrir l'identité du scripteur. Une importance est ainsi donnée à la situation de l'écrit dans l'espace comme ce rapport du 13 octobre 1884, rédigé par le commissaire du quartier Bonne Nouvelle, en témoigne : « Aujourd'hui, à 3 h, le gardien de la paix Hunger a remarqué, au devant du n° 184 de la rue St Denis les lignes suivantes tracées à la craie blanche sur le trottoir : "Ne passez pas sans le lire ! Ici la grève de la misère sans pain ni feu mort aux patrons, on les pendra". Ces menaces sont probablement le fait d'un des nombreux porteurs qui viennent stationner tous les matins sur ce point, en quête de travail, et y ont établi une grève irrégulière. Bien souvent les habitants de ce quartier ont demandé la dispersion des individus qui la composent et il serait désirable que ces gens composés en majorité de vagabonds et de filous puissent être renvoyés par les gardiens de la paix. J'ai fait disparaître cette inscription. »

On voit ici combien cette *police de l'écriture* est en lien avec une lutte contre toutes les déviances sociales, que ce soit le vagabondage, le chômage, ou les activités illicites. Ce n'est pas encore l'écrit qui permet de les repérer, mais on articule leur présence et des traces graphiques observées. Avec *la police de l'écriture* on tend ainsi à vouloir mettre en relation des écrits, des lieux et des individus.

Que le relevé des écrits dans l'espace public soit devenu, après la Commune de Paris – ce grand moment d'écritures illégales –, une des tâches des agents de police, rien n'est moins surprenant. Il y a dans les dernières décennies du XIXe siècle une véritable valorisation du détail et du minuscule qui se manifeste aussi bien en histoire de l'art qu'en anthropologie[34]. Mais que l'écriture soit regardée avec un tel zèle, qu'est-ce que cela signifie ? De quoi ces écrits sont-ils porteurs aux yeux de leurs contemporains ? De quelles menaces l'écriture sur les murs est-elle chargée ?

Il faut souligner ici combien cette surveillance de l'écrit mural s'inscrit dans une problématisation globale de l'écriture manuscrite. Écrire devient un acte particulier qui doit faire l'objet d'une observation, voire d'une surveillance. L'accès généralisé à la culture écrite inquiète autant qu'il réjouit, car avec l'alphabétisation, de « mauvaises » pratiques scripturales se développent. C'est le cas des lettres de menaces qui pullulent dans une ville comme Paris, la poste facilitant en outre l'anonymat de ces affreux correspondants[35]. Plus généralement, l'écriture devient une activité suspecte comme en témoigne ce rapport d'un commissaire parisien : « Hier soir à 10 h, les inspecteurs Dulac et Mignot de mon service ont arrêté le nommé Duleux, Paul, âgé de 19 ans, né à Bray sur Somme, fils de Jules et de Louise Turquet, célibataire, se disant employé de commerce et demeurant 24 bis rue de Charenton. Cet individu prenait des notes sur un calepin à l'angle de la rue de la Cité et du quai du Marché Neuf. Après l'avoir interrogé sur le genre d'intérêt qu'il semblait prendre à ce qui se passait et sur les notes qu'il relevait et devant l'embarras de ses réponses, il a été conduit au poste de la caserne de la Cité. »

Le regard policier s'inscrit donc dans la continuité du regard des médecins ; à partir des années 1850 s'est en effet développé en Europe un savoir absolument inédit sur l'écriture. Non seulement sont décrites et nommées pour la première fois des pathologies d'écriture (dont la célèbre « crampe de l'écrivain »), mais c'est le corps graphique même qui est soumis à l'œil du médecin. Les courbes et les déliés révèlent la vérité des sujets : leurs pathologies mais aussi leur dangerosité. À partir d'un échantillon autographe, on croit pouvoir connaître un individu ; aussi l'écrit porte-t-il parfois la marque de l'immoralité, de la folie ou du génie de son scripteur[36]. Toute cette entreprise pré-graphologique participe de ce que Michel Foucault esquisse dans *Surveiller et punir*, à savoir la mise en place d'un panoptique de deuxième type, un panoptique graphique.

Reste une question, et non des moindres : pourquoi, aux écrits exposés que constituent les graffiti, assigne-t-on immédiatement en cette fin de XIXᵉ siècle une valeur subversive, voire de dangerosité ? On répondra que ces pratiques enfreignent la loi sur l'affichage de juillet 1881, et qu'à ce titre, il est normal que les policiers y prêtent attention. Cela n'explique pas pour autant le détail de ces constats. La peur de la contagion pourrait peut-être apporter une explication à ce déploiement d'attention ; pendant la Commune de Paris, on l'a dit, l'espace public a été littéralement couvert d'écrits, en particulier d'affiches, au point que juste après le préfet de police rédigea une circulaire pour demander que les concierges se joignent au nettoyage des murs de la capitale[37]. La crainte de voir revenir ce type de pratiques d'écriture et se développer une épidémie d'écrits participe sans doute des raisons pour lesquelles les agents se mobilisent avec un tel entrain. Le contrôle de l'espace public passe désormais aussi par celui des écrits qui y sont apposés. Mais cette peur de l'écrit anonyme relève surtout d'une psychologie des pratiques d'écriture qui se développe en cette fin-de-siècle et rayonne à travers toute la société. Ce n'est pas tant l'écriture qui fait problème que son support : la porte, le mur, la palissade. Les *écrits de murailles* sont à la fois perçus comme le résultat d'une pratique archaïque et principalement l'œuvre de criminels.

L'archaïsme des écritures de murailles

Pour le célèbre turinois Cesare Lombroso en particulier, écrire sur les parois correspond à un moment révolu de l'histoire de l'humanité, comme il l'indique dans ses *Palimpsestes des prisons* : « À peine l'homme a-t-il abandonné l'état purement sauvage, cet état que l'on peut nommer l'époque grossière de la pierre, qu'il indique les premières apparitions de sa culture par des graphiques sur les vases, sur les murs, sur les parois des grottes, sur ses armes d'os ou de pierre et sur sa propre peau[38]. » L'histoire montre l'atavisme du graffiti et les pratiques des enfants le confirment : « c'est par les particularités curieuses que nous observons chez les honnêtes gens, et qui sont employées par les enfants, que nous savons reproduire plus facilement les caractères de l'homme primitif. En effet, chez nos bambins, plus ils sont jeunes, plus est vif leur besoin de barbouiller les murs et les livres presque avant qu'ils ne sachent écrire[39] ». Le graffiti serait une écriture avant l'écriture, une sorte de proto-écriture dont chaque enfant fait individuellement l'expérience.

La fréquence de ces pratiques en prison

À ces deux figures – le sauvage et l'enfant –, on en associe alors une troisième, celle du criminel incarcéré. Parce que l'anthropologie des écritures ordinaires est née, en somme, en prison (les premiers corpus et relevés ont été produits au sein d'établissements pénitentiaires et d'asiles), on a tendance à l'époque à considérer que ces pratiques du graffiti sont le fait d'anciens détenus. Émile Laurent leur attribue ainsi cette habitude : « Avant la découverte du papyrus et des roseaux, les peuples très anciens écrivaient leur histoire sur les murailles de leurs édifices. Les obélisques se constellaient d'hiéroglyphes mystérieux où les savants ont pu découvrir les secrets de l'Antiquité (...). Cette espèce de littérature murale existe aussi chez les criminels. On n'a qu'à examiner les murs des prisons. Les bergers de Virgile et de Florian gravaient des noms entrelacés sur l'écorce des bouleaux. Le criminel qui passe en prison éprouve lui aussi le besoin de dire son chagrin ou sa haine ; le mur de sa cellule alors lui servira de tablettes et il y gravera une pensée triste ou cruelle, cynique ou haineuse[40]. »

Des tatouages urbains

Cette association du crime et de l'écriture exposée prolifère à la fin du XIXᵉ siècle grâce au parallèle avec la pratique du tatouage. Se tatouer apparaît en effet comme exposer une inscription sur le corps. Le tatouage relève aux yeux des contemporains autant de l'intime que du public ; les médecins et anthropologues indiquent ainsi comment la place de chaque tatouage vise des lecteurs différents (du simple passant à l'amante). Les analyses des avant-bras et des bustes peints insistent sur la lisibilité des différentes figures. Les tatouages sont à la fois des écritures personnellles et des textes que l'on expose pour qu'ils soient lus et vus exactement comme sur un mur. À l'inverse, on pense le graffiti comme un tatouage. On inscrit sur des parties spécifiques de la ville des symboles et des messages qui ne sont parfois compréhensibles que par des initiés. Pour Lacassagne surtout, comme il l'écrit dans le *Dictionnaire encyclopédique des sciences médicales*, « ces graffiti ou tatouages des murailles ont les mêmes caractères que les tatouages des criminels. (...) Tout cela est inscrit ou figuré dans une forme, ou forte, ou simple, mais toujours naïve, et qui donne à quelques-uns de ces dessins la vigueur ou la sensibilité que l'on trouve dans certains chants populaires[41]. » C'est aussi le caractère sexuel des messages et des dessins qui fait dire à beaucoup d'observateurs que tatouage et graffiti ne partagent pas seulement un imaginaire commun mais relèvent de la même pulsion.

Obscénités graphiques

On retrouve ainsi tout un discours de disqualification de ces écrits qui passe par la dénonciation de leur caractère obscène. « Chez les anciens aussi on observe la fréquence de l'obscénité et des phrases ordurières dans les graphiques, ainsi que le mélange ou la substitution à l'écriture de signes hiéroglyphiques comme dans les temps primitifs. Et dans l'obscénité on voit prédominer, du moins beaucoup plus qu'on ne le soupçonnerait, la tendance pédérastique comme chez les antiques », écrit par exemple Cesare Lombroso[42]. Cette dévalorisation passe en particulier par une assimilation de ces pratiques scripturales à des pratiques homosexuelles. De même que le tatouage est affaire de prisonniers pratiquant la sodomie, le graffiti est affaire d'invertis. Exposer des écrits sur son corps, écrire sur les murs seraient des pratiques à mettre en rapport avec des habitudes sexuelles. De là, un intérêt très fort pour les vespasiennes ; on y fait des relevés réguliers des écrits qui sont autant d'indices de pratiques sexuelles clandestines.

À partir des analyses de Foucault dans *Surveiller et punir*, le développement d'un panoptique graphique s'articulant à une police de l'écriture apparaît qui problématise l'existence actuelle de dispositifs de contrôle des scripteurs. Ainsi, aux États-Unis, une entreprise vend ses services aux municipalités pour combattre le vandalisme et la délinquance graphique. Cette compagnie n'intervient pas sur le terrain mais à distance, de son siège à Long Beach. Comment opère-t-elle ? Aux agents des services municipaux de lutte contre les graffitis sont distribués des appareils photographiques numériques équipés de GPS et directement reliés à l'ordinateur de Graffiti Tracker Inc. (c'est le nom très explicite de cette compagnie en pleine expansion). Chaque inscription est saisie et traitée par le logiciel Graffiti Analysis/Intelligent Tracking System (GAITS). Timothy Kephart et son équipe tiennent ainsi minute par minute la chronique des graffitis et tags des villes dont ils ont la charge, mais aussi une carte de l'ensemble des inscriptions illicites, avec notamment la localisation de lieux de concentration graphique « Hot spots ». Surtout le GAITS constitue une base de données permettant de suivre les productions de chaque tagger ou groupe de taggers.

À partir de la carte de ses inscriptions, Graffiti Tracker localise le lieu d'habitation du vandale et il ne reste plus à la police qu'à perquisitionner à ce domicile pour arrêter le tagger et saisir les pièces à conviction : bombes de peinture, feutres, etc.

On voit ainsi comment une police de l'écriture, qui avait été fondée sur une innovation architecturale considérable (le panoptique), s'est développée grâce à de nouveaux modes d'enregistrement (tels que la photographie par exemple) pour aujourd'hui avoir recours aux nouvelles technologies et en particulier au système GPS. L'un des usages possible de Foucault, comme l'a parfaitement compris Bruno Latour, est de se risquer à l'analyse de ces micro-dispositifs, de ces multiples scènes de l'ordinaire social, dans une perspective renouvelé du politique. User de Foucault, c'est en cela non seulement en épuiser les pistes mais s'atteler à cartographier les objets politiques contemporains. L'écriture en est un, à n'en pas douter.

Philippe Artières

Notes

1. *Surveiller et punir, op. cit.*, pp. 68-69.

2. Cité par Armand Corre in *Documents de criminologie rétrospective*, 1896, p. 257.

3. L'image est moins explicite dans *Surveiller et punir*, mais nous faisons ici référence à la note 1 p. 256 : « Il faudrait étudier comment la pratique de la biographie s'est diffusée à partir de la constitution de l'individu délinquant dans les mécanismes punitifs… » Foucault développera cette note à l'occasion de la sortie du livre dans un entretien avec J.-J. Brochier (« Entretien sur la prison : le livre et sa méthode », *Dits et Écrits, op. cit.*, pp. 749-750) : « Écrire sa vie, ses souvenirs, ce qui vous était arrivé constituait une pratique dont on retrouve un assez grand nombre de témoignages, précisément dans les prisons. Un certain Appert, l'un des premiers philanthropes à parcourir quantité de bagnes et de prisons, a fait écrire aux détenus leurs mémoires dont il a publié quelques fragments. En Amérique, on retrouve aussi, dans ce rôle, des médecins et des juges. C'est la première curiosité à l'égard de ces individus qu'on désirait transformer et pour la transformation desquels il fallait se donner un certain savoir, une certaine technique. »

4. Cf. Michel Foucault, *Surveiller et punir, op. cit.*, pp. 27-28.

5. *ibid.* p. 31.

6. *ibid.* p. 134.

7. *ibid.* p. 193.

8. *ibid.* p. 56.

9. *ibid.* p. 56.

10. *ibid.* p. 57.

11. *ibid.* p. 70.

12. *ibid.* p. 71.

13. *ibid.* p. 112.

14. *ibid.* p. 113.

15. *ibid.* p. 115.

16. *ibid.* p. 114.

17. *ibid.* p. 154.

18. *ibid.* p. 182.

19. *ibid.* p. 189.

20. *ibid.* p. 191.

21. *ibid.* p. 192.

22. *ibid.* p. 193.

23. *ibid.* p. 194.

24. *ibid.* p. 255.

25. *ibid.* p. 264.

26. *ibid.* p. 301.

27. *ibid.* p. 211.

28. *ibid.* p. 256.

29. Cf. Philippe Artières, « Crimes écrits », *Genèses*, avril 1995, n° 19, pp. 48-67.

30. Cette archive comme l'ensemble des matériaux utilisés dans cet article sont extraits du fonds de la Préfecture de Police de Paris, série BA. BA 472 Inscriptions et placards séditieux 1880-1893 et BA 478. Voir le bel article consacré à ces corpus par Cécile Braconnier, « Braconnages sur terres d'État : Les inscriptions politiques séditieuses dans le Paris de l'après-Commune (1872-1885) », *Genèses*, n° 35, 1999, pp. 103-130.

31. On peut notamment lire pour se faire une idée de ce discours, la définition du graffiti que donne la police des transports anglaise sur son site internet : « Graffiti is criminal damage. Its artistic merits are irrelevant. It represents one group of people imposing themselves on everyone else and as such is a form of pollution, like people playing loud music. Stations and trains covered in graffiti make users of the railway think that the vandals are in control, not railway management or the police. This induces fear of being attacked and means that they may choose not to travel. This is particularly true of discretionary, usually leisure, travel—women in particular will fear to use the system at night. Graffiti is often the first element in a spiral of decline. (...) »

32. Voir notamment les règlements anti-graffiti adoptés par les municipalités de nos villes.

33. La notion de constat d'écriture a émergé du séminaire sur les Actes d'écriture de Béatrice Fraenkel à l'EHESS à Paris (2005-2006). Plus largement, cet essai s'inscrit au sein du projet ANR intitulé Écologie et politique de l'écrit, sous la direction commune de C. Licoppe (ENST) et de B. Fraenkel.

34. Voir les travaux de Dominique Kalifa sur l'enquête ainsi que ceux produits sous sa direction au Centre d'histoire du XIX⁰ siècle de l'université Paris I : sur la question indicielle notamment, voir Jean-Claude Farcy, Dominique Kalifa, Jean-Noël Luc (dir.), *L'Enquête judiciaire en Europe au XIX⁰ siècle*, Paris, Creaphis, 2007.

35. Nous nous permettons de renvoyer à notre article : « Des mots pour faire peur. La lettre de menace à Paris à la fin du XIX⁰ siècle » in *Terrain*, n° 43, septembre 2004, pp. 31-46.

36. Voir Frédéric Gros, *Création et folie. Une histoire du jugement psychiatrique*, Paris, PUF, 1997 ; et notre ouvrage *Clinique de l'écriture. Une histoire du regard médical sur l'écriture ordinaire*, Paris, Synthelabo, 1998.

37. Voir la circulaire du préfet de police conservée aux Archives de la préfecture de police de Paris.

38. Cf. Cesare Lombroso, « Les Palimpsestes des prisons, recueillis par le professeur Cesare Lombroso », Bibliothèque de criminologie, Lyon, A. Storck, 1894, p. 359

39. *Idem,* p. 366.

40. Émile Laurent, *Les habitués des prisons de Paris*, Lyon, Storck, 1890, pp. 471-472.

41. Article « Tatouage », *Dictionnaire encyclopédique des sciences médicales*, sous la direction de Dechambre, Paris, G. Masson, 1876, p. 140.

Usages

Question d'actualité : entre formes nouvelles de lutte et sollicitude du pouvoir, quelle place pour les mouvements contemporains d'usagers ?

Le 26 octobre 2004, le quotidien *Libération* publiait une enquête consacrée à la récente multiplication des décisions judiciaires, touchant aux rapports entre les détenus et l'administration pénitentiaire. Sous le titre « le droit fait son trou en prison », les auteurs remarquaient que la contestation par les personnes incarcérées de leurs conditions de détention aboutissait de plus en plus souvent devant les tribunaux administratifs, lesquels tranchent régulièrement en faveur des détenus. S'ensuivent de nouveaux recours, et une dynamique ainsi engagée oblige les chefs d'établissement à peser un peu plus leurs décisions, sous peine de voir contester le fonctionnement de leurs services. Ainsi l'absence de précautions, face à un risque de suicide signalé, a-t-elle pu donner lieu à l'indemnisation des familles ; ainsi encore, un expert-architecte a-t-il été dépêché à la prison de Nantes, afin d'y consigner les multiples manquements aux normes de sécurité (aération, promiscuité, chauffage, etc). Commentant ce rapport, l'avocat qui avait sollicité la désignation de l'expert annonçait le prochain dépôt d'une demande d'indemnisation pour ses clients détenus, « en tant qu'usagers d'un service public ».

Partons de ce cas singulier – quitte à avoir derrière la tête tout un paysage d'autres cas, d'autres mobilisations, qui elles aussi se revendiquent de cette même notion et posent dans leur domaine propre l'exigence de l'usage : mouvements de malades du sida, du cancer, lutte des usagers de drogue, chômeurs et précaires investissant les guichets de l'aide sociale, qui formeront l'arrière-plan de mon propos. Pour l'instant, je voudrais seulement me pencher sur cette irruption de la catégorie « d'usagers » au cœur des prisons. De quelles transformations est-elle l'indice ? À y regarder de près, il semble que celle-ci se laisse interpréter de trois manières au moins, ou disons réinscrire dans trois séries d'événements historiques.

Une évolution juridique. On peut d'abord voir, dans cette revendication nouvelle, le signe d'une assez vaste transformation, par l'Etat, de ses propres procédures dans le sens d'un encadrement juridique accru, permettant à la loi de se placer en tiers dans le rapport entre les différents organes administratifs et ceux qui leur sont assujettis. Autrement dit, la figure de « l'usager de la prison » serait d'abord à mettre au crédit du développement de l'État de droit, à travers une série de dispositions législatives : c'est la loi du 17 juillet 1978 qui, instituant l'accès aux documents administratifs, inscrit dans le code la notion même d'usager ; c'est, la même année, la loi Informatique et Liberté ou, en 1984, la loi « Dufoix » (à propos de l'aide sociale à l'enfance) qui précisent le sens et l'extension de cette notion ; c'est la loi du 4 mars 2002, qui en renforce la transposition dans le champ médical et hospitalier. Dans le cas qui nous occupe, c'est la loi du 12 avril 2000, « relative aux droits des citoyens dans leurs relations avec les administrations » qui a joué le rôle d'un levier, en permettant (via son article 24) la présence d'un avocat au « prétoire », ce tribunal interne à la prison. Première hypothèse donc : dans « l'usager de la prison », il faudrait voir la figure terminale d'un sujet juridique dont les droits vis-à-vis de l'État seraient, dans l'ensemble du corps social, de mieux en mieux reconnus.

Une transformation administrative. Par rapport aux administrations dont il encadre l'activité, tout ce corpus juridique se veut toutefois plus « réformateur » que « répressif » ; il ne vise pas tant à jouer le droit contre l'administration (en bridant, de l'extérieur, l'arbitraire de celle-ci) qu'à instiller un ensemble de modifications dans les mécanismes administratifs eux-mêmes, de telle sorte que la puissance publique, dans son intervention concrète et quotidienne, soit plus attentive aux besoins et aux attentes de la population. Nous sommes ici renvoyés, de la sphère du droit, vers la refonte des mécanismes de l'action publique, et vers toute la réflexion menée dans les différents services publics (en France, d'EDF à France Télécom, des guichets de la sécurité sociale à ceux de l'ANPE, des entreprises de transports à la DDASS) sur la manière de réorganiser le travail et le « management » (on pourrait dire : le « gouvernement »), pour améliorer les prestations offertes aux usagers – dans un contexte de fin de monopoles et d'ouverture à la concurrence. Deuxième hypothèse : en évoquant les prisonniers comme autant « d'usagers des services publics », l'avocat que je citais en commençant entendait faire valoir non seulement leur statut de sujets de droit exposés à l'arbitraire d'un pouvoir excessif, mais leur position d'administrés, aux prises avec des établissements publics qui, comme tels, se doivent comme les autres de réaménager leur propre fonctionnement.

Une histoire politique. Pour autant, il est bien évident que, vis-à-vis de cette figure juridico-administrative, où l'usager est défini comme le corollaire d'un droit plus protecteur et d'une administration plus humaine, l'expression « d'usagers de la prison » a quelque chose d'un peu grinçant, quelque chose d'une réappropriation ironique. Réappropriation, d'une part, des textes juridiques eux-mêmes – il n'est pas certain que la loi d'avril 2000 ait eu pour finalité première de donner à *cette* catégorie-*là* de citoyens administrés le moyen de se faire entendre. À regarder de près les différentes affaires qui ponctuent ce sursaut du droit en détention, on s'aperçoit que les textes juridiques organisent moins la prise de parole des détenus qu'ils ne s'en trouvent saisis, en particulier à travers l'évolution jurisprudentielle, de décision de tribunal administratif en verdict de la Cour européenne des droits de l'homme : comme le notait Deleuze, la jurisprudence est ici moins le complément du droit que son laboratoire, dans un renversement où la considération du cas décide pour partie du sens de la règle. Réappropriation, de l'autre côté, du discours « moderniste » appelant à une réorganisation des services publics, à la réforme de l'État, et dont les détenus se saisissent pour faire valoir l'invraisemblable, l'épouvantable archaïsme des pratiques quotidiennement à l'œuvre en prison, pratiques marquées non seulement par l'immobilité, mais bien par la dégradation (du fait de la surpopulation carcérale, de l'indistinction croissante du pénal et du psychiatrique, etc.). Ainsi cette position d'usagers se définit-elle moins comme le résultat combiné de la réforme administrative et de l'évolution du droit, que par le jeu d'un double écart : écart entre l'intention des textes juridiques et la latitude qu'ils laissent à l'interprétation ; écart entre l'évolution prescrite par le droit au fonctionnement administratif, et celle qui se produit effectivement – dans l'autre sens – au sein des établissements pénitentiaires (à cause, notamment, de la surpopulation carcérale que d'autres tribunaux, par ailleurs, organisent). Extériorité, donc, de cette figure *politique* de l'usager vis-à-vis de ses seules dimensions administrative ou juridique. Nous sommes, du même coup, renvoyés à une troisième série d'événements : non la série des *textes* qui organisent l'encadrement de la puissance publique par le droit ; non la série des *réformes* gestionnaires qui prétendent adapter les différents services à leurs bénéficiaires ; mais la série des *luttes* par lesquelles ceux qui sont exposés à certains mécanismes collectifs brandissent les effets de cette action sur leur existence concrète, revendiquent une connaissance experte du pouvoir qu'ils subissent, exigent que celui-ci s'exerce autrement.

Je m'aperçois que, décrivant ce mince événement et tâchant d'en discerner les origines possibles, je n'ai pas encore cité explicitement Michel Foucault ; j'espère pourtant avoir, en filigrane de cette description, commencé à indiquer quelques raisons de le lire, et quelques bénéfices de sa lecture, pour qui voudrait y voir clair dans l'émergence multiforme des usagers et des mouvements d'usagers dans le champ social. De ce qui précède, je retiens plusieurs leçons.

Le contexte, d'abord, appelle à lire ou à relire Foucault. On se souvient, par exemple, que Foucault prétendait écrire *Surveiller et punir* « pour des utilisateurs » : pour qu'en fassent usage ceux qui sont directement aux prises avec les mécanismes disciplinaires – autrement dit, précisait-il, les prisonniers et non les travailleurs sociaux. Posons la réciproque : si les prisonniers se revendiquent aujourd'hui utilisateurs de l'institution pénitentiaire, il est peut-être temps de relire *Surveiller et punir* et de se demander comment un penseur qui fit des « usages » le cœur de sa pensée peut éclairer le devenir politique de cette catégorie[1].

Car Foucault, à rebours, permet de lire ce nouveau contexte comme il l'exige, c'est-à-dire dans sa profonde ambiguïté. Pour peu que l'on survole la série de textes, de réformes, de luttes que j'ai mentionnés tout à l'heure, on s'aperçoit que s'y illustre de manière éclatante le principe de « polyvalence tactique des discours » énoncé dans *La Volonté de savoir* : principe suivant lequel le même énoncé peut être mis au service de fins variées et servir, dans les mêmes affrontements, à l'un et l'autre des adversaires, de telle sorte que le combat politique ne nous met jamais héroïquement aux prises avec un « système » ou une « idéologie » auxquels nous ne devrions rien. Ainsi la notion d'usager est-elle, dans le discours contemporain, une notion « disputée », c'est-à-dire à la fois *équivoque* et *réversible*. Équivoque, parce qu'elle émerge en effet dans des champs extrêmement variés, dont la référence aux « services publics » n'épuise pas le sens (cf. la question des usagers de drogue), et ne suffit pas davantage à réduire l'hétérogénéité (le débat sur l'usager des transports n'est pas celui sur l'usager de l'école, de l'hôpital, etc.). Et réversible, parce qu'elle paraît entièrement prise entre, d'un côté, une logique *d'ajustement* des mécanismes de pouvoir et des normes qui les encadrent, et de l'autre une logique de *contestation* de ces mêmes mécanismes. Autrement dit, le même mot « d'usagers » paraît désigner le lieu où les individus avec leurs comportements, leurs besoins, sont attendus, où une place est ménagée pour eux, qui définit mais délimite leur intervention possible ; et la manière dont, au contraire, ces mêmes individus font irruption ou effraction dans un univers qui, bien qu'occupé chaque jour à la gestion de leur existence, se trouve déstabilisé par leur intervention. Autrement dit : ce n'est pas que les usagers surgissent là où on ne les attendait pas ; ils interviennent au contraire là où on les attendait, à l'hôpital ou au guichet... et surprennent tout de même. De cette réversibilité, de cette équivoque, sort une histoire embrouillée, que l'on ne saurait réduire ni au mouvement d'une progressive « reconnaissance » (comme si le droit et l'administration consacraient peu à peu les revendications qui leur sont opposées), ni à une simple « récupération » (comme si le pouvoir avait anticipé sur les résistances possibles, ou faisait mine de les accueillir en leur donnant une forme d'emblée désamorcée). Foucault dirait : une bataille.

Une démarche s'esquisse alors : pour éclairer l'une par l'autre la pensée de Foucault et l'émergence de cette nouvelle forme de subjectivité politique (car c'est bien de cela qu'il s'agit), il faudrait rechercher dans les textes de notre auteur trois séries d'indications.

- La description, d'abord, de ces formes nouvelles de lutte, auxquelles Foucault a accordé une considération constante et qu'il a tenté de cerner dans leurs différences : luttes « locales », résistances « spécifiques », « révoltes de conduites » qui traversent ses textes. En déterminant ceux *à l'usage* desquels Foucault voulait écrire, nous cernerons peut-être mieux les mouvements contemporains d'usagers.

- L'analyse, ensuite, de l'arrière-plan historique d'une telle émergence ; de la manière, surtout, dont celle-ci va de pair avec une transformation interne aux modes d'exercice du pouvoir : en un sens, nous le verrons, la préoccupation des usagers est inscrite depuis longtemps au cœur des dispositifs politiques et des formes de gouvernement, à travers toute une réflexion sur l'inscription des individus sous les normes collectives.

- On pourra alors se demander, non « de quel côté » situer enfin la figure de l'usager, mais à quelles appropriations et à quels renversements une telle position peut donner prise. Question, en somme, d'un « usage de l'usage », d'une inflexion et d'un retournement des comportements d'utilisateurs qui nous sont prescrits.

Description d'un combat

Il y a entre l'œuvre de Foucault et l'émergence des mouvements d'usagers un peu plus qu'une contemporanéité historique. Cette notion s'est inscrite dans la loi dans la seconde moitié des années 1970, c'est-à-dire précisément au moment où Foucault, de son côté, examine de près la manière dont les acteurs sociaux développent des stratégies multiples, et intègre dans son lexique les notions de pratiques, puis de conduites, dans un déplacement qui culminera en 1984 par *L'Usage des plaisirs*. On ne peut s'étonner, alors, que de tels parallèles finissent par se rejoindre : après la mort de Foucault, le militantisme-sida convoquera massivement ses textes pour enrichir et développer l'idée d'une participation des usagers de la santé aux décisions thérapeutiques, scientifiques et sociales qui les concernent. Mais cette parenté conduisait déjà, dans l'autre sens, Foucault à situer son analyse dans l'horizon d'une série de luttes : c'est en particulier le cas dans le fameux texte intitulé « The subject and power », publié en 1982 dans l'ouvrage classique de Dreyfus et Rabinow. Foucault s'y propose d'intégrer à son propre discours théorique une référence à plusieurs mouvements sociaux, susceptibles de jouer vis-à-vis du pouvoir le rôle « d'analyseurs ». En quel sens éclaire-t-elle les mouvements contemporains d'usagers ?

Première surprise, peut-être : la liste dressée par Foucault paraît rassembler des éléments que, spontanément, nous jugerions hétérogènes : « je proposerai, à titre de point de départ, de prendre une série d'oppositions qui se sont développées ces dernières années : l'opposition au pouvoir des hommes sur les femmes, des parents sur leurs enfants, de la psychiatrie sur les malades mentaux, de la médecine sur la population, de l'administration sur la manière dont les gens vivent[2]. » L'étrangeté, et l'intérêt, de cette liste tient évidemment à la façon dont elle ignore la différence entre les « oppositions » touchant à la sphère publique (les rapports avec l'administration), celles inscrites dans la sphère privée (les relations hommes-femmes), celles enfin que l'on qualifierait de formes mixtes (au premier rang desquelles la médecine). Là où nous serions tentés de situer les luttes d'usagers du côté de la seule interrogation sur l'État, ses missions, ses modalités d'intervention, Foucault les restitue dans un ensemble plus vaste, qui enveloppe une multiplicité de dispositifs de pouvoir. À cela, deux raisons. Premièrement, il faut y voir l'application du principe propre à la « microphysique » du pouvoir, principe qui prescrit de remonter en deçà de la référence à l'État et de considérer celui-ci, non comme le foyer unique et exclusif du pouvoir, mais comme l'effet terminal d'un processus politique initié, d'abord, dans le tissu des relations sociales. Deuxièmement, Foucault semble considérer que la parenté entre les luttes qu'il énumère surpasse l'hétérogénéité de leurs domaines. En bref : si « l'opposition entre l'administration et la manière dont les gens vivent », ou celle « de la médecine sur la population » constituent des cas typiques de mobilisations d'usagers, Foucault nous invite à les définir, non par la relation qu'elles entretiennent avec la puissance publique, mais par la logique qu'elles mettent en œuvre pour résister à celle-ci, et pour exiger d'elle certaines transformations.

Le premier trait de cette logique c'est, nous dit Foucault, son « immédiateté », en plusieurs sens. D'abord, les gens s'attaquent aux « instances de pouvoir qui sont les plus proches d'eux » ; ensuite « ils n'envisagent pas que la solution à leur problème puisse résider dans un quelconque avenir » (en particulier, précise-t-il, dans un horizon révolutionnaire). À cette immédiateté de fait, la pensée de Foucault donne un double prolongement théorique : d'une part, en invoquant pour justifier de ses analyses et de ses interventions le seul sentiment de l'intolérable, c'est-à-dire le caractère immédiatement inacceptable d'une relation de pouvoir, caractère dont aucune légitimation rationnelle ne peut ni ne doit transcender le surgissement sensible. D'autre part, en ordonnant la théorie du pouvoir à la « petite question, toute plate et empirique ; comment ça se passe ? », de sorte qu'il s'agira toujours de décrire et d'analyser des modalités et des effets, sans chercher à remonter à la substance et aux causes qui en rendraient, ultimement, raison. En bref, à l'immédiateté des luttes (comprise comme affrontement direct, et comme exigence urgente), correspond dans la théorie la

mise à l'écart de tout fondement normatif – hormis l'intolérable – et de toute assignation des principes – hormis
ceux de la technologie politique.

Remarquons que, par là, Foucault nous donne peut-
être à voir l'une des caractéristiques les plus remarqua-
bles des mouvements dont nous cherchons à approcher
la description. On a souvent noté combien le discours de
Foucault semblait, d'un même trait, absolument radical
(produisant une critique qui ne laisse aucune chance de
démêler le bon grain de l'ivraie) et résolument pragmatique. Ainsi Foucault pouvait-il répondre à ses interlocuteurs qui le pressaient de donner son programme de
réforme pénitentiaire : « commencez par rendre la prison de San Quentin plus humaine. » Or, un tel balance-
ment n'est pas à mettre au compte d'un éloignement de
l'intellectuel vis-à-vis des exigences de la lutte ; il apparaît, bien au contraire, comme la restitution la plus fidèle
de la dualité qui parcourt les mouvements d'usagers, du
fait de leur immédiateté. Ce que Foucault a mesuré, et
dont il a donné dans ses écrits la traduction la plus nette,
c'est que de tels mouvements s'ordonnent toujours à
deux impératifs contradictoires, et également catégori-
ques : *il faut que cela cesse/il faut que cela change.* Pour
des luttes affrontées aux nécessités immédiates de
l'usage, l'intensité du refus est en proportion directe de
la recherche pragmatique de solutions aptes à remédier
à ce que l'on refuse. Comme le note Philippe Mangeot[3] :
la spécificité des mouvements-sida, héritiers directs des
luttes dont traite ici Foucault (et de Foucault lui-même),
est de ne pouvoir, par exemple, ni accepter la stratégie
de recherche des laboratoires pharmaceutiques, ni rêver
de se passer un jour, et au terme d'un bouleversement
d'ensemble, de ces mêmes laboratoires, pour une seule

et même raison : il en va de la survie des malades, et des militants. Deuxième caractéristique, donc, des luttes d'usagers telles que Foucault permet de les décrire : elles n'ont ni le temps d'être révolutionnaires, parce qu'il faut que cela change, ni la patience d'être réformistes, parce qu'il faut que cela cesse.

À ce paradoxe d'une radicalité pragmatique fait écho celui de luttes qui, pourrait-on dire, renoncent à la puissance au nom de la puissance. Il y a, dans la position de Foucault et dans sa manière de décrire les luttes qui l'intéressent, un retrait, vis-à-vis de la définition politique traditionnelle de la puissance, c'est-à-dire de la liberté et de la capacité d'agir dans le champ politique. Écrire : « nous sommes tous des gouvernés et, à ce titre, solidaires », c'est situer la réflexion et l'action dans l'horizon d'une distinction entre gouvernants et gouvernés posée comme structurale, plutôt que transitoire – plus simplement, c'est dire que la lutte ne vise ni à prendre la place des gouvernants, ni à abolir cette division même, mais bien à agir sous la condition d'une telle séparation, que l'on pourra tout au plus négocier, dont on pourra modifier la forme ou les modalités[4]. Ici, la figure de l'usager se distingue décisivement de toute une série de définitions du sujet politique (de l'individu contractant au citoyen républicain, au prolétaire marxiste), sujets qui ne se définissent que d'être posés comme supports, comme origines et comme fins de l'ordre politique lui-même : soit que celui-ci s'ordonne à leurs intérêts, soit qu'il exprime leur volonté commune, soit qu'il aille, à leur profit, vers sa propre abolition comme ordre divisé. Ainsi Foucault affirme-t-il souvent préférer les transformations réelles, mais limitées, survenues dans les rapports entre hommes et femmes, parents et enfants, etc., aux rêveries de l'homme nouveau qui ont hanté le XXe siècle – assumant du même coup, semble-t-il, une sorte de révision à la baisse des ambitions politiques. De là, le reproche fréquent fait aux luttes d'usagers – celui de rabattre le jeu démocratique sur le simple aménagement de l'ordre existant, et de se résigner à ne prendre que ce qu'on leur laisse. C'est Nicolas Tenzer qui écrivait dans *Le Monde* : « L'altermondialisme refuse de se couler dans le jeu classique de la politique et de la puissance et, par là même, se place sous le signe de l'absence d'avenir et de la peur[5]. »

Or, Foucault montre bien comment ce qui pourrait sembler un renoncement est, en même temps, affirmation directe, immédiate, de la liberté et de la capacité d'agir. De ces « analyseurs » que constituent les luttes d'usagers, Foucault tire, on le sait, une définition du pouvoir tout à fait spécifique : le pouvoir c'est, dit-il, « l'action d'une liberté sur une liberté », le fait d'agir sur l'action d'autrui en tant qu'être libre. Qu'une telle définition puisse procéder de l'examen de telles luttes est assez instructif, quant à la nature de ces dernières : sont en jeu dans ces luttes non pas l'empêchement à agir, ou l'incapacité d'être libre, de telle sorte qu'il faudrait attendre la fin du combat pour voir se déployer la puissance et la liberté écrasées jusque-là sous la domination ; au contraire, ces mouvements s'originent dans l'exercice d'une liberté, dans le développement d'une capacité d'agir qui rencontrent, à l'intérieur d'eux-mêmes, à la fois comme relais, comme obstacle et comme prise, les effets d'un pouvoir auquel il va s'agir de s'opposer. Autrement dit, de n'être pas superposable à celle du citoyen, de ne pas se rêver souveraine, la figure de l'usager n'en est pas moins aux antipodes de celle de

« l'opprimé » , ou de la « victime » , ou de « l'assisté ». Ces luttes ne sont pas menées au nom d'une puissance ou d'une liberté à venir, lesquelles devraient tout à ce pouvoir qu'elles sollicitent, à ces gouvernants qu'elles supplient, selon une logique de l'octroi ; au contraire, elles n'ont pour horizon que l'action présente et n'interpellent le pouvoir que sur le fond de leur affirmation autonome. Beauté et profondeur, de ce point de vue, d'un slogan hilarant d'Act-Up qui est resté dans toutes les mémoires, le slogan fût-il assez vert, et les mémoires fussent-elles hétérosexuelles : « des molécules pour qu'on s'encule. » Slogan où l'inconséquence et la frivolité politique se trouvaient joyeusement parodiées et renversées en forme de manifeste. Slogan où l'exigence, la sollicitation, la demande de soin sont entièrement réinsérées dans la revendication d'un usage où éclate une puissance de vie excédant l'horizon de la maladie. Slogan où la mobilisation politique, en un sens limitée à ce qu'il nous faut, est simultanément entièrement polarisée par ce que nous faisons.

Apparues, pour beaucoup d'entre elles, après Foucault (parfois sous le coup de sa disparition même), les luttes d'usagers apparaissent ainsi à sa lumière comme irréductibles aux figures classiques de la subjectivation politique, et comme fortes de leurs paradoxes mêmes : luttes immédiates mais (pour cela) radicales ; luttes qui ébranlent les modes d'exercice du pouvoir dans la mesure même où elles ne tâchent pas de les renverser ; luttes qui conquièrent leur puissance propre en assumant la division gouvernant/gouvernés ; luttes qui suscitent enfin l'ouverture d'un nouvel horizon politique en écartant de leur propos et l'horizon (au nom du seul présent), et la souveraineté.

L'usager, figure biopolitique ?

Reste à savoir ce qui explique l'émergence de telles luttes et ce qui leur assure une efficacité ; ce qui permet, en d'autres termes, leur « branchement » sur les formes de pouvoir qu'elles remettent en question. En proposant de prendre les formes de résistance comme « analyseurs » des relations de pouvoir, Foucault indique bien que ces résistances partagent, selon lui, un horizon commun avec ce qu'elles contestent. Pour employer nos propres termes, les mouvements d'usagers n'ont de sens, et de chance, qu'à la condition de s'affronter à des modes de gouvernement qui y sont « sensibles », aux deux sens du terme : qui peuvent être *affectés* par une telle remise en cause parce qu'ils sont déjà, de l'intérieur d'eux-mêmes, *préoccupés* par cette question et soucieux des usages auxquels ils peuvent donner lieu. Cela implique (première leçon) qu'il y aurait une illusion à imaginer, face aux mouvements d'usagers, des systèmes collectifs visant l'instauration autoritaire de normes imposées, systèmes aveugles aux individus et n'ayant en vue que leurs seuls impératifs fonctionnels. Dans l'article sur « le sujet et le pouvoir », Foucault l'affirme nettement : « le problème (…) qui se pose aujourd'hui n'est pas d'essayer de libérer l'individu de l'État et de ses institutions, mais de nous libérer nous de l'État et du type d'individualisation qui s'y rattache[6]. » « L'autre » de ces luttes d'usagers dont nous avons décrit la forme, ce n'est pas l'État comme monstre froid, mais une certaine corrélation entre individualisation et totalisation. Autrement dit, si les individus font aujourd'hui valoir de manière neuve leurs droits, leurs exigences et leurs aspirations face aux structures et services collectifs auxquels ils ont affaire, il ne faut pas y voir une rupture, mais un déplacement d'accent à l'intérieur d'une polarité qui relie, depuis longtemps, les intérêts de l'État aux comportements attendus de ses « utilisateurs » singuliers.

C'est, en particulier, la thèse que défend Foucault à propos d'un domaine qui devrait être évidemment au cœur de notre interrogation : celui des systèmes de santé, de leur refonte après-guerre et de la manière dont, dans ce nouveau contexte, ils peuvent ou non faire droit aux exigences individuelles. Dans un article de 1976, Foucault analyse ainsi la manière dont, en 1942, le plan Beveridge pose les bases d'une réorganisation du système sanitaire britannique, définissant un modèle dont s'inspireront nombre de pays occidentaux : il s'agit, écrit-il, de mettre en place « non le droit à la vie, mais un droit différent, plus important et plus complexe, qui est le droit à la santé. À un moment où la guerre causait de grandes destructions, une société prenait en charge la tâche explicite de garantir à ses membres non seulement la vie, mais aussi la vie en bonne santé[7] ». Or, remarque Foucault, un tel projet revient, non pas à introduire parmi les missions de l'État une exigence radicalement nouvelle, mais à faire en quelque sorte pivoter la manière dont, jusque là, s'articulait l'intérêt de l'État et le rapport des individus à eux-mêmes. D'une part, vis-à-vis de la préoccupation (centrale depuis la fin de l'âge classique) de la santé comme condition de la force nationale, le plan Beveridge opère un premier renversement : « le concept de l'État au service de l'individu en bonne santé se substitue au concept de l'individu en bonne santé au service de l'État. » D'autre part, cette transformation induit une transformation dans la morale du corps : le devoir hygiéniste d'assurer sa santé laisse place au « droit à être malade quand on le veut et quand il le faut », au droit d'interrompre le travail, etc. Toute cette analyse, précisons-le, intervient en réponse à un livre d'Ivan Illich, *Medical nemesis*, qui diagnostique une « expropriation de la santé » par la médecine moderne, stigmatise la négation des individus par le système collectif, et en appelle du coup chacun à reprendre en main sa propre santé. On voit alors la différence d'analyse : là où Illich oppose d'un côté des individus prenant en charge leur destin, de l'autre une médecine dont le danger tiendrait à ce qu'elle les ignore, Foucault rectifie : 1. La préoccupation envers les individus, l'affirmation de ce que leur santé n'est pas seulement moyen mais fin, la reconnaissance des droits qui y sont afférents, tout cela forme le cœur de la médecine contemporaine. 2. Cette préoccupation est elle-même une inflexion du modèle politique qui oriente le développement médical depuis le XVIIIᵉ siècle. 3. Du même coup, si l'on veut faire valoir contre la médecine la voix de ceux qui lui sont exposés, ce n'est pas en opposant artificiellement la libre disposition de soi et la soumission au pouvoir médical, ou en arguant d'une insurrection soudaine et inexplicable des usagers. On doit resituer cette intervention sur le fond d'un modèle à l'œuvre depuis qu'a émergé l'idée même d'une politique de la santé.

« Nous vivons une situation que certains faits ont conduite au paroxysme. Ces faits qui, au fond, sont les mêmes tout au long du développement médical du système à partir du XVIIIᵉ siècle lorsqu'a surgi une économie politique de la santé, lorsque sont apparus des processus de médicalisation généralisée et les mécanismes de la bio-histoire. (…) on ne doit pas considérer la situation actuelle en termes de médecine ou d'anti-médecine, d'interruption ou de non-interruption des coûts, de retour ou non à une espèce d'hygiène naturelle, de bucolisme paramédical[8]. »

Quels pourraient être les axes d'une telle analyse ? On aura évidemment noté, dans le passage qui précède, la référence à la « bio-histoire », ce regime nouveau d'historicité que Foucault définit (dans le fameux dernier chapitre de *La Volonté de savoir*) par « l'entrée de l'espèce dans ses propres stratégies politiques », par l'apparition d'un pouvoir entreprenant de gérer la vie et permettant du même coup aux résistances de se saisir de cet objet nouveau. La généalogie de la notion d'usager serait ainsi à rechercher du côté de la « bio-histoire », ou de la « somatocratie ». Je ne dis pas : « de la biopolitique » car, de ce processus, la « biopolitique » constitue l'un des aspects, et non le seul. Petit rappel, parce que le mot de « biopolitique » perd aujourd'hui en précision ce qu'il gagne en popularité : dans le passage de *La Volonté de savoir* où se trouve énoncée la distinction entre droit de mort et pouvoir sur la vie, Foucault distingue deux aspects de ce pouvoir : une « anatomo-politique du corps humain », dont l'émergence remonterait au XVIIe siècle, et une « biopolitique des populations », qui s'y adjoindrait un siècle plus tard, sans toutefois la remplacer, mais en entretenant avec elle une sorte de complémentarité fonctionnelle[9]. Pour ce qui nous concerne, cette distinction a une importance capitale : elle indique que, si l'on doit rechercher l'origine des réflexions contemporaines sur l'usager du côté de la façon dont les individus ont été sollicités comme acteurs et relais du pouvoir, cette origine sera au moins double – pointant d'un côté vers la notion de discipline, de l'autre vers celle de gouvernement.

Le premier aspect (celui de l'individualisation disciplinaire) est sans doute le mieux connu. Je me contenterai, à son propos, de faire deux remarques : 1. Que la discipline fabrique des « usagers », et non des automates soumis à une norme entièrement extérieure, c'est ce que Foucault ne cesse de rappeler : d'une part, le panoptique lui-même tire sa fécondité politique d'être libre pour toute une série d'usages, transposable d'un domaine à l'autre, et se présente finalement comme un outil dont toute un ensemble d'acteurs peuvent se saisir, occupant tour à tour la place du surveillant. Dans le même esprit, Foucault affirme parfois qu'à travers les lettres de cachet, la monarchie fonctionnait « comme une sorte de service public ». D'autre part (et, disons, de l'autre côté du panoptique) les individus ainsi normalisés ne sont pas seulement des objets, passifs sous l'œil du pouvoir ; ils sont concrètement invités à faire leur la norme disciplinaire, à l'intérioriser, à la mettre au service de leur productivité propre. La discipline est, en un sens, une machine à transformer les individus en usagers, via l'analyse rigoureuse de leurs comportements, puis la recomposition rationnelle de ceux-ci en fonction des exigences sociales. 2. En ce sens, l'historien Gilles Jeannot a tout à fait raison de rapprocher la « vision promue par les disciples de Michel Foucault » de la définition de l'usager dans la rationalité administrative et industrielle de la reconstruction d'après-guerre. Je le cite : dans la seconde moitié des années 1950, « l'usager apparaît au confluent de la jonction entre l'offre et la demande, et de la diffusion au sein de l'intervention publique d'un projet de rationalisation industrielle. Il devient l'une des composantes du projet de rationalisation de la production » – ce que le ministre

de la Construction Paul Sudreau, en 1959, appelle
« ordonner la technique à l'humain[10] ». Et notre historien
de rappeler, surtout, que cet « ordonnancement » articule deux mouvements d'allure inverse : d'un côté, une
objectivation des multitudes humaines en vue de leur
régulation (il cite ainsi un rapport d'ingénieurs en 1958 :
« le mouvement des voyageurs s'effectue pendant les
pointes d'une façon comparable à celui d'un flux dans la
conduite. L'un comme l'autre subissent les effets de
l'état, des dimensions et du profil de l'espace environ-
nant qui agissent sur leur déformabilité, leur compres-
sibilité et leur vitesse d'écoulement »), de l'autre, un
travail sur la manière dont les individus peuvent faire
leurs les infrastructures ainsi normalisées (« dès 1960,
les conseillères ménagères sont envoyées dans les
foyers pour faire la démonstration de la supériorité de
l'électricité sur le bois, le gaz et le charbon »). L'usager
disciplinaire se définit ainsi au croisement d'une rationalisation des flux et d'une moralisation des conduites.

Faut-il alors dire, comme le fait Gilles Jeannot, que
cette étape était simplement transitoire, que la « violence
de l'encadrement des comportements » s'est peu à peu
estompée (« soit que l'éducation du public soit accomplie,
soit que les contraintes techniques s'allègent »), de sorte
que les usagers ont pu tout naturellement s'inscrire dans
l'horizon de la consommation, horizon moins obsédé par
l'uniformité de l'offre, plus respectueux de la singularité
des demandes ? Peut-être ; mais on peut tout aussi bien
interpréter ce passage de l'usager-discipliné à l'usager-
consommateur comme un déplacement de ce que Foucault nomme la « normation » disciplinaire à la « normalisation » biopolitique. Je fais ici référence aux distinctions
introduites dans le cours de 1977-1978, où Foucault pré-

cise ce qu'il entend par « gouvernement des populations[11] ». Je rappelle simplement, et trop vite, quelques prémisses de cette distinction : 1. Elle renvoie d'abord à une différence d'échelle : la considération de l'individu, dans le cas du gouvernement, ne disparaît pas, mais s'ordonne à celle de la population, là où la discipline ne constitue des ensembles que par sommation d'individus un à un normalisés. 2. Cette distinction renvoie ensuite (à travers une série de catégories nées au XVIIIᵉ siècle : cas, risque, danger, crise) à un renversement du rapport entre la norme et son objet : là où la discipline définit préalablement une norme, puis tente de l'appliquer aux multiplicités sociales, le gouvernement vise à faire émerger de l'ensemble social un premier repérage du normal et de l'anormal, lequel sera à la fois objet et instrument de l'action (« on va avoir un repérage des différentes courbes de normalité, et l'opération de normalisation va consister (…) à faire en sorte que les plus défavorables soient ramenées à celles qui sont les plus favorables[12] »). 3. Cette nouvelle technique politique implique enfin une limitation consentie de l'exercice du pouvoir, afin que la normalisation procède, autant que possible, des initiatives individuelles et de leurs effets d'ensemble sur la population. C'est pourquoi Foucault peut finalement réintégrer le libéralisme à son histoire des arts de gouverner, et le définir comme une pratique politique, née d'une réflexion sur le coût du pouvoir, et s'appliquant à elle-même un principe de moindre intervention comme mode positif de régulation sociale. Ce qui importe, ici, c'est qu'à travers « cette idée d'une gestion des populations à partir de la naturalité de leur désir et de la production spontanée de l'intérêt collectif par ce désir[13] » s'esquisse une autre figure de l'usager, compris cette fois non comme point d'application d'une discipline, mais comme élément d'une population, laquelle définit une norme que l'action gouvernementale doit réguler et à laquelle elle doit s'efforcer d'être adéquate. En d'autres termes, à travers cette distinction, Foucault nous donne à voir de quelle manière l'idée de « consommateur de service public » n'est pas une *contradiction in adjecto*, comme s'il y avait à choisir entre le jeu de la demande et l'effectivité d'une action publique : s'appuyer sur la demande, distribuer sa diversité dans un champ d'utilité collective, c'est depuis le XVIIIe siècle une technique gouvernementale assez bien définie qui s'appuie (comme la discipline, mais d'une autre manière) sur le comportement des usagers pour poursuivre ses finalités propres. Il y aurait ici un champ de recherches tout à fait passionnant, sur l'usage de la dérégulation, de la privatisation totale ou partielle, etc., considérées non comme abandon de souveraineté ou renoncement à servir, mais comme modes de gouvernement.

De ces remarques, que conclure ? On peut d'abord remarquer que le projet de mettre « l'usager au centre du système » est, en un sens, fort ancien, dès lors qu'on passe d'une analyse macropolitique (du rapport entre l'État et les sujets) à la considération des modes d'exercice du pouvoir. Mais aussi, qu'il l'est deux fois, ou que ce centre est double : une fois comme individu commis à reconduire, dans son action même, la norme disciplinaire ; une autre fois comme membre d'une population dont le comportement global laisse émerger une norme collective, sur laquelle va s'exercer la rationalité gouvernementale. On peut ensuite noter que, par là, une alternative souvent agitée perd de son tranchant. Dans le débat contemporain sur le rôle respectif de l'État et du marché en matière de services publics, s'opposent deux visions : l'une attachée à l'égalité de traitement entre tous les assujettis, l'autre à la liberté de choix de l'individu, susceptible d'impulser par le jeu de la concurrence une amélioration des prestations qui lui sont offertes. On peut d'ailleurs remarquer que, dans ce débat, la notion d'usager est employée tantôt dans un sens, tantôt dans l'autre : certains reprochent au souci des usagers de contribuer à un démantèlement libéral des services publics (« l'usager, ce client qui avance masqué ») ; d'autres opposant au contraire client et usager, faisant de ce dernier un rempart contre la conception libérale (« l'usager, cet assujetti responsable et égalitaire »). Foucault ne permet sans doute pas de trancher entre l'État et le marché, mais il invite à relativiser un peu cette opposition : sous l'alternative entre visions étatiste et libérale, il faut déceler la constitution tantôt disciplinaire, tantôt gouvernementale, des individus en usagers, et les problèmes que posent chacun de ces modes de pouvoir. Ce qui veut dire aussi : s'agissant des usages, il ne suffit pas de refuser le libéralisme pour n'être pas disciplinaire ; il ne suffit pas de vitupérer l'État pour n'être pas gouvernemental.

Usages et contre-usages

Résumons-nous. La notion d'usagers est, nous l'avons vu, au cœur d'une série de luttes dont l'allure et les revendications sont assez neuves. Pour autant, on ne saurait en réserver l'exclusivité aux « résistances » – tant le pouvoir requiert, dans son exercice, des utilisateurs actifs et complaisants, tantôt disciplinés et faisant corps, tantôt gouvernés et formant population. On doit alors se demander comment ces luttes participent de cet espace sans s'y réduire ; autrement dit, quels décalages ou quelles torsions les mouvements d'usagers tâchent d'accomplir dans le jeu d'un pouvoir individualisant et normalisateur, pour y faire valoir leurs exigences en ce qu'elles ont, justement, d'indiscipliné et d'ingouvernable.

Les prémisses d'une telle réflexion peuvent encore être trouvées chez Foucault ; en particulier, on pourrait tirer profit, sur ce point, d'un concept que l'on trouve élaboré dans le cours de 1977-1978 à travers l'examen du pastorat chrétien[14] : celui de « contre-conduites », ou de « révoltes de conduites ». Le pastorat chrétien, explique Foucault, prétend exercer un gouvernement des âmes incorporé à l'action de celles-ci : une « conduite », en somme, si ce mot offre en français l'avantage de désigner à la fois « l'activité qui consiste à conduire, la conduction si vous voulez », mais également « la manière dont on se trouve se comporter » sous l'effet d'une telle action. Or, ajoute-t-il, face à cette modalité de pouvoir, matrice de la future « gouvernementalité », on va voir se constituer toute une série de mouvements religieux (ascétisme, mysticisme, etc.) ; face à elle, ou plutôt à l'intérieur d'elle, puisque ces mouvements vont situer leur contestation sur le trajet, en quelque sorte, qui mène de la norme collective à sa mise en œuvre singulière par le croyant. Et Foucault de conclure : si l'on peut nommer « conduite » la manière dont un régime de pouvoir tâche de s'effectuer à travers l'action de ceux qui lui sont soumis, alors on devra appeler « contre-conduites » ou « révoltes de conduites » les comportements individuels et collectifs par lesquels la « conduction » elle-même se trouve mise en question.

« Révoltes de conduites » plutôt « qu'inconduite » ; car, précise Foucault, parler d'inconduite écraserait, en les présentant comme la monotone et passive négation d'une règle, les multiples manières de se conduire autrement[15]. Cette analyse est, me semble-t-il, extrêmement éclairante pour démêler un peu les mouvements contemporains d'usagers de leurs doubles biopolitiques. Transposons : si l'exercice du pouvoir disciplinaire et gouvernemental enveloppe une certaine façon de circonscrire les usages et de distribuer les usagers, on pourrait de la même façon appeler « contre-usages » ou « révoltes d'usages » les contestations qui, sur ce parcours, s'énoncent non pas au nom d'une liberté native (comme s'il était possible de se passer une fois pour toutes de ce système dont on use ou de le considérer du dehors), mais de la nécessité d'en user autrement. Contestations dont on comprend, au passage, pourquoi elles peuvent paraître, simultanément, limitées dans leurs objectifs et fondamentales dans leur portée : si la normalisation s'exerce de manière décisive au niveau des usages, alors contester les usages et se poser en « contre-usager », ce n'est pas se contenter d'un pauvre aménagement qui laisserait intacts les principes et les causes profondes ; c'est mordre, tout aussi bien, sur la manière même dont nous sommes conduits.

Qu'est-ce qui définirait en propre une telle position ? Ici, un examen au cas par cas s'imposerait : de même que Foucault rapproche, une à une, les « contre-conduites » médiévales des différentes modalités du pouvoir pastoral (éclairant du même coup celles-ci par celles-là), nous pourrions dresser la carte des techniques de gouvernement contemporaines à travers l'irruption, hétérogène, des usagers qui les contestent. Je suggérerai ici seulement trois pistes permettant, à mon sens, de reconnaître les contre-usages contemporains, et de les distinguer de leurs doubles biopolitiques, sagement normalisés.

1. Ces contre-usages se laisseraient reconnaître, d'abord, à leur transversalité ; à leur manière de contester, non l'État au nom du marché (ou l'inverse), mais à la fois l'un et l'autre – les modes d'exercice du pouvoir qui les parcourent ensemble ; la corrélation qui lie, à travers eux, discipline et gouvernementalité. L'exemple le plus clair de cette position oblique, nous est offert à mon avis par les mouvements de malades, dans la foulée de la lutte contre le sida : l'une des spécificités de ces mouvements a été de revendiquer *en même temps* l'égalité de l'offre de soins et la prise en compte de l'autonomie des personnes dans l'élaboration des décisions qui les concernent, de s'adresser *en même temps* aux structures publiques hospitalières et aux formes de la médecine libérale, d'exiger *à la fois* l'intervention de la puissance publique et celle des laboratoires pharmaceutiques, etc. Une telle indifférence à la frontière qui sépare le « public » du « privé », un tel refus de situer la position d'usager dans cette alternative, n'est pas à mettre au compte d'une sorte de précipitation militante, ou d'un manque de culture politique. Cela revient, tout autant, à faire apparaître ce que Foucault affirmait de son côté dans son analyse du pouvoir médical : le caractère second de cette opposition vis-à-vis du socle biopolitique (« la médecine moderne est une médecine sociale dont le fondement est une certaine technologie du corps social ; la médecine est une pratique sociale, et l'un de ses aspects seulement est individualiste et valorise les relations entre le médecin et le patient[16] ») ; la nécessité, du coup, de dépasser comme également par-

tielles la critique d'une médecine collective ignorante des individus et celle d'une médecine individualiste qui, parce qu'elle serait inscrite dans les relations de marché, « ignorerait la dimension globale et collective de la société[17] ». Mais on pourrait trouver d'autres exemples – se demander ainsi comment les mouvements d'usagers de drogue contestent la façon dont la pénalisation et la guerre à la drogue renforce l'existence d'un marché « libre » des stupéfiants, sauvagement dérégulé ; ou la façon dont les mouvements de chômeurs ciblent simultanément la gestion administrative de leurs dossiers et l'instrumentalisation de la précarité dans l'imposition de conditions de travail toujours plus difficiles.

2. Autre trait commun, peut-être, à ces contre-usages : la façon dont s'y négocie le rapport à l'identité. Foucault y insiste : si discipline et gouvernement œuvrent ensemble à la production de l'identité, c'est selon des régimes assez différents ; la première dote, selon l'image célèbre de *Surveiller et punir*, le corps d'une âme, qui le circonscrit et l'emprisonne ; elle pose un infracteur derrière l'infraction, une individualité psychologique sous la poussière des actes. Le gouvernement, lui, ressaisit plutôt la population différentiellement, et à travers un ensemble de « séries ouvertes » (Foucault le note à propos de la gestion des villes : « série indéfinie des éléments qui se déplacent : la circulation, nombre x de chariots, nombre x de passants, nombre x de voleurs, nombre x de miasmes, etc.[18] »). L'entrecroisement de ces logiques définit l'identité moderne au croisement d'une profondeur individuelle et d'une différence statistique.

On reconnaîtrait alors ce que j'ai appelé les « contre-usages » à la manière dont ils renversent cette double logique. « Les luttes actuelles, écrivait Foucault, refusent la violence exercée par l'État économique (...) qui ignore qui nous sommes individuellement », mais aussi « l'inquisition scientifique ou administrative qui détermine notre identité[19] ». De ce point de vue, se définir comme usager, c'est refuser de se dissoudre dans la population, comme de se reconnaître dans l'individu ; c'est faire jouer, contre la première, le mouvement d'une appropriation, contre le second celui d'une déprise. Appropriation : être usager, c'est arguer d'une familiarité avec ce dont on use, qu'aucune connaissance de surplomb ne saurait égaler ; c'est encore témoigner d'une pratique irréductible à la simple exécution de prescriptions générales, comme à la simple soumission aux déterminismes extérieurs. Cela revient, en bref, à faire valoir l'excès d'une expérience (à la fois cognitive et pratique, savoir et art de faire) sur la simple lecture en extériorité ; c'est dire qu'aucune statistique, aucune mise en série ne saurait épuiser l'intimité que l'usager entretient avec ce dont il use – qu'il s'agisse ici d'un traitement, d'une allocation, d'un temps libre ou d'une substance illicite. Mais simultanément, être usager de tels objets, de tels « services », c'est introduire vis-à-vis d'eux une distance et une latitude ; c'est s'affirmer irréductible à l'usage que l'on en fait ; c'est interdire d'identifier l'instrumentiste à l'instrument pour dégager entre eux l'espace d'une liberté possible. Ici, ce sont les mouvements d'usagers de drogues qui pourraient servir de paradigme, tant ils ont ouvert un double front, se dégageant d'une identité disciplinaire stigmatisante (usagers de drogues, plutôt que drogués), mais affirmant dans le même mouvement l'irréductibilité de leur savoir aux données statistiques de la toxicologie gouvernementale.

3. Dernier trait commun : il rejoint ce que Foucault nommait le « spécifique », dimension qu'il situait en tiers

vis-à-vis, tant des valeurs universelles que du simple jeu des intérêts particuliers. Politiquement, selon Foucault, cela n'a guère de sens d'opposer l'égalité républicaine et le jeu des inégalités sociales : comme le souligne *Surveiller et punir*, le règne homogène du droit est étayé, concrètement, sur une multiplicité de contre-droits disciplinaires, qui soutient et limite l'affirmation de l'égalité. Ainsi ne sommes-nous appelés à nous reconnaître dans une citoyenneté abstraite, qu'à la condition de reconduire sous celle-ci le jeu des inégalités, faisant de l'abstraction même l'instrument et le moyen d'une gestion différentielle des particularités. L'invocation de la République dans le débat scolaire, le souci de cette institution de ne rien vouloir connaître des particularismes et l'inégalité massive qui s'ensuit, en constitueraient aujourd'hui d'assez bons exemples : sous la revendication commune d'égalité, chaque parent d'élève est ainsi convié à reconduire la partialité d'un usage concurrentiel.

De ce point de vue, les contre-usages se reconnaissent peut-être à leur façon d'aborder dans l'autre sens ce rapport entre « certains » et « tous » ; disons qu'ils se situent moins dans l'horizon de l'universel que dans celui du *partage*, aux deux sens du terme. D'un côté, les mouvements d'usagers s'installent délibérément dans l'élément du particulier, prennent appui sur des situations qui partagent, sans recours, la communauté sociale ; mais de là, et sur le fond de cette expérience impartageable, ils appellent l'opinion à partager leur souci. Le terme d'« *advocacy* » désigne, dans le lexique militant contemporain, ce double mouvement : ni défense du particulier contre l'universel (en quoi *l'advocacy* se distingue du *lobby*), ni expression citoyenne se situant d'emblée dans l'horizon de l'universel, et faisant abstraction de ses particularités. Sur ce point, une personne responsable d'une association de malades me confiait combien, quels qu'en soient par ailleurs les bienfaits, l'inscription de la notion d'usager dans les textes de droit et les institutions hospitalières, sa transformation par là en une catégorie que pourrait endosser quiconque aurait affaire au système médico-social, tout cela revenait peut-être à lui faire perdre l'essentiel de son sens en l'abstrayant, justement, de l'expérience spécifique de celui qui est passé de l'autre côté de cette frontière invisible : l'expérience de la maladie, considérée, non comme souffrance sacrée ou « réservée », mais comme point d'appui sur lequel étayer une mobilisation apte à s'adresser aux bien-portants. Quelque chose, de l'usage, résiste à se laisser ainsi universaliser – mais cette opacité est en même temps la condition du partage, le pivot d'une mise en commun qui, loin de surmonter la division, prend appui sur elle et permet une rencontre des expériences depuis leur différence même. On peut bien, alors, emprunter à Foucault le mot de « spécifique » pour désigner ce mouvement d'une mise en commun précaire, sur fond de singularité ; mouvement qui ne peut invoquer, pour ce faire, ni un horizon rationnel (à la mode républicaine), ni une commune détermination de dernière instance (à la manière marxiste), mais seulement cette solidarité élective affleurant chez certains, au ras du sensible, lorsque s'éprouve « une certaine difficulté commune à supporter ce qui se passe[20] ». Mouvement que Foucault décrit au plus juste dans le texte intitulé « Inutile de se soulever ? » : « Un délinquant met sa vie en balance contre des châtiments abusifs ; un fou n'en peut plus d'être enfermé et déchu ; un peuple refuse le régime qui l'opprime. Cela ne rend pas innocent le premier, ne guérit pas l'autre, et n'assure pas au troisième les lendemains promis. Nul, d'ailleurs, n'est tenu de leur être solidaire. Nul n'est tenu de trouver que ces voix confuses chantent mieux que les autres et disent le fin fond du vrai. Il suffit qu'elles existent et qu'elles aient contre elles tout ce qui s'acharne à les faire taire pour qu'il y ait un sens à les écouter et à chercher ce qu'elles veulent dire[21]. »

Nous étions partis de l'usager, comme figure nouvelle de la subjectivité politique ; et nous voici rendus aux contre-usagers, comme figure d'une communauté possible, que rassemblerait une certaine façon de se saisir, à contre-pente, des usages attendus et prescrits. Revient, du même coup, l'exemple dont nous étions partis : celui de la prison. Lorsque Foucault s'écrie : « nul de nous n'est sûr d'échapper à la prison », que peut-il vouloir dire ? Certainement pas que la détention serait une expérience en droit universelle : il ne cesse, en effet, de démontrer combien la prison est un dispositif auquel les uns sont exposés, dont les autres sont protégés. Qui est alors ce « nous » ? L'expérience du GIP le montre, qui faisait de l'existence même des murs non seulement l'obstacle ou l'objet de la mobilisation, mais sa condition même, le ressort qui portait les militants à placarder des affiches disant : « on veut entrer et voir. » Le « nous » qu'invoque Foucault, le « nous » que la prison concerne n'est pas la communauté abstraite de ceux qui sont en prison *ou* qui pourraient y être ; c'est la communauté de ceux qui sont dedans *et* de ceux qui sont dehors, communauté ajointée par le sentiment de l'intolérable, mais sentiment lié à ce qui sépare cette communauté même : à ces murs, dont on ne peut jamais voir qu'un seul côté.

Mathieu Potte-Bonneville

Notes

1. Que l'ensemble de l'œuvre de Foucault puisse être relue à la lumière de la notion d'usage, et qu'elle fournisse ainsi des instruments précieux pour comprendre les mouvements contemporains d'usagers, c'est ce que j'ai commencé d'examiner ailleurs : cf. l'article « Politique des usages », *Vacarme*, n° 29, automne 2004.

2. « The subject and power », *Dits et Écrits*, t. IV, *op. cit.*, p.226.

3. Philippe Mangeot, « Sida : angles d'attaque », *Vacarme*, n° 29, automne 2004.

4. Sur cette idée, cf. Michel Feher, « Les interrègnes de Michel Foucault », *in* Marie-Christine Granjon (dir.), *Penser avec Michel Foucault. Théorie critique et pratiques politiques*, Karthala 2005.

5. *Le Monde*, 11 novembre 2003.

6. « The Subject and Power », *Dits et Écrits*, t. IV, *op. cit.*, p. 232.

7. « Crise de la médecine ou crise de l'antimédecine », *Dits et Écrits*, t. III, *op. cit.*, p. 40.

8. *art. cit*, p.57.

9. L'insistance de Foucault à souligner que le contrôle biopolitique ne remplace pas les formes antérieures d'exercice du pouvoir (souveraineté, discipline) est particulièrement marquée dans les premières leçons du cours *Sécurité, territoire, population, op. cit.*, (par ex., p.10).

10. Gilles Jeannot, *L'Usager des services publics*, PUF, 1998, introduction.

11. *Sécurité, territoire, population, op. cit.*, pp. *58 sq.* Soulignons toutefois que l'identification de la gouvernementalité avec ce régime spécifique d'exercice du pouvoir est, dans l'œuvre de Foucault, une étape transitoire. Si l'opposition discipline/gouvernement est, à ce moment, superposable avec celle que promeut *La Volonté de savoir*, entre anatomo-politique et biopolitique, les textes ultérieurs donneront une extension toujours plus grande à la notion « d'art de gouverner », jusqu'à embrasser à travers celle-ci l'ensemble des relations de pouvoir. Sur ce point, cf. Michel Feher, *art. cit.*

12. *Sécurité, territoire, population, op. cit.*, p. 65

13. *ibid.*, p. 75.

14. *ibid.*, p. 196.

15. *ibid.*, p. 205.

16. « La naissance de la médecine sociale », *Dits et Écrits*, t. III, *op. cit.*, p. 209.

17. Sur ce double dépassement, cf. « Crise de la médecine ou crise de l'antimédecine », *Dits et Écrits*, t. III, *op. cit.*, p. 40 *sq.* ; et « La naissance de la médecine sociale », *Dits et Écrits*, t. III, *op. cit.*, p. 209.

18. *Sécurité, territoire, population, op. cit.*, p. 22.

19. « The Subject and Power », *Dits et Écrits*, t. IV, *op. cit.*, p. 227

20. « Face aux gouvernements, les droits de l'homme », *Dits et Écrits*, t. IV, *op. cit.*, p. 707.

21. « Inutile de se soulever ? », *Dits et Écrits*, t. III, *op. cit.*, p. 793.

TABLE

Initialement prononcés à l'occasion de colloques ou de séminaires, publiés dans des revues ou des ouvrages collectifs, tous les essais qui composent ce livre ont été entièrement réécrits.

Origine des textes :

- Philippe Artières :

1. « Diagnostiquer » : une autre version a paru sous le titre « Dire l'actualité. Le travail du diagnostic chez Michel Foucault » in *Le Courage de la vérité*, sous la direction de Frédéric Gros, Paris, PUF, 2002. Traduction en portugais : « Dizer a Atualidade. O Trabalho de diagnostico em Michel Foucault », in *Foucault. A coragem da verdade*, trad. Marco Marcionilo, Sao Paulo, 2004, pp. 15-37

2. « Parler », texte publié dans une première version sous le titre « Prendre la parole. Pour une audiographie de Michel Foucault », au Canada, dans la revue *Sociologie et Société*, 2006.

3. « Éditer », texte publié dans une version initiale sous le titre « Michel Foucault et l'autobiographie », dans le volume *Foucault, la littérature et les arts* (Cerisy 2000), Paris, Kimé, 2004, pp. 71-85.

4. « Rire », texte initialement publié sous le titre « Michel Foucault : l'archive d'un rire » *in Questions d'archives*, textes réunis par N. Léger, Paris, IMEC, collection Inventaires, 2002.

5. « Actualité » est à l'origine une communication intitulée « Retour sur le cas Croissant » prononcée lors du colloque Foucault organisé par Mario Collucci à Trieste (Italie), en novembre 2004 et publié en portugais en 2007 : Nuno Nabais (dir.), Colloque Foucault, Lisboa, 2005.

6. « Soulèvement » fut initialement publié en espagnol à Santiago-du-Chili : « Momento de subjetividad » in María Emilia Tijoux e Iván Trujillo, *Foucault fuera de si: Deseo, Historia y Subjetividad*, Santiago de Chili, ARCIS, 2006

7. « Mémoire » est initialement une communication intitulée « L'Ombre des prisonniers sur le toit. Les héritages du GIP », prononcé au Centre Pompidou et publiée *in L'Infréquentable Michel Foucault. Renouveaux de la pensée critique*, sous la direction de Didier Eribon, Paris, EPEL, 2001, pp. 101-111.

8. « Écritures » : texte dont une première version a fait l'objet d'une communication au colloque de Chauvigny (1995) et d'une publication sous le titre : « Le Panoptique graphique, les visages de l'écriture dans *Surveiller et punir* », *in Lectures de Foucault 2*, sous la direction D'E. da Silva & J.-C. Zancarini, ENS éditions, 2003.

- Mathieu Potte-Bonneville :

1. « Enseigner » : une ancienne version existe sous le titre « Un maître sans vérité ? Portrait de Michel Foucault en stoïcien paradoxal », intervention au IIIe colloque franco-brésilien de philosophie de l'éducation, UERJ, Rio de Janeiro, Brésil, 9-11 octobre 2006. Publié in J. Gondra et W. Kohan (éd.), *Foucault 80 anos*, Rio de Janeiro, Autentica, 2006.

2. « Écrire »: texte dont une première version, « L'écriture de l'histoire comme exercice de la pensée : Michel Foucault, historien des disciplines », a fait l'objet d'une intervention lors du colloque « Foucault fuera de si: historia, deseo, subjetividad », Universidad Arcis, Santiago, Chili, 28 octobre 2005.

3. « Disparaître » : une première version de ce texte a pour titre « N'avoir plus de visage : éthique et disparition chez G. Deleuze et M. Foucault » ; intervention lors du colloque « Gilles Deleuze et Michel Foucault, histoire d'une relation », Fonds Documentaire Gilles Deleuze, Centre d'études du Saulchoir, Paris, Bibliothèque du Saulchoir, 13 mai 2004.

4. « Droit » est à l'origine une intervention, « Foucault et le droit », au groupe d'études « La Philosophie au sens large » dirigé par P. Macherey, université Lille III. 08 janvier 2003.

5. « Contrôle » a paru sous le titre « Actualité de la prison », *Vacarme* n°10, hiver 2000.

6. « Éthique » est un texte entièrement inédit.

7. « Usages » est, dans une version antérieure intitulée « Pour une généalogie des mouvements d'usagers », une intervention lors du colloque « Le politique vu avec Foucault » co-organisé par l'Association française de Sciences Politiques et le Centre interdisciplinaire de recherches comparatives en science sociales, Paris, Institut d'études politiques, 7 et 8 janvier 2005.

AUX PRAIRIES ORDINAIRES

Collection « Essais »

Mathieu Potte-Bonneville, *Amorces*, 2006

Philippe Artières, *Rêves d'histoire.*
Pour une histoire de l'ordinaire, 2006

Jeanne Favret-Saada, *Comment produire une crise*
mondiale avec douze petits dessins, 2007

Pascal Michon, *Les Rythmes du politique.*
Démocratie et capitalisme mondialisé, 2007

Philippe Artières, Mathieu Potte-Bonneville,
D'après Foucault. Gestes, luttes, programmes, 2007

Collection « Penser/Croiser »

Wendy Brown, *Les Habits neufs de la politique*
mondiale. Néolibéralisme et néo-conservatisme, 2007

Mike Davis, *Le Stade Dubaï du capitalisme*, 2007

Stanley Fish, *Quand lire c'est faire. L'autorité*
des communautés interprétatives, 2007

Fredric Jameson, *La Totalité comme complot.*
Conspiration et paranoïa dans l'imaginaire
contemporain, 2007

Collection « Contrepoints »

Arlette Farge (entretiens avec Jean-Christophe Marti),
Quel bruit ferons-nous ?, 2005

Eric Hazan (entretiens avec Mathieu Potte-Bonneville),
Faire mouvement, 2005

Véronique Nahoum-Grappe
(entretiens avec Jean-Christophe Marti),
Balades politiques, 2005

Pierre Bergounioux
(entretiens avec Frédéric Ciriez et Rémy Toulouse),
École : mission accomplie, 2006

Achevé d'imprimer par Normandie Roto Impression S.A.S. à Lonrai
N° d'imprimeur : 073208 - Dépôt légal : novembre 2007 - Imprimé en France